A-Z BRIST[OL]

C000026335

CO[NTENTS]

REFERENCE

Motorway	M5
A Road	A4
Under Construction	
Proposed	
B Road	B4058
Dual Carriageway	
One Way Street Traffic flow on A Roads is indicated by a heavy line on the driver's left.	→
Pedestrianized Road	
Restricted Access	
Track / Footpath	---- ----
Residential Walkway	··············
Railway	Tunnel / Level Crossing / Station
Built Up Area	HIGH STREET
Local Authority Boundary	— · — · —
Posttown Boundary	·················
Postcode Boundary Within Posttown	—— —— ——
Map Continuation 12	Large Scale 4
Beaches	
Car Park (Selected)	P

Church or Chapel	†
Electricity Transmission Line	⊠— — —⊠
Fire Station	■
Hospital	⊞
House Numbers (Selected Rds.)	4 22 36
Information Centre	🛈
National Grid Reference	360
Places of Interest	
Police Station	▲
Post Office	★
Toilet	▽
Toilet with Disabled Facilities	♿

Large Scale City Centres Only

One Way Roads Traffic flow is indicated by a blue arrow.	⇒
Educational Establishments	
Hospitals & Health Centres	
Leisure & Recreational Facilities	
Places of Interest	
Public Buildings	
Shopping Centres & Markets	
Other Selected Buildings	

SCALE

Map Pages 6-95, 98-157
1:15,840   4 inches to 1 mile

0	¼ Mile
0	250 Metres

Map Pages 4-5, 96-97
1:7,920   8 inches to 1 mile

0	⅛ Mile
0	250 Metres

Geographers' A-Z Map Company Limited

Head Office :
Fairfield Road, Borough Green, Sevenoaks, Kent TN15 8PP
Tel: 01732 781000 (General Enquiries & Trade Sales)

Showrooms :
44 Gray's Inn Road, London WC1X 8HX
Tel: 020 7440 9500 (Retail Sales)
www.a-zmaps.co.uk

Ordnance Survey This product includes mapping data licensed from Ordnance Survey® with the permission of the Controller of Her Majesty's Stationery Office.
© Crown Copyright 2001. Licence number 100017302

Edition 2 1998
Edition 2B 2001 (part revision)
Copyright © Geographers' A-Z Map Co. Ltd. 2001

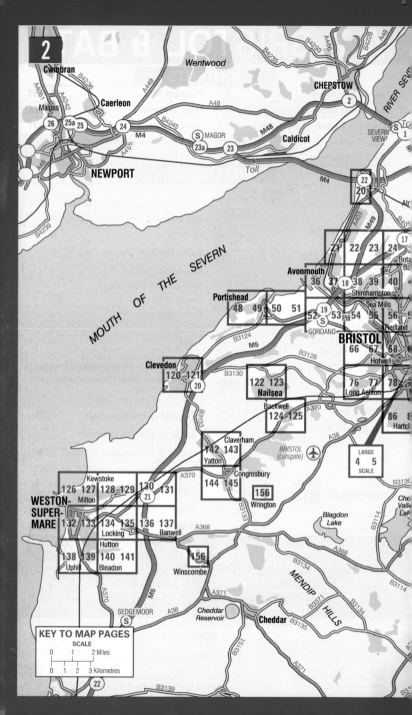

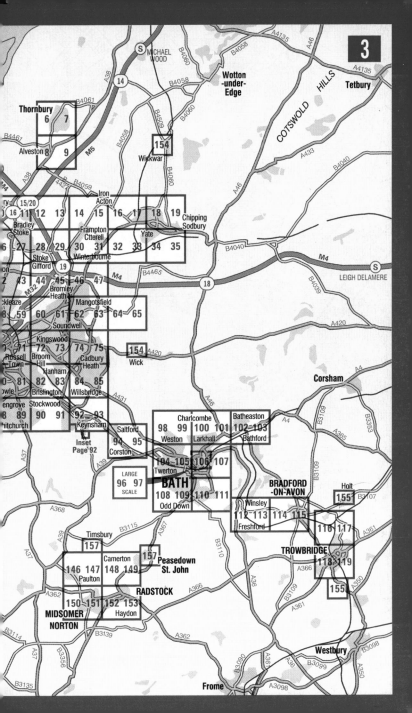

3

A4135

A46

Tetbury

Wotton
-under-
Edge

COTSWOLD HILLS

A4135

MICHAEL WOOD

B4058

B4060

Thornbury
6 | 7

Alveston 8 | 9

154
Wickwar

Iron Acton

15/20
16 | 11 | 12 | 13 | 14 | 15 | 16 | 17 | 18 | 19
Bradley Stoke
Frampton Cotterell
Yate
Chipping Sodbury

28 | 29 | 30 | 31 | 32 | 33 | 34 | 35
Stoke Gifford
Winterbourne

43 | 44 | 45 | 46 | 47
Bromley Heath

58 | 59 | 60 | 61 | 62 | 63 | 64 | 65
Mangotsfield
Soundwell

70 | 71 | 72 | 73 | 74 | 75
Kingswood
Russell Town
Broom Hill
Cadbury Heath

154
Wick

Hanham
82 | 83 | 84 | 85
Brislington | Willsbridge

engrove Stockwood
Whitchurch
88 | 89 | 90 | 91 | 92 | 93
Keynsham

Inset Page 92

Saltford
94 | 95
Corston

LARGE
96 | 97
SCALE

Charlcombe
98 | 99 | 100 | 101 | 102 | 103
Weston | Larkhall
Batheaston
Bathford

104 | 105 | 106 | 107
Twerton

BATH

108 | 109 | 110 | 111
Odd Down

BRADFORD
-ON-AVON

Winsley
112 | 113 | 114 | 115
Freshford

155
116 | 117

Corsham

Holt
155

A365

Timsbury
157

Camerton
157
146 | 147 | 148 | 149
Paulton
Peasedown
St. John

RADSTOCK

150 | 151 | 152 | 153
Haydon

MIDSOMER
NORTON

TROWBRIDGE
118 | 119

155

Westbury

Frome

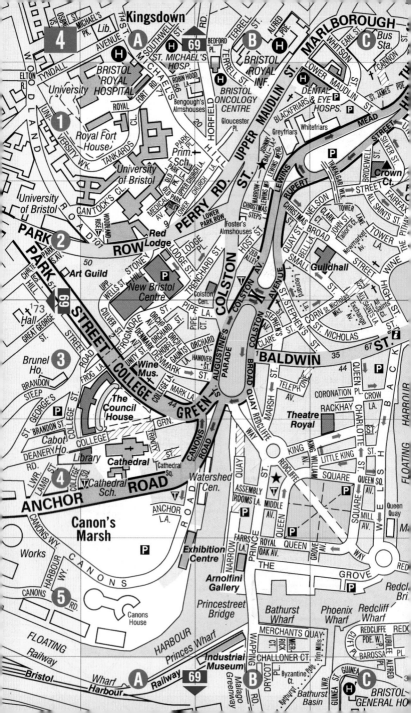

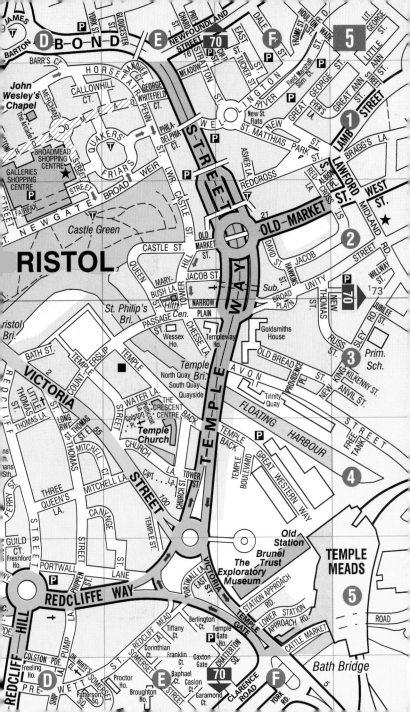

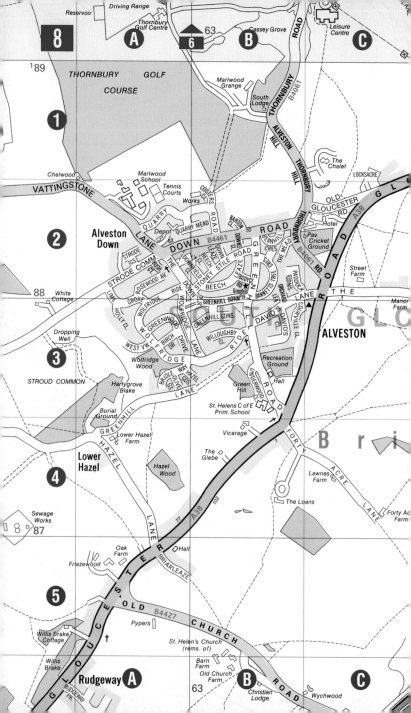

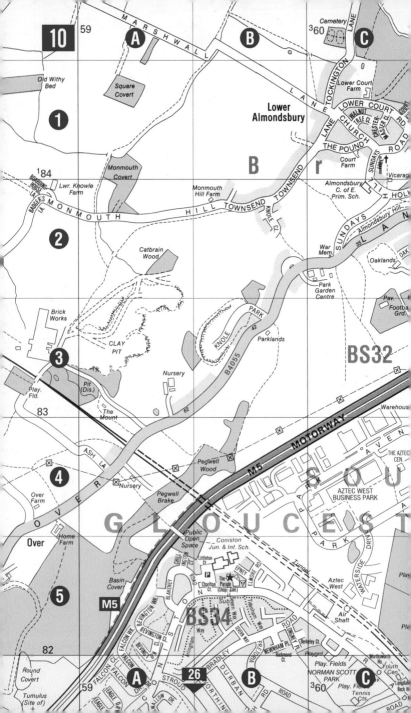

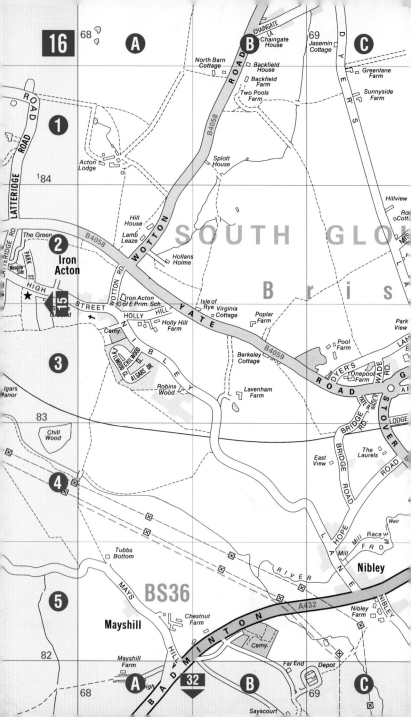

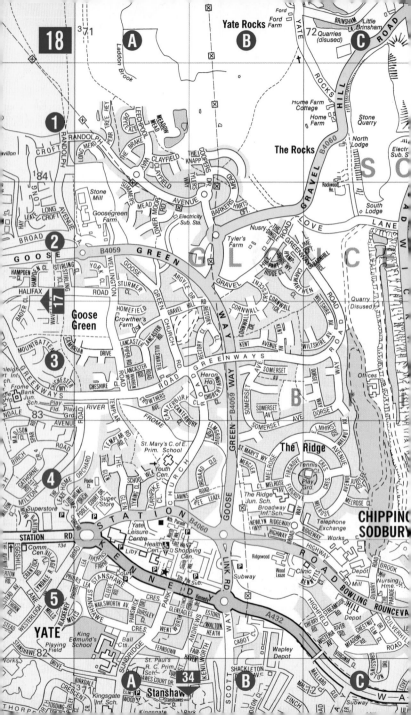

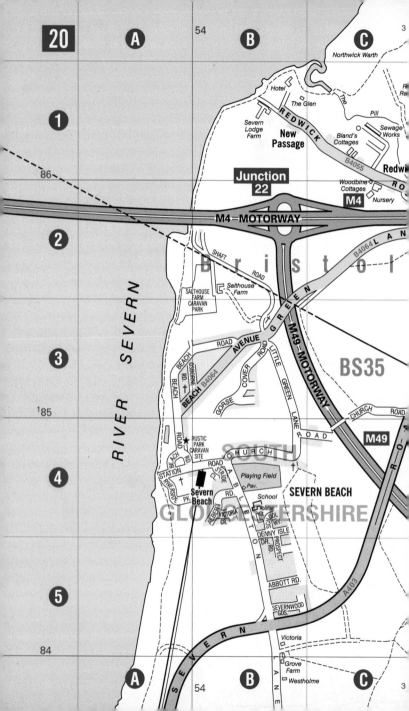

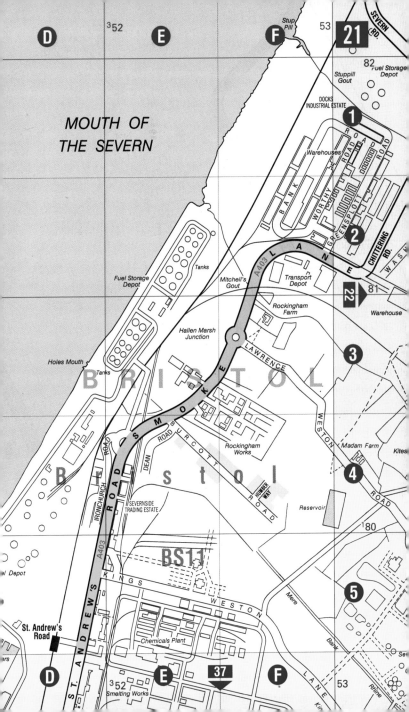

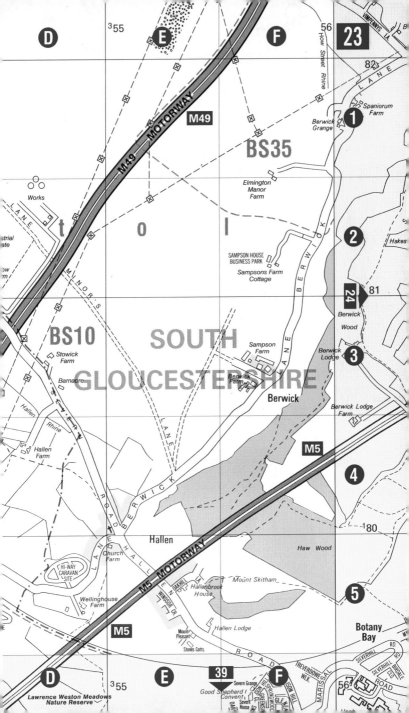

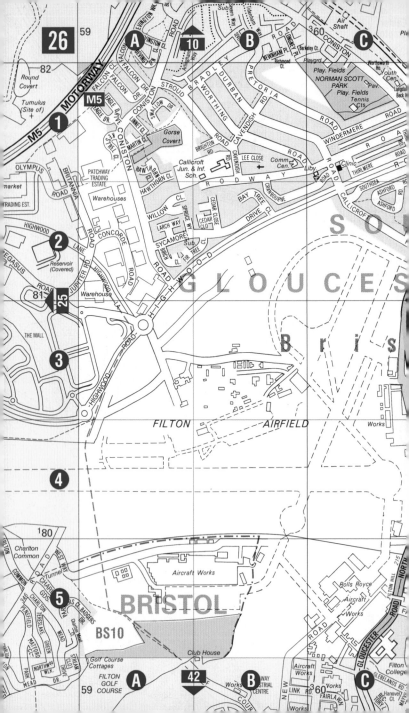

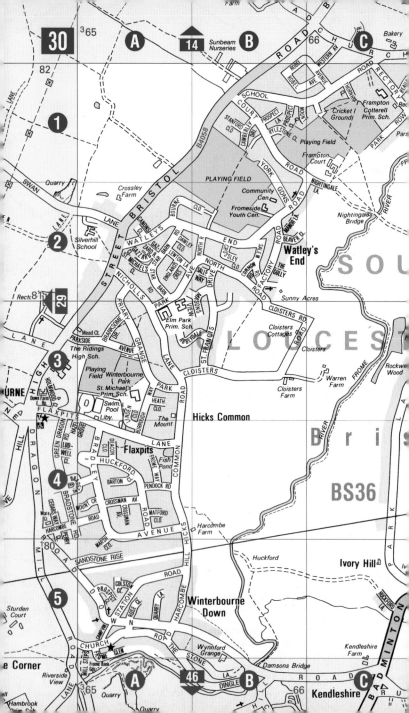

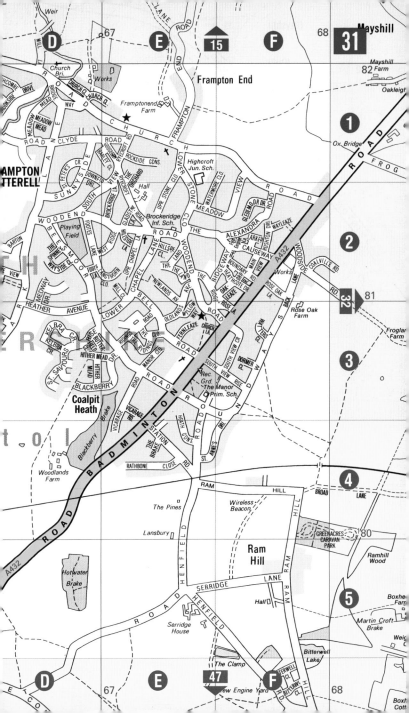

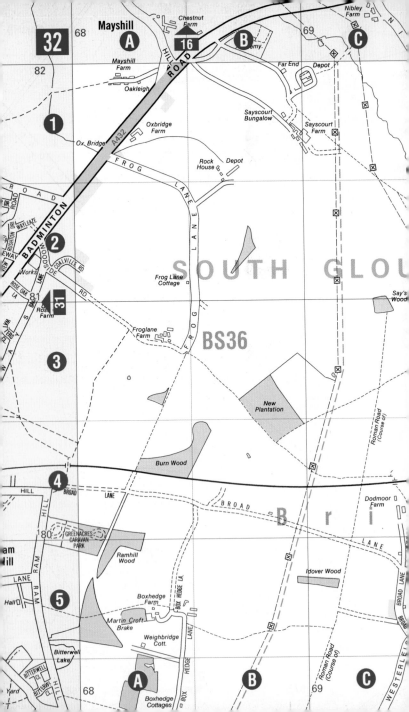

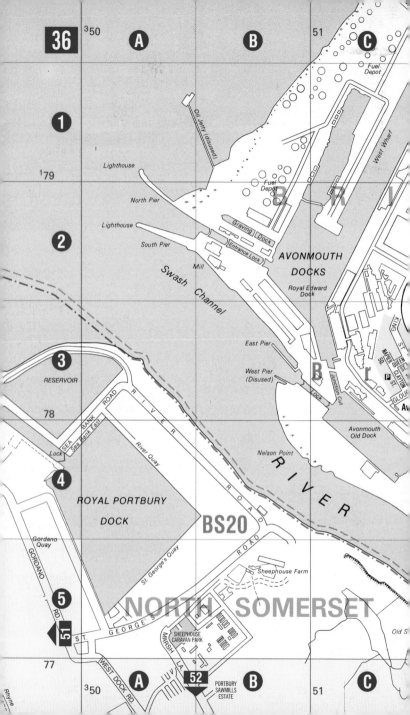

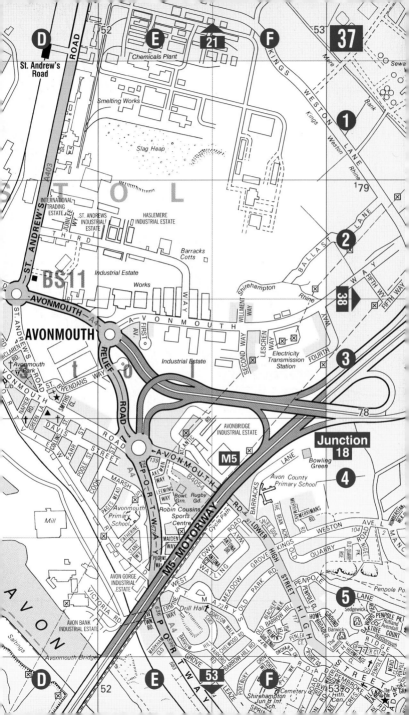

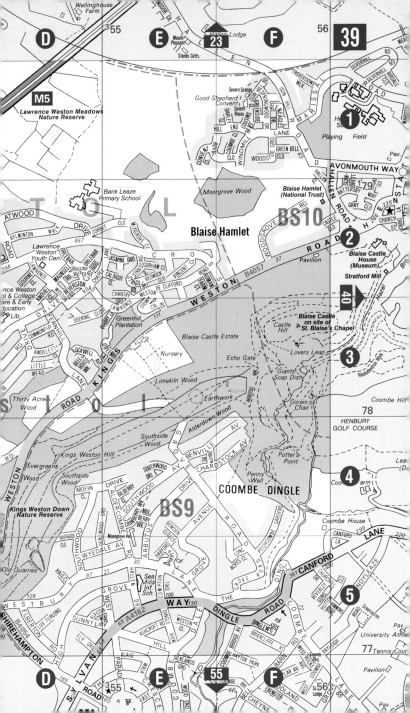

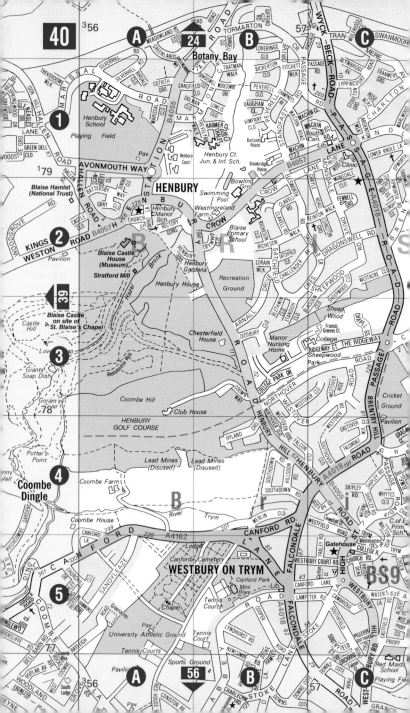

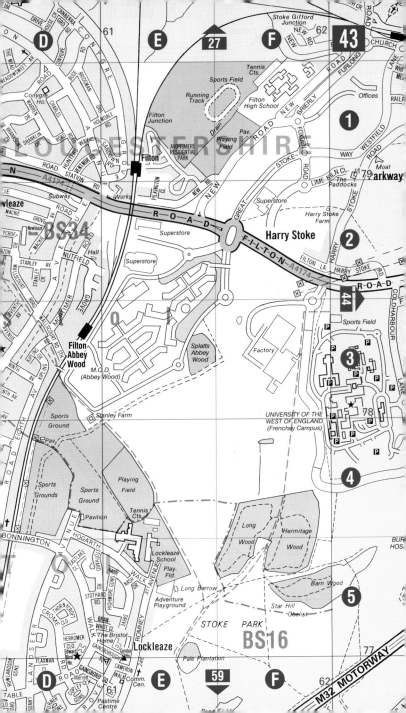

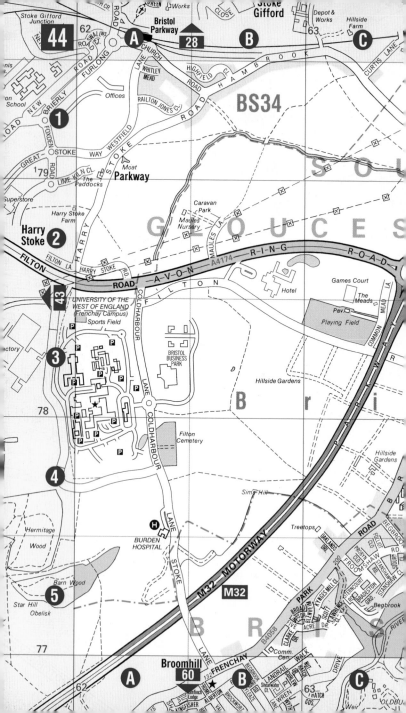

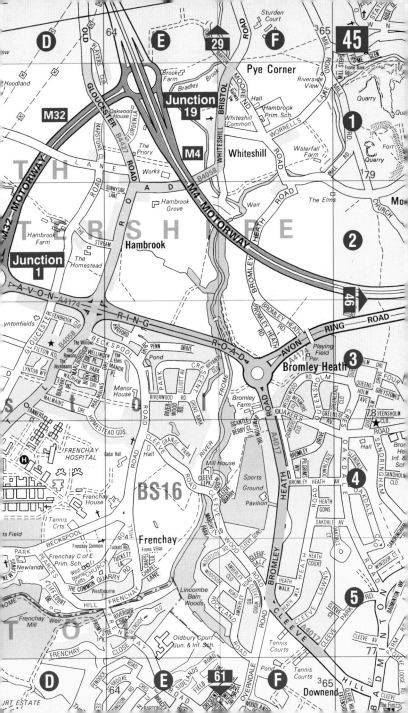

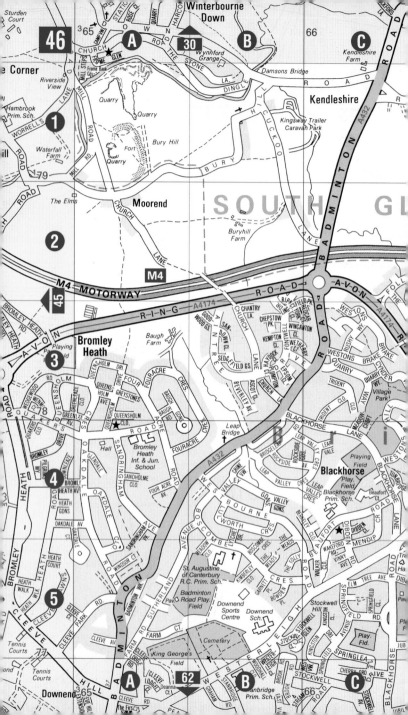

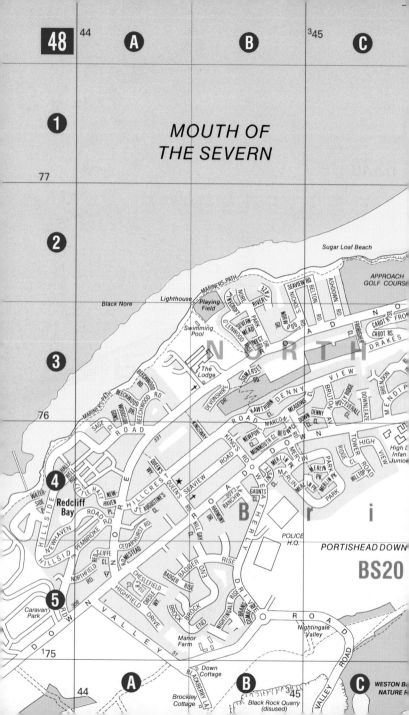

MOUTH OF
THE SEVERN

Sugar Loaf Beach

APPROACH
GOLF COURSE

Black Nore   Lighthouse

MARINERS PATH
Playing
Field

SEAVIEW RD.
BELTON
ASHDOWN
RD.

CABOT RS.   FROM

CABOT RS.

DRAKES

Swimming
Pool

GLENWOOD RISE
SEVERN
MEAD
INVICTA DR.
NORE
PARK
RIVER
NORW
WOOD
NICHOL'S
RD.
CL.

N O R T H

The
Lodge

SOMERSET
RD.
DEVONSHIRE DR.
HAWTHORN

V I E W
DENNY
MEADOWS
CL.
BRUTON
HO.
EVERALL
CL.
DOWNLEAZE
M E N D I P

BEECHWOOD
RD.
BEECHWOOD
DR.
GORSE
WOODSIDE
BEECHWOOD
SAGE

R O A D

MARINERS PATH

331

KINGSWAY

ROAD

KING'S
RD.
MARCO
CL.
NEWPORT
CL.
MONMOUTH CL.
BEDWD.
CL.
DORSET
WEATHERLY

DENNY
AV.
TOWER
RD.
RIDGE
HIGH
VIEW
MERLIN
PK.
MERLIN
PARK
HILLTOP

High D
Infan
Junior

WATER-
SIDE
HALL
WELLS
RD.
LITTLE HALL
NEW-
HAVEN
QUEEN'S
WY.
QUEEN'S
RD.
St. AUGUSTINE'S
CL.
SEAVIEW
RD.
WILL GAY
HANNAH
DR.
RANCHWY
GAUNTS
CL.
B r i

HILLSIDE
Redcliff
Bay
NEWHAVEN
HILLSIDE
PEMBROKE
ROAD
RED-
CLIFFE
CL.
HOMESTEAD
CEDARHURST RD.
NORTHFIELD
RD.
CHESLEFIELD
HIGHFIELD
DRIVE
DINGLE
WY.
BADGER
RISE
BADGER
RISE
END
RISE

POLICE
H.Q.

PORTISHEAD DOWN

BS20

Caravan
Park

DOWN
RD.
308
VALLEY
BROCK
END
BROCK
NIGHTINGALE RISE
BRANS
SOMER
RD.
R O A D
VALLEY
ROAD

Manor
Farm
31

Nightingale
Valley

WESTON B
NATURE R

Down
Cottage

Brockley
Cottage
BLACKBERRY LA.
Black Rock Quarry
(disused)

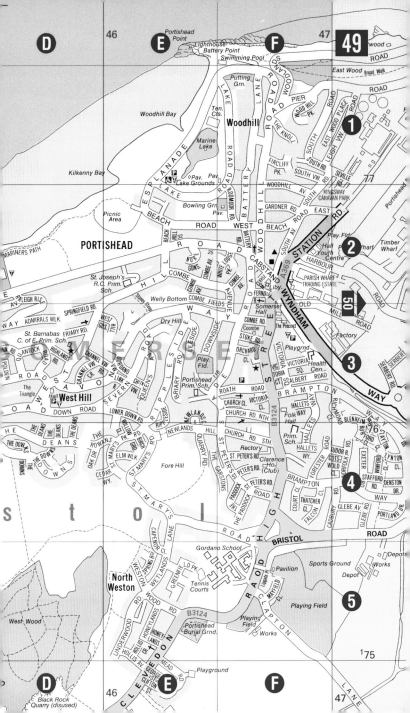

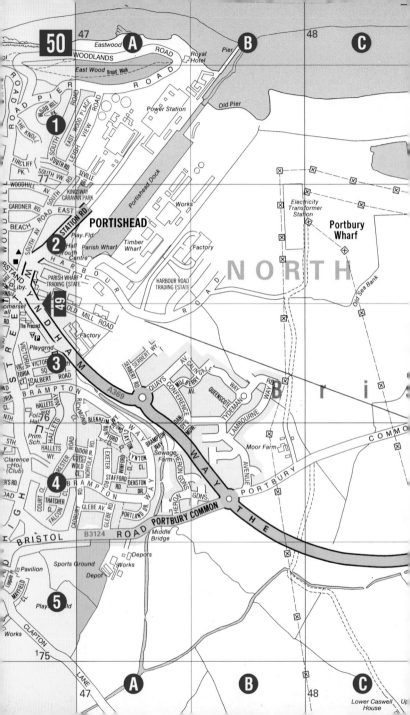

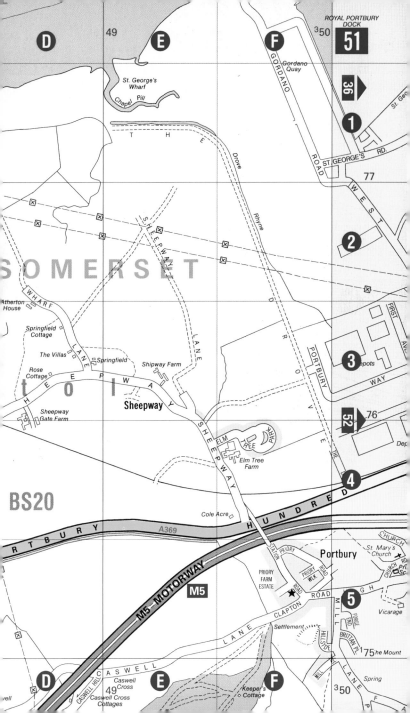

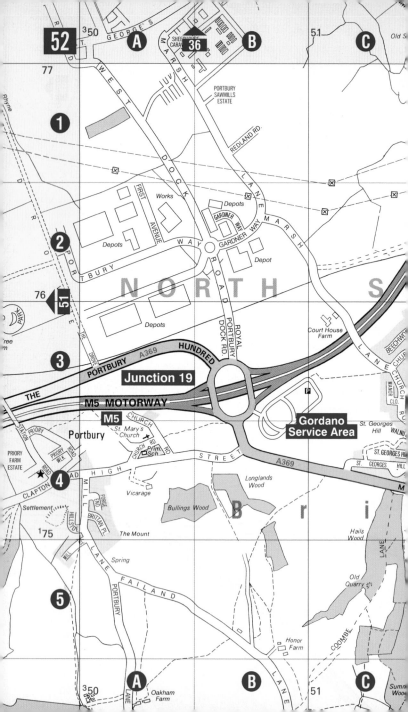

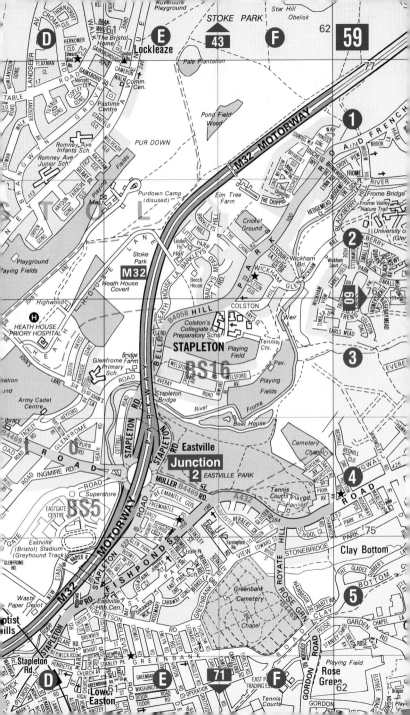

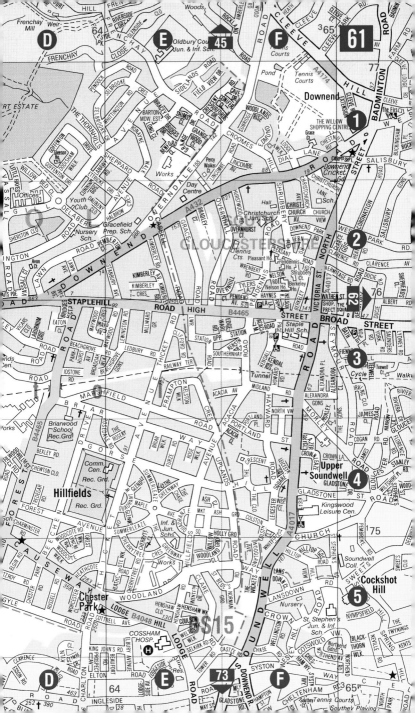

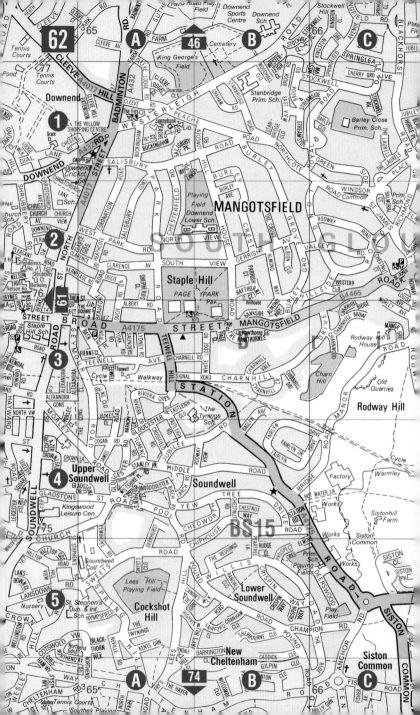

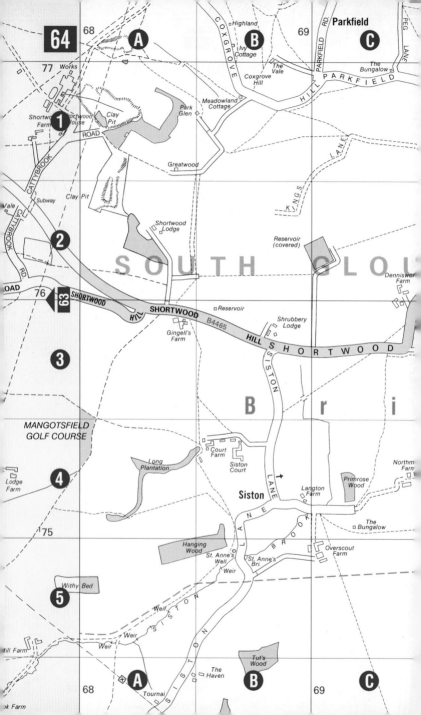

68
77
Works

A

Highland

B

Ivy Cottage

69

C

Parkfield

PEG LANE

COXGROVE

The Vale

Coxgrove Hill

The Bungalow

PARKFIELD RD

HILL PARKFIELD

Shortwood Farm

1

Shortwood House

Clay Pit

Park Glen

Meadowland Cottage

ROAD

Greatwood

KINGS LANE

CATTYBROOK

Subway

Clay Pit

Clay Pit

Shortwood Lodge

Reservoir (covered)

Dennisworth Farm

Vale
CATTYBROOK RD

2

S O U T H   G L O U

ROAD

76

63 SHORTWOOD

SHORTWOOD

Reservoir

B4465

HILL

SHORTWOOD

HILL

Gingell's Farm

Shrubbery Lodge

SISTON

SHORTWOOD

3

B

r

i

MANGOTSFIELD GOLF COURSE

Court Farm

Siston Court

LANE

Northmead Farm

Lodge Farm

4

Long Plantation

Langton Farm

Primrose Wood

Siston

75

Hanging Wood

The Bungalow

St. Anne's Well

St. Anne's Bri.

BROOK

Overscout Farm

Weir

5

Withy Bed

SISTON

LANE

Weir

Hill Farm

Weir

Weir

SISTON

Tut's Wood

A

Tournai

The Haven

B

69

C

68

ok Farm

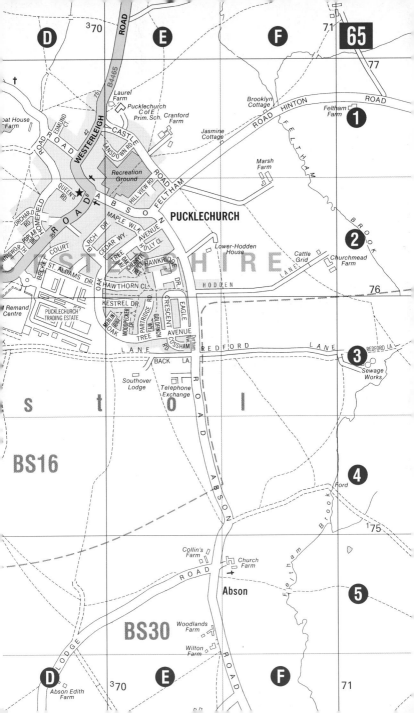

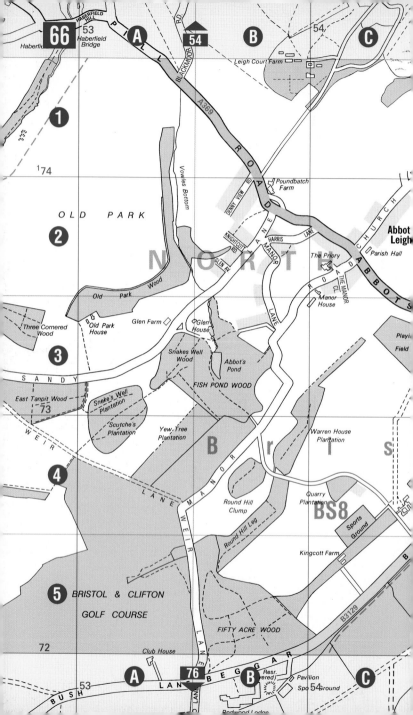

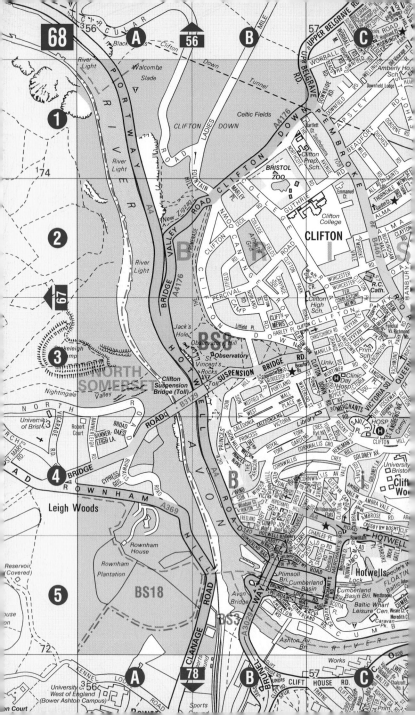

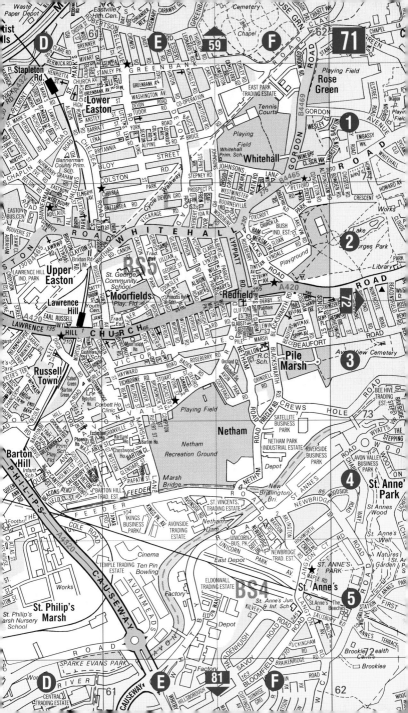

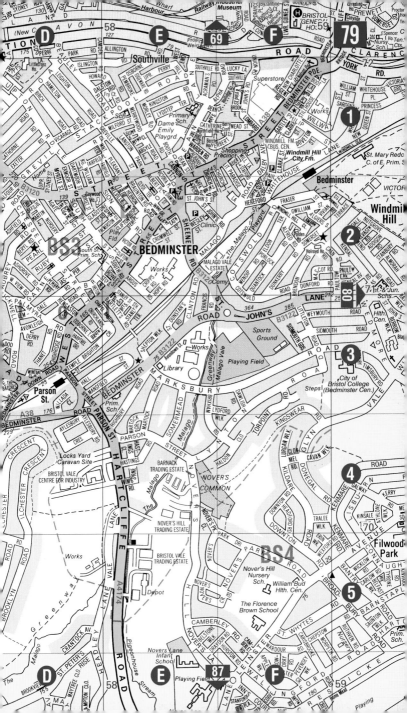

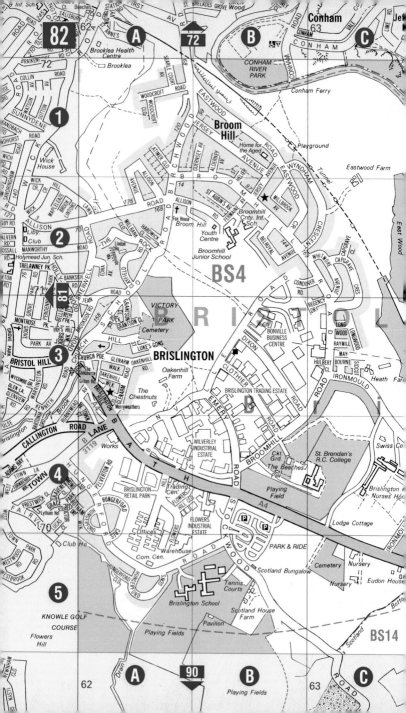

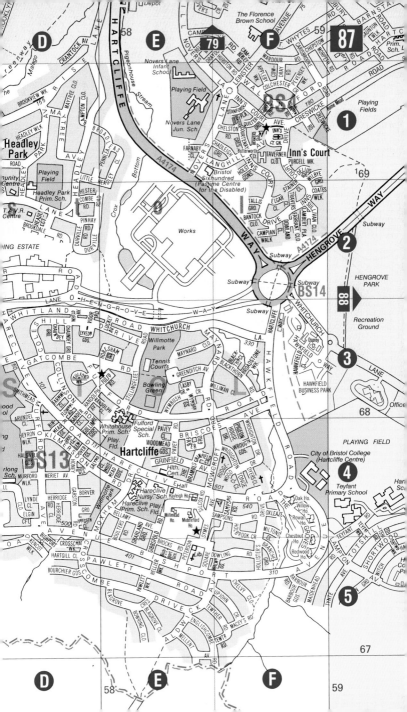

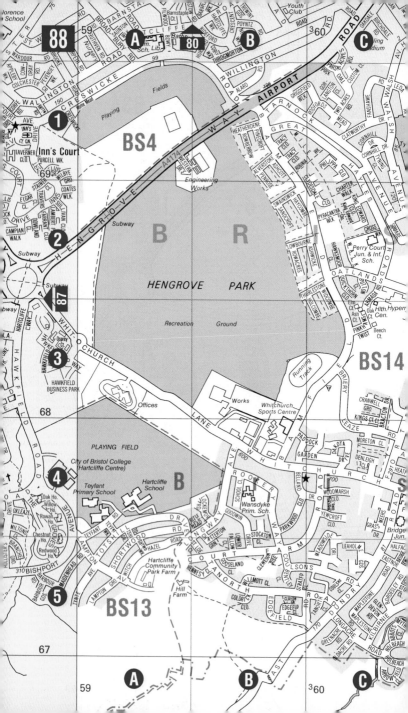

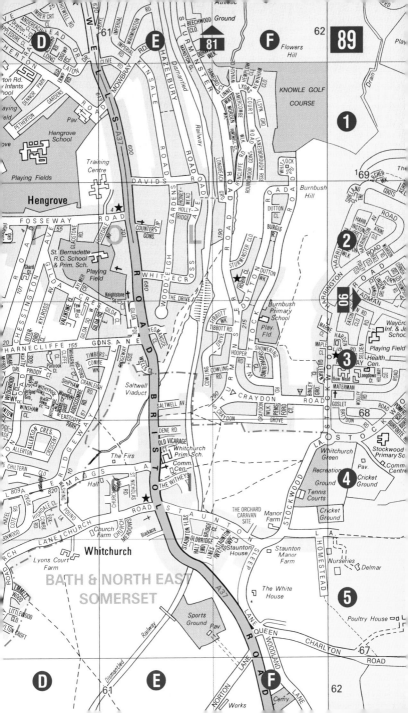

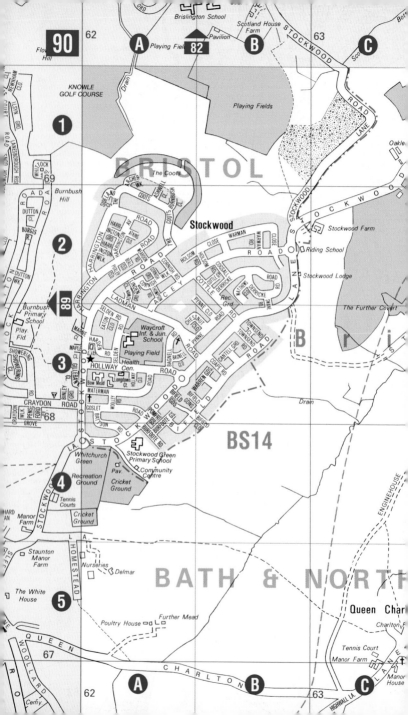

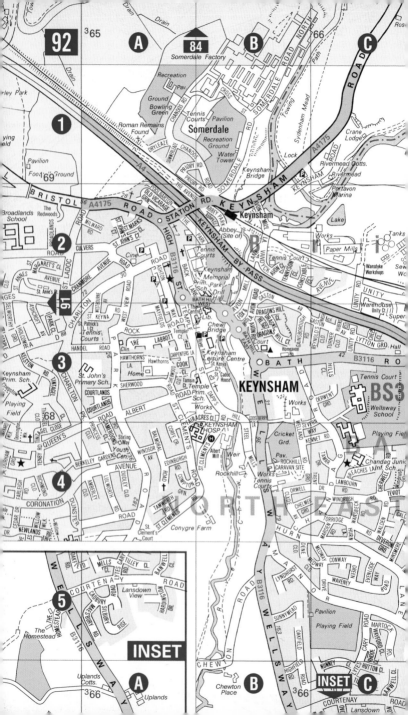

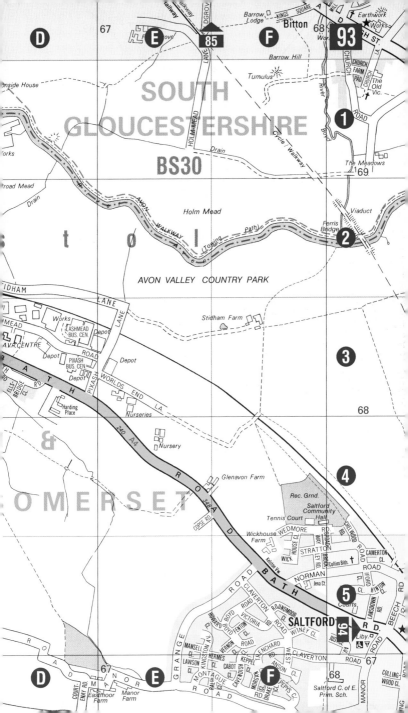

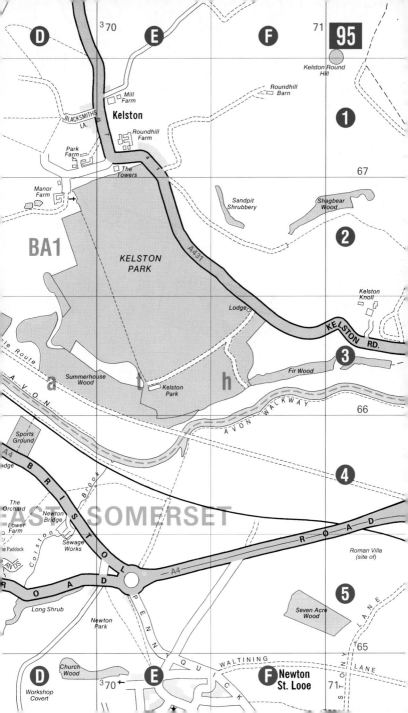

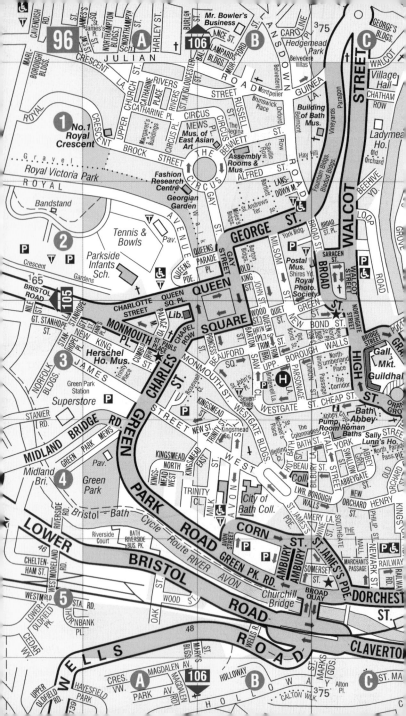

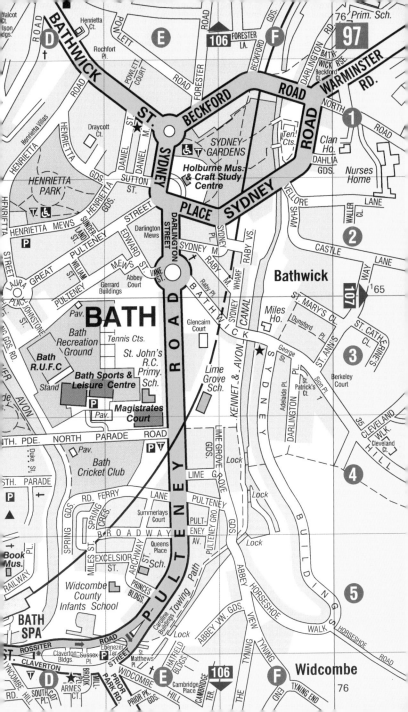

Lansdown
ying Fields North

◇ Thrums

Landsdown
Poultry Farm

Emdene

S O M E R S E T

Playing Fields

Running Track

Playing Fields

Playing Fields

Pavs.
Ten.
Cts.

Beckford's Tower & Museum

Playing Fields

Cemetery

R O A D

GRANVILLE

COLLIERS LANE

View Farm

Charlcombe Grove Farm

Ravenswell House

Ravenswell Lodge

Charlcombe Wood

1

SOPER'S WOOD 68

2

100

Ensleigh Ministry of Defence (Naval)

Chelscombe Farm

n Farm

t

h

Hamilton Ho.

Little Down Farm

Charlcombe Farm

3

Byre Farm

Charlcombe M

67

STONELEIGH CT.

LANSDOWN PK.

LANSDOWN PK.

Rohannon ¿ Farm

Lansdown Wood Reservoir

FONTHILL ROAD

COLLEGE ROAD

Playing Field

Kingswood School

VAN DIEMEN'S LANE

CHARLCOMBE LANE

RICHMOND

Play Fld.

Tennis Cts.

The Royal Sch.

4

BLIND LA.

BA1

PROSPECT

DERWENT

PARK

ROAD

CAVENDISH

HAMILTON ROAD

Lansdown Cl.

m

GAS

COTTAGE

WALDEGRAVE RD

ROAD

NORTHFIELDS

NORTHFld.s CL.

The
Royal Sch.

Primrose Hill

Primrose Hill Farm

MOUNTAIN ASH

PRIMROSE HILL

Summerhill Park

SUMMERHILL ROAD

SION HILL

HERMITAGE RD.

SOMERSET

SION HILL

5

66

Summerfield School

SION HILL

PLACE

SION RD

 SREBERN LANE

SOMERSET PL.

LANSDN PL

NEW LANSDOWN CRES.

LANSDOWN

PLACE

Bath Coll. of Higher Educ.

CHURCH

ROAD

LANSDOWN

LUCKLANDS

PUREWELL

DRIVE

HICKLEY RD

WESTON PK WEST

WESTON PK CT.

WESTON PARK EAST

Weston Park

Sports Ground

Montrose Cotts.

WESTON

PARK

LANE

LINDEN GDNS

CRANWELL

CRANWELL

PARK

CRANWELLS

Cavendish Lodge

Tennis Courts

St. Stephen

Bath High

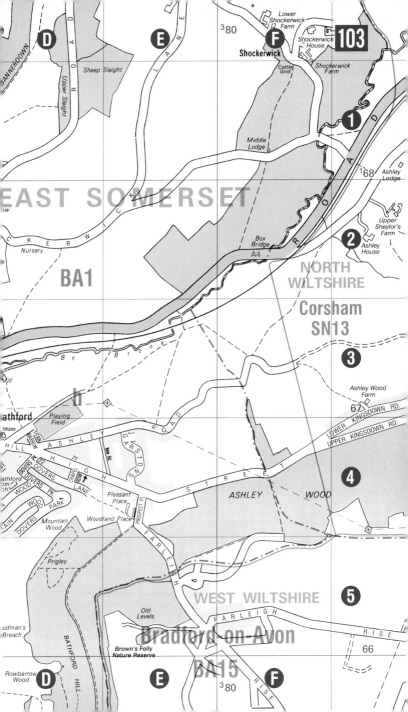

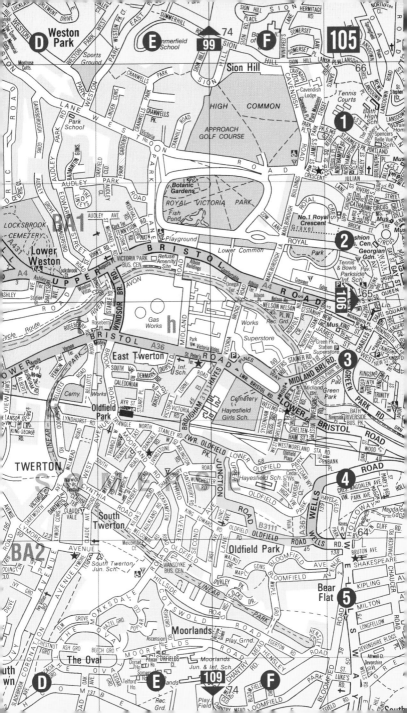

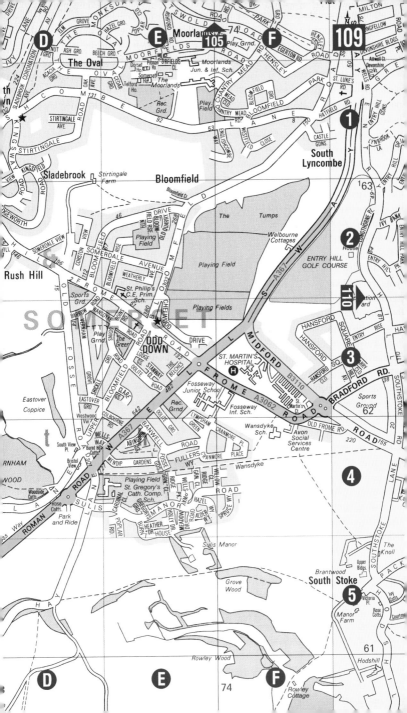

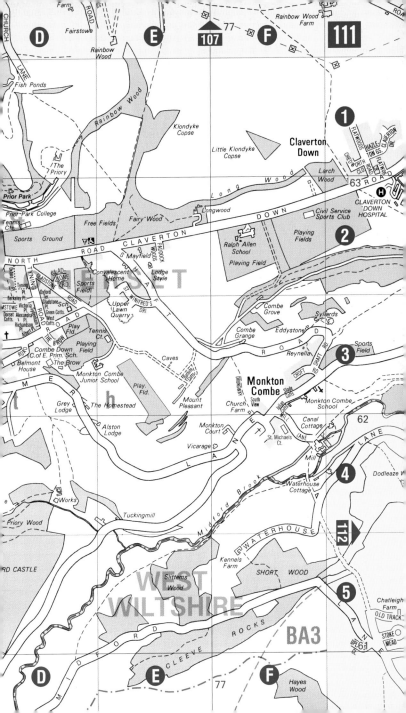

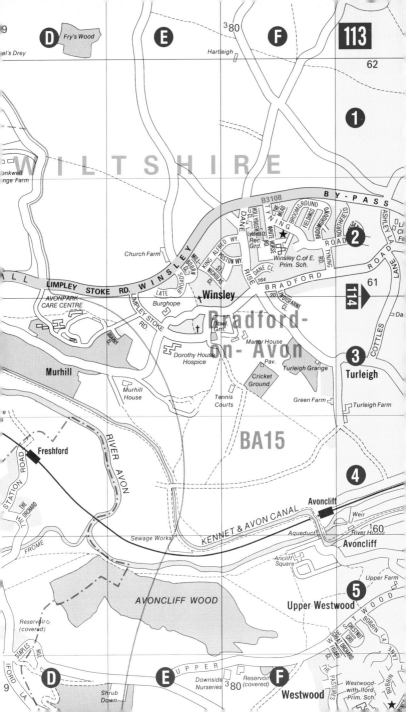

A   ³81   **B**   **C**

62

1

W   E   S   T   W

Great Ashley Farm   **Great Ashley**

THE OLD BATCH

St. Laure Sch.

WINSLEY   B3108   BY-PASS

THE MEAD   BROOMGROUND   FIELDINGS   MARIBROOK   NORTHFIELD   SAXON ROAD

WHITE HOUSE CL

TYNING

2

Little Close Farm

Nursery

BEAR

MAGNON RD.

VIEW

C

WESTFIELD

DOWNS

DOWNS CL.

ASHLEY LA.

Winsley   R O A D   W I N S L E Y   104   90

Winsley C.of E. Prim. Sch.   TYNING RD.

Hill View Farm

B3108

GROVE L

BRADFORD   61   **113**   20   LINDISFARNE CL.

MEADOWFIELD

RCKFIE

CKFIE

Danescroft

house

av.

3

Turleigh Grange

COTTLES LANE

Belcombe Court

Turleigh

Huntersoombe

B r a d f o r d -

Green Farm   Turleigh Farm

The Warren

BELCOMBE -

RIVER

4

KENNET

Swing Bridge

Barton Farm Country Park

Sewage Farm

Avoncliff

CANAL   60   Weir

Aqueduct   River House

Avoncliff

Becky Addy Wood

BA15

J   O   N   E

Ancliff Square

Lye Green Farm

Upper Farm

Lye Green

5

Upper Westwood   WESTWOOD

WESTWOOD

BOBBIN LA.

CHESTNUT GRO

GREAT ORCHARD

FRANK L

THE PASTURES

BOBBIN LA.

UPPER   W

A   LESLIE   RISE

Westwood-with-Iford Prim. Sch.

TYNING

WAY

³81   **B**   **C**

Westwood

Nursery

The Beeches

B Forewoods Common

B3105 385

C

HOLT ROAD B3107

61

Little Bradford Wood

Cemetery

1

BRADFORD WOOD LANE

Bradford-on-Avon

GREAT BRADFORD WOOD

BRADFORD-ON-AVON GOLF COURSE

2

W E S T W

BA15

160

Bradford Junctions

3

Wid Brook

RIVER AVON

RIVER BISS

Towing Path

KENNET & AVON CANAL

Lock

T r o w b

Poultry Houses

Widbrook House

Lady Down Farm

Widbrook Hill

4

TROWBRIDGE RD. A363

Lady Down Mill

BISS

59 Longscroft Farm

T R O W L E

5

Manor Farm

Sewage Works

Sewage Works

LANGFORD ROAD

MELTON SANDERS ST

LANGFORD

Trowle Common

ROAD

FRANCIS LANGFORD

CHARLES JENKINS ST

Trowle Manor Court Farm

WESTWOOD

84

KETTON RISE

CHARMOND RD. HELENDON

CLOFORD RD.

Ivy Villas

A

COCK HILL

118

B

RIVER

Sewage Works

385 SHAILS LANE INDUSTRIAL ESTATE Helens

C

SHA...

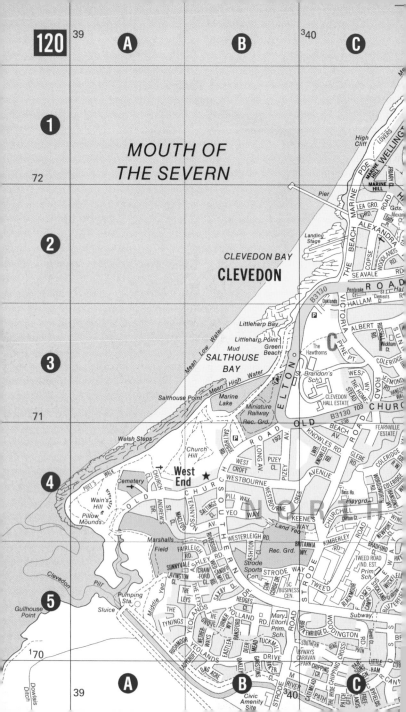

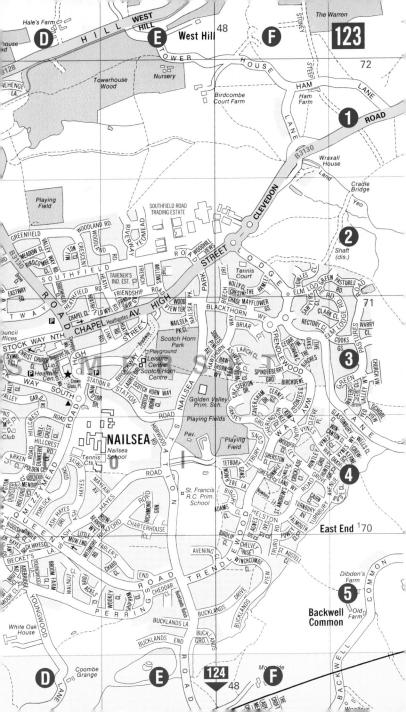

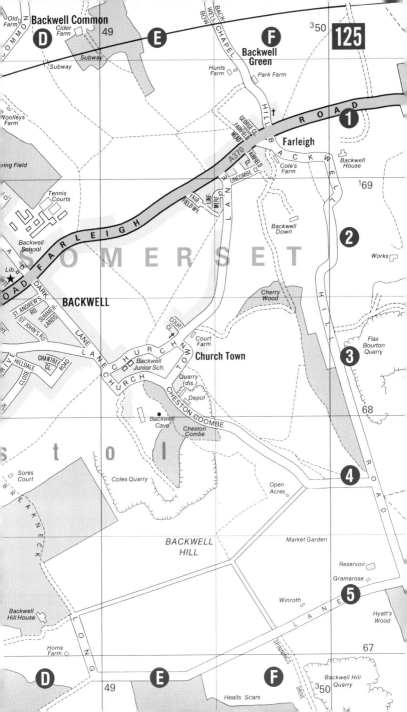

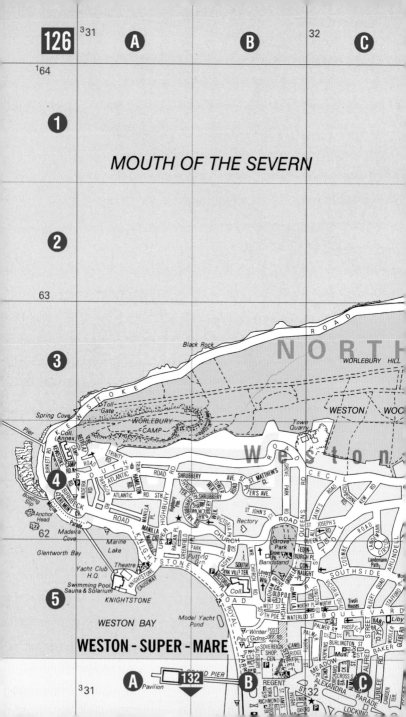

1

MOUTH OF THE SEVERN

2

63

3

Black Rock

N O R T H

WORLEBURY HILL

Toll
Gate

Spring Cove

WORLEBURY
CAMP

WESTON WOO

Town
Quarry

Coll.
Annex

W e s t o n

Pier

Boating
Slip

4

Anchor
Head

TRINITY

SHRUBBERY

AVE. ST. MATTHEW'S
CL.

PER'S AVE.

St. JOHN'S

Rectory

CECIL

GROVE PARK

QUEENS

ROAD

KEW RD

ATLANTIC

Madeira
Cove

Marine
Lake

Grove
Park

EDIN
BURGH PL

QUEEN'S

CON-
NAUGHT
PL

JOSEPH'S

COOMBE

Landemann
Path

ARUNDELL

62

Glentworth Bay

Bandstand

SOUTH
PARK VILL.TER

LWR

SOUTHSIDE

Yacht Club
H.Q.

Theatre

Putting
Grn.

Lovers
WK

VICT

VICTORIA

Swimming Pool
Sauna & Solarium

5

KNIGHTSTONE

CAUSEWAY

Coll

OLD P.O.
PL

Tivoli
Houses

Liby

KNIGHTSTONE

WEST ST

WORTHY L

BOULEVARD

STAFFORD

WEST ST

WATERLOO ST

WESTON BAY

Model Yacht
Pond

ROYAL

T.PDE

HIGH

Winter
Pav Gdns

POST
OFF. RD

PALMER R

PROSP

PALM

WESTON - SUPER - MARE

SOVEREIGN
SHOP.
CEN.

CAMB
RIDGE

BURLINGTON ST

MEADOW

HOPKINS ST

ALFRED BAKER

RICHMOND

VICT

JAMES

OXFORD

UNION

LOCKING

ALEXANDRA

PARADE

CROSS ST

Mus.

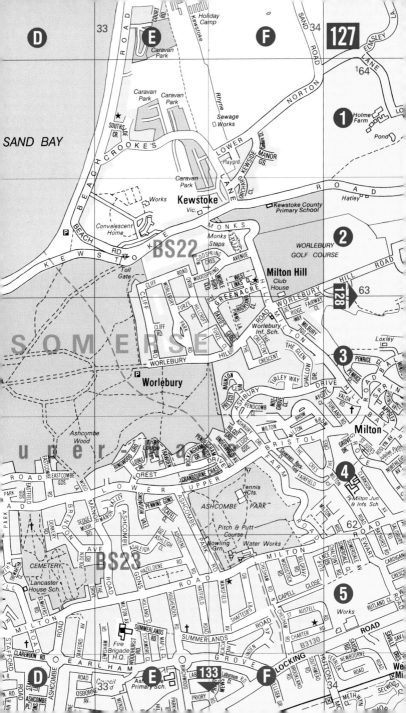

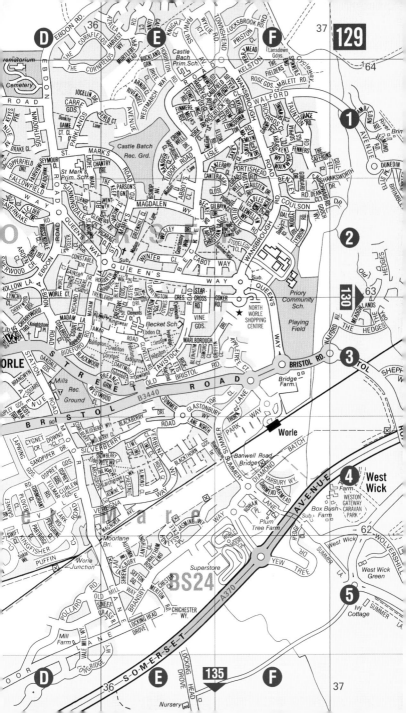

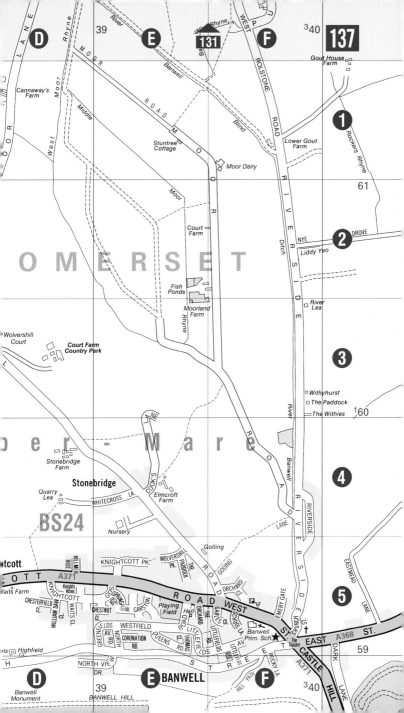

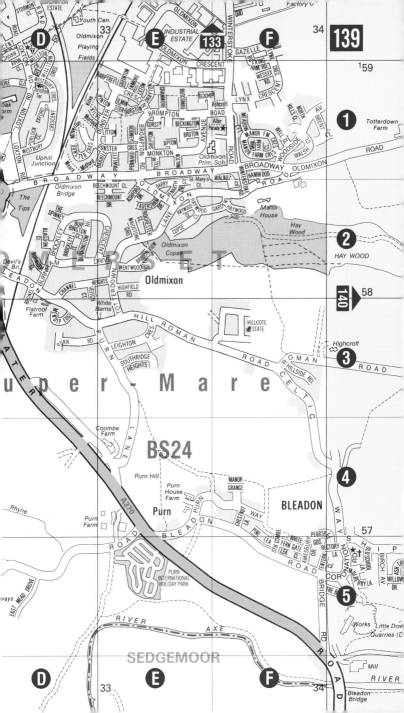

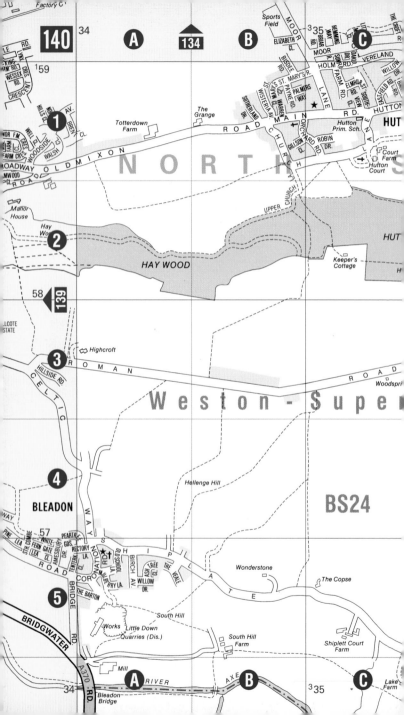

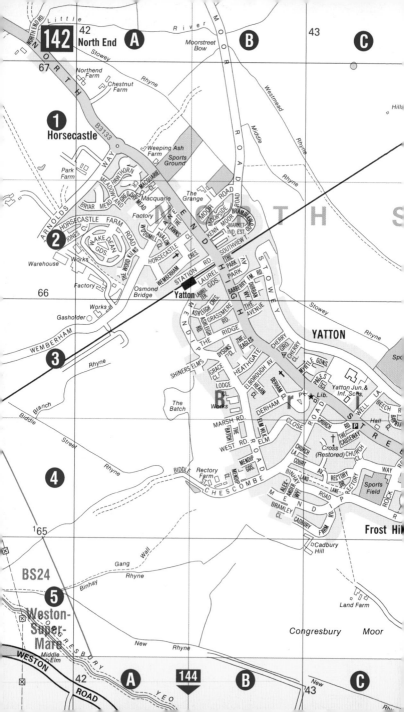

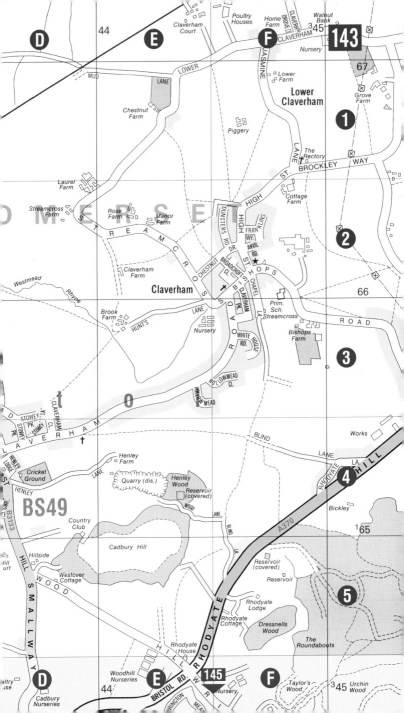

D

Lynch House

E Greenvale

GREENVALE DR.

Page 157
Timsbury 67

F

147

MILL LANE

RADFORD HILL

South Hill House

158

L.A.

DURCOTT HILL

Cam Brook

1

Dunford Farm

Red House Farm

Radford

Upper Radford

Radford Farm & Shire Horse Centre

RADFORD HILL

New Barn Farm

R T H   E A S T

Withy Mills

Old Hayes

2

Coldharbour Cotts.

R S E T

Radford Hill Cotts.

HILL

PAULTON LANE

148 57

B   a   t   h

3

HILL

BROADWAY

LANE

Clan Down

Broadway Cotts.

Clandown Bottom

BA3

4

Broadway Cott.

Pow's Cottages

56 HILL

PLOVERS

WATER LANE

LANE

CRAWL

Bowlditch Farm

Crawl

LANE

POW'S

Clandown Farm

Kitley Hill

BOWLDITCH LANE

KITLEY HILL

5

onger

BINCE'S

LODGE LANE

BINCE'S LODGE LANE

Bince's Lodge

D

E
Old Welton Hill Farm

Welton Hill White City

151 67

Sports Ground

F

FOSSE

Fosse Cott.

LANE
A
68
B
HILL
C
158
COLLIER CL.
SUNNYVALE
LANE
RED
ROAD WICK
LANE
Wicklane
WEEKESLEY
DUR COTT
HILL
CAMERTON
BRIDGE
PLACE
Bridge Place Farm
1
Cam Brook
THE DAGLANDS
CAM BROOK
Camerton
Radford
Cam
Radford Farm &
shire Horse Centre
Abbey Farm
Camerton C. of E. Prim. Sch.
CAM
PA
Camerton Court
Rectory
Old Hayes
Parson's Brake
Manor Farm
2
B A T H
HILL
SKINNER'S
HILL
Radford Hill Cotts.
PAULTON
Glebe Cottage
LANE
Well Head Wood
57
147
S O M E
3
Camerton Farm
Starvelark Wood
4
Clan Down
Football Ground
B
a
F
O
S
S
Pow's Cottages
NORTH DOWN RD.
EASTDOWN
DUCHY
HILL
OVERDOWN
PRINCE'S
RD.
South View
SMALLCOMBE
OLD FOSSE RD.
BATH NEW RD.
Vicarage
Recreation Ground
DUCHY CL.
SMALL-COMBE RD.
Round H Cottage
56
POW'S
Clandown Farm
BA3
Works
Smallcombe Fm.
Clandown
BRISTOL
BATH A367 NEW
tley Hill
HILL
KITLEY
LANE
5
Clandown C. of E. Prim. Sch.
CHAPEL RD.
Chapel Cl.
FOSSE GRN.
FOSSEWAY
Old Pit Ter.
Recreati Ground Pa
Springfield Heights
SPRINGFIELD LAWNS
CHAPEL
COOMBEND
MENDIP
WY.
Rockhill Cottages
Way
A
Fosse Cott.
152
68
B
Fosse
C
COOMBEND
BATH A367 NEW ROAD.
LANE
FOSSE

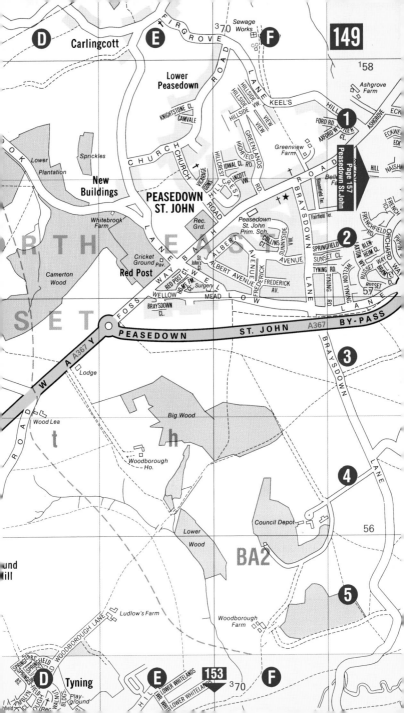

This is a map of the Peasedown St. John area.

149
¹58

D Carlingcott
E FIRGROVE
3 70 Sewage Works
F

Lower Peasedown

Ashgrove Farm
ECK
ECKWE
ECK

KNIGHTSTONE CL.
CAMVALE
HILLSIDE
HILLSIDE VIEW
HILLSIDE W.
KEEL'S
HILL

FORD RD.
AXFORD W.
KEELER CL.
1

Page 157
Peasedown St.John

GREENLANDS
HIGHFIELD
Greenview Farm

HILL
NAISH

Lower Plantation
Sprickles

HILLCREST
VICARAGE
IDWAL CL.
LINCOTT
W.
Belle
Bloomfield Ter.
FRENCH
FRENCHFIELD RD.
RYPH'N
ORCHARD
WAY

New Buildings
CHURCH
CHURCH ROAD

CHURCH

PEASEDOWN ST. JOHN
Whitebrook Farm

Fairfield Ter.

Peasedown St. John Prim. Sch.
SUNNYSIDE
COLLINS CT.
SPRINGFIELD
SUNSET CL.
AXTON W.
LOW TYNING
BLEN-HEIM CL.
RUSSET WAY
WANVEX
RUSSET
2

Rec. Grd.

Camerton Wood

Cricket Ground Pav.
Red Post

ALBERT
AVENUE
ALBERT AVENUE
WELLOW WAY
FREDERICK
TYNING RD.
LOW TYNING
57

St. John's CL.
HOLME CL.
RED POST CT.
RED POST FM.
Surgery
FREDERICK AV.

WELLOW MEAD
BRAYSDOWN CL.

FOSS WAY
A 367 Y
ROAD W

PEASEDOWN   **ST. JOHN**   A367   **BY-PASS**

Lodge

BRAYSDOWN LANE
3

Wood Lea

t

Big Wood

h

Woodborough Ho.

4

Lower Wood

Council Depot

56

BA2

Ludlow's Farm

5

Woodborough Farm

WOODBOROUGH LANE

 und ill

SPRINGFIELD
SPRINGFIELD

D Tyning

Play-ground

E LWR. WHITELANDS
LWR WHITELANDS
153 ▽ 3 70

F

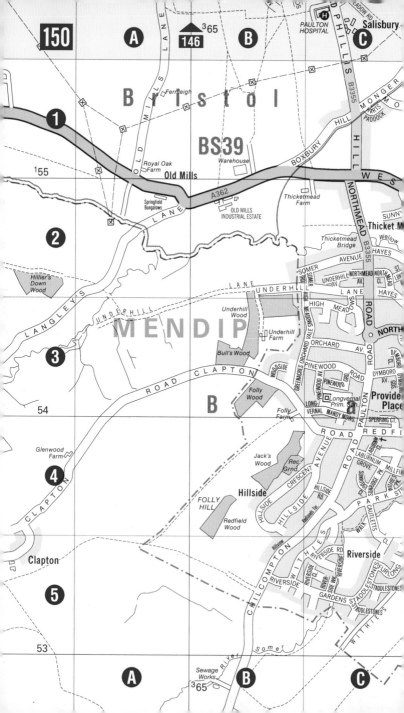

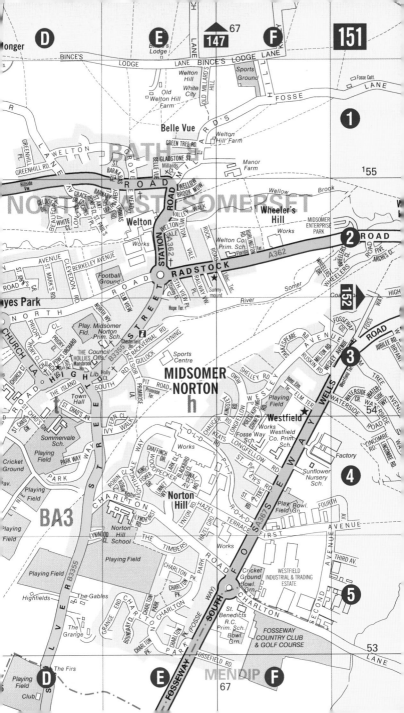

152

148

A **B** **C**

Clandown

1

NORTH EAST

BATH

152

155

County Br.

Wellow Brook

Wheeler's Hill

MIDSOMER ENTERPRISE PARK

Welton Hollow

Superstore

WELLS

Youth Cen.

Works

RAD- **2** **STOCK ROAD SOMERVALE ROAD WELLS**

WHEELERS DR

WHEELERS

Wellow

WELTON ROAD

Liby.

Hall

St. Nicholas Inf. Sch.

FIVE ARCHES CT.

Fosseway Cottages

Wells Square

Play. Fld.

Hall

Norton Radstock College

Somer

151

Coal Depot

HIGHFIELDS

FOSSEWAY

HIGHFIELDS

WAY

FOSS

A367

West Hill Gdns

MAPLE DR

THE DRIVE

ALDER RD

ACACIA RD

BIRCH

WILLOW CL.

PINE WK.

Tennis Ct.

TERRACE

AVENUE

SHAKESPEARE RD

WESLEY

3

ELM RD

WELLS

ELM TER

HILL

WEST

OAK GDNS

CEDAR TER.

West Hill TER.

JUBILEE RD.

BRYANT

BEECH

HOLLY

PARK

MAY TREE RD.

ASH

West Hill Gardens

B

a

Recreation Ground

GROVE WOOD RD

Playing Field

Inns Elm

ELM TER.

WATERSIDE CR.

Westfield Ter.

WATERSIDE

AVENUE

WATERSIDE

GLEBELANDS

MAY TREE RD.

CHERRY TREE

CHESTNUT CL.

Grove Wood

HAYDON GA

Westfield

Works

Westfield Co. Prim. Sch.

ROAD

THE LEAZE

LINCOMBE RD.

LARCH

REDWOOD CL.

LINDEN

MAGNOLIA

CL.

Waterside

Waterside

GROVE

Haydon

Down View

HAYDON INDUSTR ESTATE

BA3

4

FOSSEWAY

Factory

YINCOMBE RD.

LINCOMBE RD.

WATER

FERRAR CL.

Hall

Plgd. Bowl. Field Gn.

FOURTH

AV.

Tyning Farm

Radstock & Midsomer Norton District Museum

FIRST AVENUE

AVENUE

THIRD AV

WESTFIELD INDUSTRIAL & TRADING ESTATE

5

FOSSEWAY

KILMERSDON ROAD

Waterside House

CHARLTON

FOSSEWAY COUNTRY CLUB GOLF COURSE

53

Golf Course

Waterside Farm

A **B** **C** WATERS

68

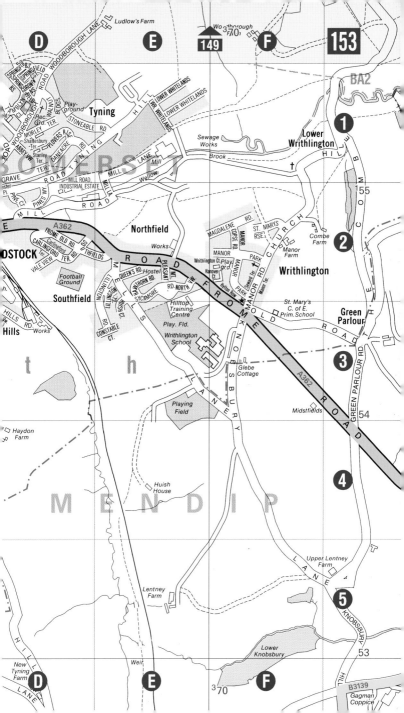

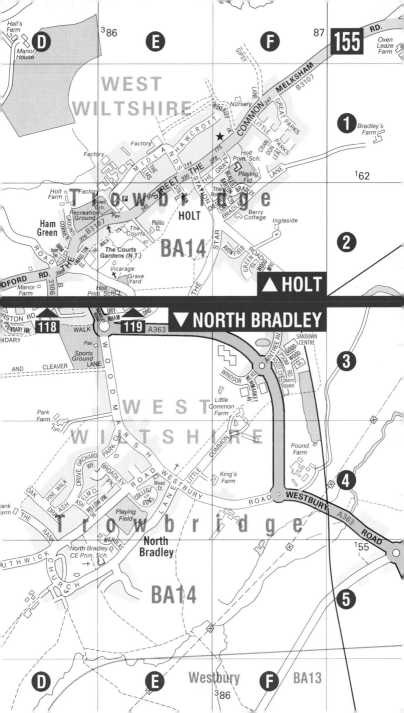

¹63

A

B

C

WEST HAY ROAD

ROPER'S

CHAPEL HILL

✝ 47

YEOMANS ORCHARD

HOME

ORCHARD CL.

LANE

ORCHARD ROAD

Maines Batch

Le Moigne's

ALBURYS

BELL'S WIK.

HIGH ST.

Sch.

SOUTH MEADOWS

SOUTH MEADOWS

1

LADYWELL

BROAD ST.

SILVER ST.

SCHOOL RD.

LAWRENCE RD.

HANNAH MORE CL.

NORTH SOMERSET

Court Farm

THE TRIANGLE

CHURCH WLK.

CHURCH WLK.

WRINGTON

Sewage Works

WILTONS

BROOKLYN

THE COTTAGES

BAKER'S BUILDINGS

THE GLEBE

RICKYARD

Piggery

WESTWARD

BATCH STATION

THE ORCHARD

OLD STA. RD.

GARSTONS CL.

GARSTONS

GREEN

GARSTONS

Tennis Courts

B r i s t

KINGS RD.

GARSTONS

Sports Ground

Congresbury

Butt's Batch

BUTT'S

Works

COX'S

BS40

Yeo

2

Cox's Green

COX'S

Oakdene Farm

Beam Bridge

Weir

Beam Mill

Towerhead Brook

SHIPHAM

▲ **WRINGTON**

▼ **WINSCOMBE**

3

THE GROVE

SANDFORD

RAILWAY

Sloughpit Farm

GREEN CL.

MOORHAM

ASH CL.

OAK CL.

Winscombe Woodborough Primary School

Lox

Yeo

River

¹58

SOMERFIELD

PLUM TREE CL.

BUCKWELL CL.

HOMESTEAD CL.

ROAD

NORTH SOMERSET

WALK

WELL

CLOSE

Woodborough

4

BANWELL

A371 ROAD

Mooseheart

KNAPPS

RobLyn Ct.

KNAPPS DR.

NIPPORS WY.

ROAD

WOODBOROUGH

HILLYFIELDS WY.

APPLE TREE DR.

BELMONT

BRAE RISE

BRIMRIDGE RD.

RISEDALE RD.

HILLYFIELDS

Green Far

Mill Pond Cottage

Nut Tree Farm

WOODBOROUGH

73

THE GREEN

SOUTHMEAD

Sewell House

BRAE

BRAE RD.

BRISTOL

Five Springs Cottage

WINSCOMBE

ASHLEY CL.

★

SIDCOT

A371 LANE

Sidcot School

51

Winscombe Brook

W i n s c o m b e

THE CHESTNUTS

CROSS

FOUNTAIN LA.

36

OAKRIDGE CL.

THE ROAD

LYNCH CR.

YADLEY

THE VINNY

ROAD

5

BS25

LYNCH CL.

HYMEAD

YADLEY WAY

Playing Field

BRIDGWATER

Sidcot

BARTON RD.

YADLEY WAY

Football Ground

A38 ROAD

Westlands

57

Club Ho. Memorial Rec. Grd.

RAILWAY

OAKRIDGE CL.

CHURCH

A

³42

B

SOUTH LEAZE WALK

FULLERS LANE

C

The Square

PARSONS WY.

Laurel Farm

Winscombe Brook

Camping & Caravan Site

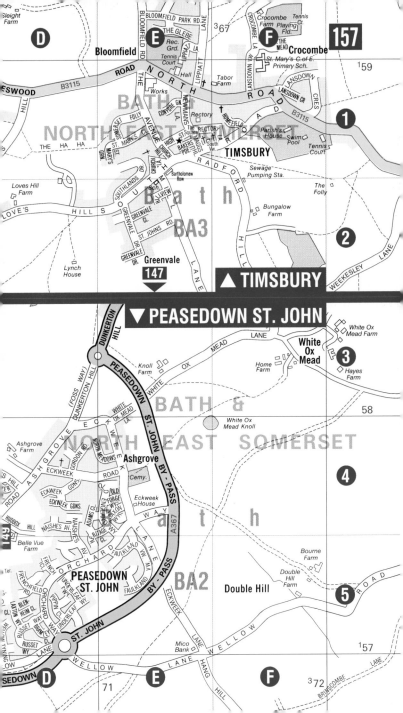

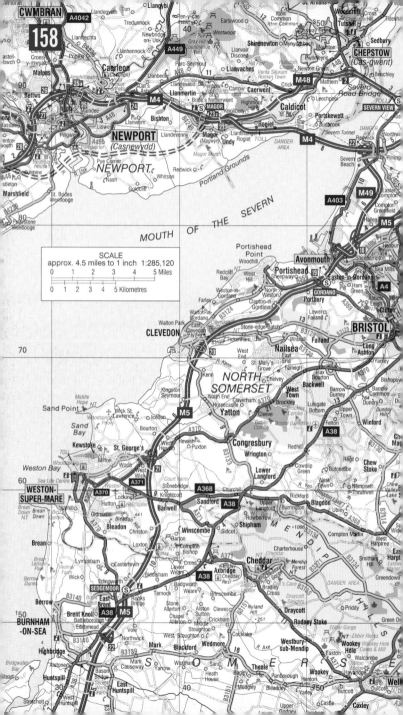

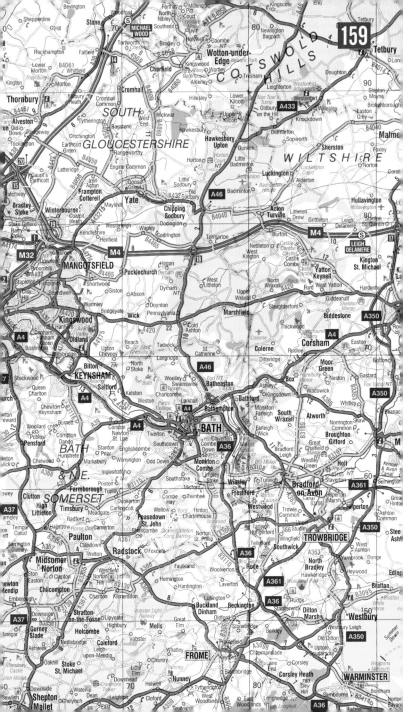

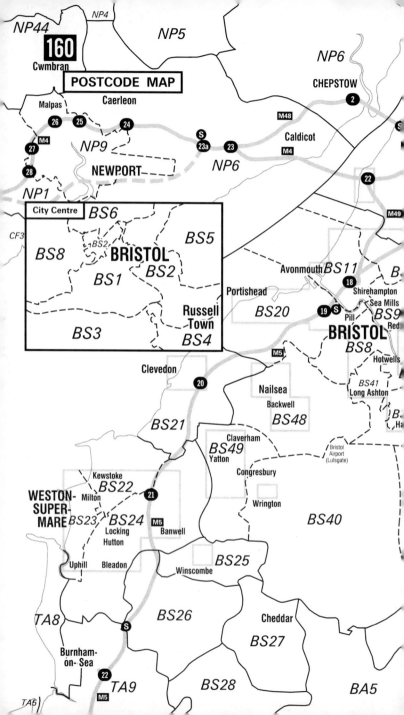

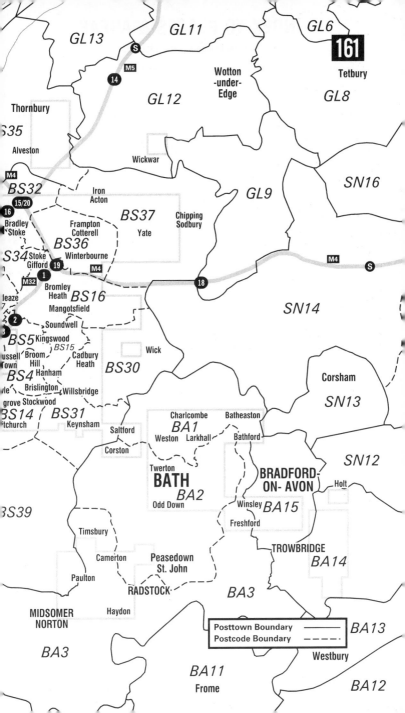

INDEX TO PLACES & AREAS

with their map square reference

NOTES

1. Names in this Index shown in CAPITAL LETTERS followed by their Postcode District(s), are Postal Addresses.

2. The places & areas index reference indicates the approximate centre of the town or place and not where the name occurs on the map.

Index to Places & Areas

INDEX

Including Streets, Industrial Estates and Selected Subsidiary Addresses

HOW TO USE THIS INDEX

1. Each street name is followed by its Postal District, and then by its map reference; e.g. Abbeydale. *Wint* —3A **30** is in the Winterbourne Postal Locality and is found in square 3A on page **30**. The page number being shown in bold type. A strict alphabetical order is followed in which Av., Rd., St. etc. (though abbreviated) are read in full and as part of the street name; e.g. Caledonian Rd. appears after Caledonia M. but before Caledonia Pl.

2. Streets and a selection of Subsidiary names not shown on the Maps, appear in this index in *Italics* with the thoroughfare to which it is connected shown in brackets; e.g. *Abbey Chambers. Bath —3B **106** (4C **96**) (off York St.)*

5. Map references shown in brackets; e.g. Abbey Ct. *Bath* —2C **106** (2E **97**) refer to entries that also appear on the large scale pages **4-5** & **96-97**.

GENERAL ABBREVIATIONS

All : Alley	Est : Estate	Pde : Parade
App : Approach	Fld : Field	Pk : Park
Arc : Arcade	Gdns : Gardens	Pas : Passage
Av : Avenue	Gth : Garth	Pl : Place
Bk : Back	Ga : Gate	Quad : Quadrant
Boulevd : Boulevard	Gt : Great	Res : Residential
Bri : Bridge	Grn : Green	Ri : Rise
B'way : Broadway	Gro : Grove	Rd : Road
Bldgs : Buildings	Ho : House	Shop : Shopping
Bus : Business	Ind : Industrial	S : South
Cvn : Caravan	Info : Information	Sq : Square
Cen : Centre	Junct : Junction	Sta : Station
Chu : Church	La : Lane	St : Street
Chyd : Churchyard	Lit : Little	Ter : Terrace
Circ : Circle	Lwr : Lower	Trad : Trading
Cir : Circus	Mc : Mac	Up : Upper
Clo : Close	Mnr : Manor	Va : Vale
Comn : Common	Mans : Mansions	Vw : View
Cotts : Cottages	Mkt : Market	Vs : Villas
Ct : Court	Mdw : Meadow	Vis : Visitors
Cres : Crescent	M : Mews	Wlk : Walk
Cft : Croft	Mt : Mount	W : West
Dri : Drive	Mus : Museum	Yd : Yard
E : East	N : North	
Embkmt : Embankment	Pal : Palace	

POSTTOWN AND POSTAL LOCALITY ABBREVIATIONS

Abb L : Abbots Leigh	*Bren* : Brentry	*Down* : Downend
Alm : Almondsbury	*B'yte* : Bridgeyate	*Dun* : Dundry
Alv : Alveston	*Brisl* : Brislington	*E Comp* : Easter Compton
Arn V : Arnos Vale	*Bris* : Bristol	*E'tn* : Easton
Ash D : Ashley Down	*B'ley* : Brockley	*E'ton G* : Easton-in-Gordano
Asht : Ashton	*C'ton* : Camerton	*Eastv* : Eastville
Ash G : Ashton Gate	*Charl* : Charlcombe	*E Grn* : Emersons Green
Avon : Avoncliff	*C'vey* : Chelvey	*Eng* : Englishcombe
A'mth : Avonmouth	*Chip S* : Chipping Sodbury	*Fail* : Failand
Avon V : Avon Valley Bus. Pk.	*Chit* : Chittening	*Far G* : Farrington Gurney
Azt W : Aztec West	*Clan* : Clandown	*Fil* : Filton
Back : Backwell	*C'tn* : Clapton	*Fish* : Fishponds
Bann : Bannerdown	*Clav* : Claverham	*Fram C* : Frampton Cotterell
Ban : Banwell	*Clav D* : Claverton Down	*Fren* : Frenchay
Bap M : Baptist Mills	*Clay H* : Clay Hill	*F'frd* : Freshford
Bar G : Barrow Gurney	*C've* : Cleeve	*G Ear* : Gaunts Earthcott
Bar C : Barrs Court	*Clev* : Clevedon	*G'bnk* : Greenbank
Bar H : Barton Hill	*Clif* : Clifton	*Grov* : Grovesend
Bath : Bath	*Clif W* : Clifton Wood	*Hall* : Hallatrow
B'ptn : Bathampton	*Clut* : Clutton	*H'len* : Hallen
Bathe : Batheaston	*Coal H* : Coalpit Heath	*Ham* : Hambrook
Bathf : Bathford	*Cod* : Codrington	*Han* : Hanham
Bathw : Bathwick	*C Down* : Combe Down	*Hawk B* : Hawkfield Bus. Pk.
Bedm : Bedminster	*C Hay* : Combe Hay	*Hay* : Haydon
Bed D : Bedminster Down	*Cong* : Congresbury	*Hen* : Henbury
Bishop : Bishopston	*C Din* : Coombe Dingle	*H'gro* : Hengrove
B'wth : Bishopsworth	*Cor* : Corston	*Henl* : Henleaze
Bit : Bitton	*Cot* : Cotham	*Hew* : Hewish
B'don : Bleadon	*Crom* : Cromhall	*High L* : High Littleton
Brad A : Bradford-on-Avon	*Dod* : Dodington	*Hil* : Hilperton
Brad S : Bradley Stoke		*Hil M* : Hilperton Marsh

Posttown and Postal Locality Abbreviations

INDEX

Albany Rd.—Armadale Av.

Albany Rd. *Bris* —1B **70**
Albany St. *Bris* —2E **73**
Albany Way. *Bris* —5E **75**
Albemarle Row. *Bris* —4B **68**
Albermarle Ter. *Bris* —4B **68**
Albert Av. *Pea J* —2F **149**
Albert Av. *W Mare* —2C **132**
Albert Cres. *Bris* —5C **70**
Albert Gro. *Bris* —2B **72**
Albert Mill. *Key* —4B **92**
Alberton Rd. *Bris* —1B **60**
Albert Pde. *Bris* —2F **71**
Albert Pk. *Bris* —1B **70**
Albert Pk. Pl. *Bris* —1A **70**
Albert Pl. *Bath* —3D **111**
Albert Pl. *Bedm* —2E **79**
Albert Pl. *W Trym* —5C **40**
Albert Quad. *W Mare* —5C **126**
Albert Rd. *Clev* —3C **120**
Albert Rd. *Han* —5F **73**
Albert Rd. *Key* —3A **92**
Albert Rd. *P'head* —3F **49**
Albert Rd. *Sev B* —4B **20**
Albert Rd. *Stap H* —3A **62**
Albert Rd. *St Ph* —1C **80**
Albert Rd. *Trow* —4F **117**
Albert Rd. *W Mare* —2C **132**
Albert St. *Bris* —2E **71**
Albert Ter. *Bris* —3B **60**
Albert Ter. *Twer A* —3D **105**
Albion Bldgs. *Bath* —2E **105**
Albion Clo. *Bris* —2B **62**
Albion Dockside Est. *Bris* —5D **69**
Albion Dri. *Trow* —2B **118**
Albion Pl. *Bath* —2F **105**
Albion Pl. *Bris* —4C **70**
Albion Pl. *St Ph* —3B **70** (2F **5**)
Albion Rd. *Bris* —1D **71**
Albion St. *Bris* —2E **71**
Albion Ter. *Bath* —2F **105**
Albion Ter. *Pat* —5D **11**
Alburys. *Wrin* —1B **156**
Alcove Rd. *Bris* —4A **60**
Aldeburgh Pl. *Trow* —4A **118**
Alder Clo. *Trow* —5B **118**
Aldercombe Rd. *Bris* —4E **39**
Alderdown Clo. *Bris* —4C **38**
Alder Dri. *Bris* —1A **72**
Alderley Rd. *Bath* —5B **104**
Aldermoor Way. *L Grn* —1A **84**
Alderney Av. *Bris* —1B **82**
Alders, The. *Bris* —3D **45**
  (off Marlborough Dri.)
Alder Ter. *Rads* —2B **152**
Alderton Rd. *Bris* —4A **42**
Alderton Way. *Trow* —5D **119**
Alder Way. *Bath* —4E **109**
Aldhelm Ct. *Brad A* —4F **115**
Aldwick Av. *Bris* —5E **87**
Alec Ricketts Clo. *Bath* —4A **104**
Alexander Bldgs. *Bath* —5C **100**
Alexander Way. *Yat* —4B **142**
Alexandra Clo. *Bris* —3F **61**
Alexandra Ct. *Clev* —2C **120**
Alexandra Gdns. *Bris* —3F **61**
Alexandra Pde. *W Mare* —1C **132**
Alexandra Pk. *Fish* —3B **60**
Alexandra Pk. *Paul* —4B **146**
Alexandra Pk. *Redl* —5E **57**
Alexandra Pl. *Bath* —3D **111**
Alexandra Rd. *Bris* —3F **61**
Alexandra Rd. *Bath* —4B **106**
Alexandra Rd. *Bed D* —1B **86**
Alexandra Rd. *Clev* —2C **120**
Alexandra Rd. *Clif* —2D **69**
Alexandra Rd. *Coal H* —2F **31**
Alexandra Rd. *Han* —5F **73**
Alexandra Rd. *W Trym* —4E **41**
Alexandra Ter. *Paul* —4B **146**
Alexandra Way. *T'bry* —1C **6**
Alford Rd. *Bris* —3E **81**
Alfred Hill. *Bris* —2F **69**

Alfred Lovell Gdns. *Bris* —1C **84**
Alfred Pde. *Bris* —2F **69** (1B **4**)
Alfred Pl. *K'dwn* —2E **69**
Alfred Pl. *Redc* —5F **69** (5C **4**)
Alfred Rd. *Bris* —2F **79**
Alfred Rd. *W'bry P* —3C **56**
Alfred St. *Bath* —2A **106** (1B **96**)
Alfred St. *Redf* —2E **71**
Alfred St. *St Ph* —4C **70**
Alfred St. *W Mare* —1C **132**
Algars Dri. *Iron A* —3A **16**
Algiers St. *Bris* —2F **79**
Alison Gdns. *Back* —1C **124**
Allanmead Rd. *Bris* —5D **81**
Allen Rd. *Trow* —3B **118**
Aller Pde. *W Mare* —1F **139**
Allerton Cres. *Bris* —4D **89**
Allerton Gdns. *Bris* —3D **89**
Allerton Rd. *Bris* —4C **88**
Allfoxton Rd. *Bris* —4C **58**
All Hallows Rd. *Bris* —2D **71**
Allington Dri. *Bar C* —1B **84**
Allington Gdns. *Nail* —5B **122**
Allington Rd. *Bris* —5E **69**
Allison Av. *Bris* —2A **82**
Allison Rd. *Bris* —2F **81**
All Saints Ct. *Bris* —3F **69** (3C **4**)
All Saints Gdns. *Bris* —2C **68**
All Saints La. *Bris* —3F **69** (2C **4**)
All Saints La. *Clev* —2F **121**
All Saints Pl. *Bath* —4E **107**
All Saints Rd. *Bath* —1A **106**
All Saints Rd. *Bris* —2C **68**
All Saints Rd. *W Mare* —4C **126**
All Saints St. *Bris* —3F **69** (2C **4**)
Alma Clo. *Bris* —2A **74**
Alma Ct. *Bris* —1D **69**
Alma Rd. *Clif* —2C **68**
Alma Rd. *K'wd* —5F **61**
Alma Rd. *Bris* —2D **69**
Alma St. *Trow* —2E **119**
Alma St. *W Mare* —1C **132**
Alma Va. Rd. *Bris* —2C **68**
Almeda Rd. *Bris* —4C **72**
Almond Clo. *W Mare* —4E **129**
Almond Gro. *Trow* —5B **118**
Almondsbury Bus. Cen. *Alm* —3F **11**
Almond Way. *Bris* —2B **62**
Almorah Rd. *Bris* —2A **80**
Alpha Rd. *Bris* —1E **71**
Alpine Clo. *Paul* —5C **146**
Alpine Gdns. *Bath* —1B **106**
Alpine Rd. *Bris* —1E **71**
Alpine Rd. *Paul* —5C **146**
Alsop Rd. *Bris* —2F **73**
Alton Pl. *Bath* —4B **106** (5C **96**)
Alton Rd. *Bris* —2B **58**
Altringham Rd. *Bris* —1F **71**
Alum Clo. *Trow* —3E **119**
Alverstoke. *Bris* —1B **88**
Alveston Hill. *T'bry* —1B **8**
Alveston Wlk. *Bris* —5D **39**
Alwins Ct. *Bar C* —1B **84**
Amberey Rd. *W Mare* —3D **133**
Amberlands Clo. *Back* —1C **124**
Amberley Clo. *Bris* —5F **45**
Amberley Clo. *Key* —4A **92**
Amberley Gdns. *Nail* —4C **122**
Amberley Rd. *Bris* —5F **45**
Amberley Rd. *Pat* —1D **27**
Amberley Way. *Wickw* —3C **154**
Amble Clo. *Bris* —3B **74**
Ambleside Av. *Bris* —3D **41**
Ambleside Rd. *Bath* —2C **108**
Ambra Va. *Bris* —4C **68**
Ambra Va. E. *Bris* —4C **68**
Ambra Va. S. *Bris* —4C **68**
Ambra Va. W. *Bris* —4C **68**
Ambrose Rd. *Bris* —4C **68**
Ambury. *Bath* —4A **106** (5B **96**)
  (in two parts)
Amercombe Wlk. *Bris* —1F **89**

Amery La. *Bath* —3B **106** (4C **96**)
Amesbury Dri. *B'don* —5F **139**
Amouracre. *Trow* —2F **119**
Ancaster Clo. *Trow* —1A **118**
Anchor Clo. *St G* —4B **72**
Anchor La. *Bris* —4E **69** (4A **4**)
Anchor Rd. *Bath* —5C **98**
Anchor Rd. *Bris* —4D **69** (4A **4**)
Anchor Rd. *K'wd* —1C **74**
Anchor Way. *Pill* —3F **53**
Ancliff Sq. *Avon* —3F **115**
Andereach Clo. *Bris* —5D **81**
Andover Rd. *Bris* —3B **80**
Angels Ground. *St Ap* —4B **72**
Angers Rd. *Tot* —1B **80**
Anglesea Pl. *Bris* —5C **56**
Anglo Ter. *Bath* —1B **106**
  (off London Rd.)
Annandale Av. *W Mare* —4C **128**
Anson Clo. *Salt* —5F **93**
Anson Rd. *Kew* —1B **128**
Anson Rd. *Lock* —2E **135**
Anstey's Rd. *Han* —5D **73**
Anstey Rd. *Bris* —1D **71**
Anthea Rd. *Bris* —5A **60**
Antona Ct. *Bris* —5E **37**
Antona Dri. *Bris* —5F **37**
Antrim Rd. *Bris* —1D **57**
Anvil Rd. *Clav* —2D **143**
Anvil St. *Bris* —4B **70** (3F **5**)
Apex Ct. *Alm* —3F **11**
Apperley Clo. *Yate* —1F **33**
Appleby Wlk. *Bris* —1F **87**
Appledore. *W Mare* —3D **129**
Appledore Clo. *Bris* —5D **81**
Applegate. *Bris* —1D **41**
Appletree Ct. *Wor* —3F **129**
Apple Tree Dri. *Wins* —4B **156**
Applin Grn. *E Grn* —1E **63**
Appsley Clo. *W Mare* —3A **128**
Apseleys Mead. *Brad S* —4E **11**
Apsley Clo. *Bath* —2C **104**
Apsley Rd. *Bath* —2B **104**
Apsley Rd. *Bris* —1C **68**
Apsley St. *Bris* —5E **59**
Apsley Vs. *Bris* —1F **69**
Arbutus Dri. *Bris* —5E **39**
Arbutus Wlk. *Bris* —3F **39**
Arcade, The. *Bris* —3A **70** (1D **5**)
Arch Clo. *L Ash* —4B **76**
Archer Ct. *L Grn* —2B **84**
Archer's Ct. *Clev* —2D **121**
Archer Wlk. *Bris* —1A **90**
Archfield Rd. *Bris* —1E **69**
Archgrove. *L Ash* —4B **76**
Archway St. *Bath* —4C **106** (5E **97**)
Arch Yd. *Trow* —1D **119**
Arden Clo. *Brad S* —3A **28**
Arden Clo. *W Mare* —2D **129**
Ardenton Wlk. *Bris* —1C **40**
Ardern Clo. *Bris* —4D **39**
Argus Rd. *Bris* —2E **79**
Argyle Av. *Bris* —5E **59**
Argyle Av. *W Mare* —4D **133**
Argyle Dri. *Yate* —2A **18**
Argyle Pl. *Bris* —4C **68**
Argyle Pl. *Clev* —1D **121**
Argyle Rd. *Fish* —5D **61**
Argyle Rd. *St Pa* —2A **70**
Argyle St. *Bath* —3B **106** (3C **96**)
Argyle St. *Bedm* —1E **79**
Argyle St. *Eastv* —5E **59**
Argyle Ter. *Bath* —3D **105**
Arley Cotts. *Bris* —1F **69**
Arley Hill. *Bris* —1F **69**
Arley Pk. *Bris* —5F **57**
Arley Ter. *Bris* —1A **72**
Arlingham Way. *Pat* —5A **10**
Arlington Rd. *Bath* —4E **105**
Arlington Rd. *Bris* —4F **71**
Arlington Vs. *Bris* —3D **69**
Armadale Av. *Bris* —1A **70**

Avonvale Rd.—Bath Rd.

Avonvale Rd. *Bris* —4D **71**
Avonvale Rd. *Trow* —5D **117**
Avon Valley Bus. Pk. *Bris* —4A **72**
Avon Vw. *Bris* —2D **83**
Avon Way. *Bris* —2E **55**
Avon Way. *P'head* —3D **49**
Avon Way. *T'bry* —4D **7**
Avon Way. *Trow* —4D **117**
Avonwood Clo. *Bris* —1A **54**
Awdelett Clo. *Bris* —3D **39**
Axbridge Rd. *Bath* —2B **110**
Axbridge Rd. *Bris* —3B **80**
Axe and Cleaver La. *N Brad* —3D **155**
Axebridge Clo. *Nail* —5D **123**
Axe Clo. *W Mare* —3E **133**
Axe Ct. *T'bry* —4C **6**
Axford Way. *Pea J* —4D **157**
Aycote Clo. *W Mare* —3F **127**
Aylesbury Cres. *Bris* —4D **79**
Aylesbury Rd. *Bris* —4D **79**
Aylmer Cres. *Bris* —2D **89**
Aylminton Wlk. *Bris* —2D **39**
Ayr St. *Bath* —3E **105**
Azalea Rd. *Wick L* —1E **129**
Aztec Cen., The. *Alm* —4C **10**
Aztec W. Bus. Pk. *Brad S* —4C **10**

Backfields. *Bris* —2A **70**
Backfields La. *Bris* —2A **70**
Back La. *Coal H* —3F **31**
Back La. *Key* —2A **92**
Back La. *Pill* —2E **53**
(in two parts)
Back La. *Puck* —3C **64**
Back La. *Wickw* —1B **154**
Bk. of Kingsdown Pde. *Bris* —2F **69**
Back Rd. *Bris* —1C **78**
Bk. Stoke La. *Bris* —1B **56**
Back St. *Trow* —1C **118**
Back St. *W Mare* —1C **132**
Backwell Bow. *Back* —1E **125**
Backwell Comn. *Back* —1C **124**
Backwell Hill Rd. *Back* —1F **125**
Backwell Wlk. *Bris* —5B **78**
Badenham Gro. *Bris* —4B **38**
Baden Rd. *K'wd* —3C **74**
(in two parts)
Baden Rd. *St G* —3E **71**
Bader Clo. *Yate* —3F **17**
Badger Ri. *P'head* —5A **48**
Badgers Clo. *Brad S* —3F **11**
Badgers Dri. *Bris* —5A **26**
Badger's La. *Alm* —2A **10**
Badgers Wlk. *Bris* —3F **81**
Badgeworth. *Yate* —3F **33**
Badman Rd. *Paul* —4A **146**
Badminton. Bris —3E **45**
(off Penn Dri.)
Badminton Cen. *Yate* —4E **17**
Badminton Ct. *Yate* —4E **17**
Badminton Gdns. *Bath* —1D **105**
Badminton Rd. *Chip S* —1F **35**
Badminton Rd. *Down & Fram C* —1A **62**
Badminton Rd. *St Pa* —1B **70**
Badminton Rd. Trad. Est. *Yate* —5D **17**
Badminton Wlk. *Down* —5A **46**
Baglyn Av. *Bris* —4B **62**
Bagnell Clo. *Bris* —3A **90**
Bagnell Rd. *Bris* —3A **90**
Bagworth Dri. *L Grn* —2B **84**
Bailbrook Ct. *Bath* —3F **101**
Bailbrook Gro. *Bath* —3D **101**
Bailbrook La. *Bath* —3D **101**
Baildon Ct. *W Mare* —4D **133**
Baildon Cres. *W Mare* —4E **133**
Baildon Rd. *W Mare* —4D **133**
Bailey Clo. *W Mare* —5C **128**
Baileys Ct. Rd. *Brad S* —3A **28**
Baileys La. *Wrin* —1C **156**
Baileys Mead Rd. *Stap* —2E **59**
Bainton Clo. *Brad A* —2E **115**

Baker Clo. *Clev* —5B **120**
Baker's Bldgs. *Wrin* —1B **156**
Bakersfield. *L Grn* —2C **84**
Bakers Ground. *Stok G* —4B **28**
Bakers Pde. *Tim* —1E **157**
Baker St. *W Mare* —5C **126**
Baker Way. *Chip S* —1B **34**
Balaclava Rd. *Bris* —4B **60**
Baldwin St. *Bris* —4F **69** (3B **4**)
Balfour Rd. *Bris* —2D **79**
Ballance St. *Bath* —1A **106** (1B **96**)
Ballast La. *Bris* —2F **37**
Balls Barn La. *W Mare* —4E **131**
Balmain St. *Bris* —1C **80**
Balmoral Clo. *Stok G* —5F **27**
Balmoral Ct. *Mang* —2C **62**
Balmoral Rd. *Bris* —5B **58**
Balmoral Rd. *Key* —4A **92**
Balmoral Rd. *L Grn* —3B **84**
Balmoral Rd. *Trow* —5B **118**
Balmoral Way. *W Mare* —3A **128**
Baltic Pl. *Pill* —3F **53**
Bamfield. *Bris* —1B **88**
Bampton. *W Mare* —3D **129**
Bampton Clo. *Bris* —1D **87**
Bampton Cft. *E Grn* —1E **63**
Bampton Dri. *Bris* —4F **45**
Bancroft. *Brad A* —1F **115**
Banfield Clo. *Bris* —4C **38**
Bangor Gro. *Bris* —5B **72**
Bangrove Wlk. *Bris* —4A **38**
Banister Gro. *Bris* —1F **87**
Bank Pl. *Pill* —3F **53**
Bank Rd. *Bris* —2F **73**
Bank Rd. *Chit* —2F **21**
Banks Clo. *Clev* —5D **121**
Bankside. *Bris* —3B **62**
Bankside Rd. *Bris* —2F **81**
Bannerdown Clo. *Bathe* —2C **102**
Bannerdown Dri. *Bathe* —2B **102**
Bannerdown Rd. *Bathe* —3B **102**
Bannerleigh La. *Bris* —4A **68**
Bannerleigh Rd. *Bris* —4A **68**
Bannerman Rd. *Bris* —2D **71**
Banner Rd. *Bris* —1A **70**
Bannetts Tree Cres. *Alv* —2B **8**
Bantock Clo. *Bris* —2F **87**
Bantry Rd. *Bris* —5A **80**
Banwell Clo. *Bris* —5C **78**
Banwell Clo. *Key* —5A **92**
Banwell Rd. *Bath* —4E **109**
Banwell Rd. *Bris* —2C **78**
Banwell Rd. *Hut* —1D **141**
Banwell Rd. *Wins* —4A **156**
Baptist St. *Bris* —1C **70**
Barberry Farm Rd. *Yat* —2B **142**
Barbour Gdns. *Bris* —5F **87**
Barb'our Rd. *Bris* —5F **87**
Barcroft Clo. *Bris* —2E **73**
Barkers Mead. *Yate* —2B **18**
Barker Wlk. *Bris* —1C **70**
Barkleys Hill. *Stap* —2E **59**
Barlands Ho. *Bris* —1B **40**
Barley Clo. *Fram C* —1D **31**
Barley Clo. *Mang* —1C **62**
Barley Cft. *Bris* —2B **56**
Barnabas St. *Bris* —1A **70**
Barnaby Clo. *Mid N* —2D **151**
Barnack Clo. *Trow* —1A **118**
Barnack Trad. Est. *Bedm* —4E **79**
Barnard Clo. *Yat* —3C **142**
Barnard Wlk. *Key* —4F **91**
Barn Clo. *E Grn* —1D **63**
Barnes Clo. *Trow* —3A **118**
Barnes St. *Bris* —2F **71**
Barnfield Way. *Bathe* —2C **102**
Barn Glebe. *Trow* —1F **119**
Barnhill Clo. *Yate* —2C **18**
Barnhill Rd. *Chip S* —5C **18**
Barn Owl Way. *Stok G* —4B **28**
Barn Piece. *Brad A* —5E **115**
Barns Clo. *Nail* —3D **123**

Barnstaple Ct. *Know* —5A **80**
Barnstaple Rd. *Bris* —5A **80**
Barnstaple Wlk. *Bris* —5B **80**
Barnwood Clo. *Bris* —2B **74**
Barnwood Rd. *Yate* —2E **33**
Barossa Pl. *Bris* —5F **69** (5C **4**)
Barracks La. *Bris* —4F **37**
Barratt St. *Bris* —1D **71**
Barrington Clo. *Bris* —5B **62**
Barrington Ct. *Bris* —1B **80**
Barrington Ct. *K'wd* —1A **74**
Barrow Hill. *Wick* —5A **154**
Barrow Hill Cres. *Bris* —5E **37**
Barrow Hill Rd. *Bris* —1E **53**
Barrowmead Dri. *Bris* —4A **38**
Barrow Rd. *Bath* —3D **109**
Barrow Rd. *Bris* —3C **70**
Barrow Rd. *Hut* —1C **140**
Barrows, The. *W Mare* —1A **134**
Barr's Ct. *Bris* —2A **70** (1D **5**)
Barrs Ct. Av. *Bar C* —5C **74**
Barrs Ct. Rd. *Bar C* —5C **74**
Barry Clo. *Bit* —4E **85**
Barry Clo. *W Mare* —2E **139**
Barry Rd. *Old C* —3E **85**
Barstaple Ho. *Bris* —3B **70** (2F **5**)
Bartholomew Row. *Tim* —1E **157**
Bartlett Ct. *Bris* —1C **68**
Bartlett Dri. *Bris* —2D **39**
Bartlett St. *Bath* —2A **106** (2B **96**)
Bartley St. *Bris* —1F **79**
Barton Bldgs. *Bath* —2A **106** (2B **96**)
Barton Clo. *Alv* —2B **8**
Barton Clo. *Bris* —4E **71**
Barton Clo. *St Ap* —4B **72**
Barton Clo. *Wint* —4A **30**
Barton Ct. Bath —3A **106** (3C **96**)
(off Up. Borough Walls)
Barton Grn. *Bris* —3D **71**
Barton Hill Rd. *Bris* —4D **71**
Barton Hill Trad. Est. *Bris* —4D **71**
Barton Ho. *Bar H* —4E **71**
Bartonia Gro. *Bris* —4F **81**
Barton Mnr. *Bris* —3C **70**
Barton Mdw. Est. *Bris* —1E **61**
Barton Orchard. *Brad A* —3D **115**
Barton Rd. *Bris* —4B **70**
Barton Rd. *Wins* —5A **156**
Barton St. *Bath* —3A **106** (3B **96**)
Barton St. *Bris* —2F **69**
Barton, The. *B'don* —5A **140**
Barton, The. *Bris* —1E **83**
Barton, The. *Cor* —5C **94**
Barton Va. *Bris* —4C **70**
(in two parts)
Barwick. *Bris* —5F **37**
Bassetts Pasture. *Brad A* —5E **115**
Batches, The. *Bris* —3D **79**
Batch, The. *Bathe* —3A **102**
Batch, The. *Salt* —1B **94**
Batch, The. *Yat* —4B **142**
Bates Clo. *Bris* —2C **70**
Bathampton La. *B'ptn* —5E **101**
Bath Bldgs. *Bris* —1A **70**
Bath Bus. Cen. Bath —3B **106** (3C **96**)
(off Up. Borough Walls)
Batheaston Swainswick By-Pass.
    Swain & Bathe —1C **100**
Bathford Hill. *Bathf* —4C **102**
Bath Hill E. *Key* —3B **92**
Bath Hill W. *Key* —2A **92**
Bathings, The. *T'bry* —4D **7**
Bathite Cotts. *Bath* —3E **111**
Bath New Rd. *Rads* —5B **148**
Bath Old Rd. *Rads* —1C **152**
Bath Riverside Bus. Pk. *Bath*
    —4A **106** (4A **96**)
Bath Rd. *Brad A* —1D **115**
Bath Rd. *B'yte* —5F **75**
Bath Rd. *Brisl* —4A **82**
Bath Rd. *Bris & Tot* —5B **70**

Belmont Dri.—Blanchards

Belmont Dri. *Stok G* —4A **28**
Belmont Pk. *Bris* —3B **42**
Belmont Rd. *Bath* —3D **111**
Belmont Rd. *Brisl* —1E **81**
Belmont Rd. *St And* —5A **58**
Belmont Rd. *Wins* —4B **156**
Belmont St. *Bris* —1D **71**
Belmore Gdns. *Bath* —1C **108**
Beloe Rd. *Bris* —2A **58**
Belroyal Av. *Bris* —2B **82**
Belsher Dri. *K'wd* —4C **74**
Belstone Wlk. *Bris* —5E **79**
Belton Ct. *Bath* —4C **98**
Belton Ho. *Bath* —4C **98**
Belton Rd. *Bris* —1D **71**
Belton Rd. *P'head* —2C **48**
Belvedere. *Bath* —2A **106** (1B **96**)
Belvedere Cres. *W Mare* —4A **128**
Belvedere Pl. *Bath* —1A **106** (1B **96**)
Belvedere Rd. *Bris* —4C **56**
Belvedere Vs. *Bath* —1A **106** (1B **96**)
Belverstone. *Bris* —2E **73**
Belvoir Rd. *Bath* —4E **105**
Belvoir Rd. *Bris* —5A **58**
Bence Ct. *Han* —4D **73**
Benford Clo. *Bris* —1E **61**
Bengough's Almshouses. *Bris*
—3E **69** (1A **4**)
Bennett Rd. *Bris* —3A **72**
Bennetts Ct. *Yate* —5C **18**
Bennett's La. *Bath* —5B **100**
Bennett's Rd. *Bath* —3D **101**
Bennett St. *Bath* —2A **106** (1B **96**)
Bennetts Way. *Clev* —1E **121**
Bennett Way. *Bris* —5B **68**
Bensaunt Gro. *Bris* —5F **25**
Bentley Clo. *Bris* —5B **88**
Bentley Rd. *W Mare* —2F **129**
Benville Av. *Bris* —4E **39**
Berchel Ho. *Bris* —1E **79**
Berenda Dri. *L Grn* —2D **85**
Beresford Clo. *Salt* —2A **94**
Beresford Gdns. *Bath* —3B **98**
Berkeley Av. *Bishop* —4F **57**
Berkeley Av. *Bris* —3E **69**
Berkeley Av. *Mid N* —2D **151**
Berkeley Ct. *Bath* —4B **46**
Berkeley Ct. *Bath* —3D **107** (3F **97**)
Berkeley Ct. *Bris* —4F **57**
Berkeley Ct. *Pat* —5B **10**
Berkeley Cres. *Bris* —3D **69**
Berkeley Cres. *Uph* —1A **138**
Berkeley Gdns. *Key* —4A **92**
Berkeley Grn. *Bris* —3D **45**
Berkeley Grn. Rd. *G'bnk* —5E **59**
Berkeley Gro. *G'bnk* —5E **59**
Berkeley Ho. *Bath* —1B **106**
Berkeley Ho. *Bris* —2F **61**
Berkeley Pl. *Bath* —1B **106**
Berkeley Pl. *Bris* —3D **69**
Berkeley Pl. *C Down* —2D **111**
Berkeley Rd. *Bishop* —4F **57**
Berkeley Rd. *Fish* —5C **60**
Berkeley Rd. *K'wd* —3A **74**
Berkeley Rd. *Stap H* —3F **61**
Berkeley Rd. *Trow* —2A **118**
Berkeley Rd. *W'bry P* —3C **56**
Berkeleys Mead. *Brad S* —3B **28**
Berkeley Sq. *Bris* —3E **69**
Berkeley St. *Bris* —4E **59**
(in two parts)
Berkeley Way. *E Grn* —5D **47**
Berkshire Rd. *Bris* —4F **57**
Berlington Ct. *Bris* —5A **70** (5E **5**)
Berners Clo. *Bris* —1F **87**
Berrow Wlk. *Bris* —3A **80**
Berry Cft. *Bris* —1F **79**
Berryfield Rd. *Brad A* —2E **115**
Berry La. *Bris* —1B **58**
Berwick Dri. *Bris* —4A **24**
Berwick La. *H'len & E Comp* —4E **23**
Berwick Rd. *Bris* —5D **59**

Beryl Gro. *Bris* —5E **81**
Beryl Rd. *Bris* —2D **79**
Besom La. *W'lgh* —4E **33**
Bess Ho. *Clev* —4C **120**
Bethell Ct. *Brad A* —2D **115**
Bethel Rd. *Bris* —2B **72**
Betjeman Ct. *Bar C* —5C **74**
Betts Grn. *E Grn* —5E **47**
Bevan Ct. *Bris* —2C **42**
Beverley Av. *Bris* —3B **46**
Beverley Clo. *Bris* —4D **73**
Beverley Gdns. *Bris* —5F **39**
Beverley Rd. *Bris* —4B **42**
Beverstone. *Bris* —2F **73**
Beverston Gdns. *Bris* —2D **39**
Bevington Clo. *Pat* —5A **10**
Bevington Wlk. *Pat* —5A **10**
Bewdley Rd. *Bath* —5C **106**
Bewley Rd. *Trow* —5C **118**
Bexley Rd. *Bris* —4D **61**
Bibstone. *Bris* —2C **74**
Bibury Av. *Pat* —1D **27**
Bibury Clo. *Bris* —5F **41**
Bibury Clo. *Nail* —4F **123**
Bibury Cres. *Han* —5E **73**
Bibury Cres. *W Trym* —5F **41**
Bickerton Clo. *Bris* —1B **40**
Bickford Clo. *Bar C* —4C **74**
Bickley Clo. *Bris* —3D **83**
Biddestone Rd. *Bris* —4A **42**
Biddisham Clo. *Nail* —4D **123**
Biddle St. *Yat* —4A **142**
Bideford Cres. *Bris* —5B **80**
Bideford Rd. *W Mare* —3D **129**
Bidwell Clo. *Bris* —1D **41**
Bifield Clo. *Bris* —3B **90**
Bifield Gdns. *Bris* —3A **90**
(in two parts)
Bifield Rd. *Bris* —4A **90**
Bignell Clo. *Wins* —4A **156**
Bilberry Clo. *Bris* —5A **88**
Bilbie Clo. *Bris* —5F **41**
Bilbie Rd. *W Mare* —2F **129**
Bilbury La. *Bath* —3B **106** (4C **96**)
Bileys Mead Rd. *Bris* —2E **59**
Billand Clo. *Bris* —5A **86**
Bince's Lodge La. *Mid N* —5D **147**
Bindon Dri. *Bris* —5F **25**
Binhay Rd. *Yat* —4A **142**
Binley Gro. *Bris* —3F **89**
Binmead Gdns. *Bris* —4D **87**
Birbeck Rd. *Bris* —2A **56**
Birchall Rd. *Bris* —3E **57**
Birch Av. *B'don* —5A **140**
Birch Av. *Clev* —2E **121**
Birch Clo. *Lock* —4F **135**
Birch Clo. *Pat* —2A **26**
Birch Ct. *Key* —4E **91**
Birch Cft. *Bris* —5C **88**
Birchdale Rd. *Bris* —5C **80**
Birchdene. *Nail* —3F **123**
Birch Dri. *Alv* —3A **8**
Birch Dri. *Puck* —2D **65**
Birches, The. *Nail* —3F **123**
Birch Gro. *P'head* —4E **49**
Birch Rd. *K'wd* —4A **62**
Birch Rd. *Rads* —3B **152**
Birch Rd. *S'vle* —1D **79**
Birch Rd. *Yate* —4F **17**
Birchwood. *Bris* —5D **41**
Birchwood Av. *W Mare* —1E **133**
Birchwood Ct. *St Ap* —4B **72**
Birchwood Rd. *Bris* —2A **82**
Birdale Clo. *Bris* —1A **40**
Birdcombe Clo. *Nail* —2D **123**
Birdlip Clo. *Nail* —4F **123**
Birdwell La. *L Ash* —4B **76**
Birdwell Rd. *L Ash* —4B **76**
Birdwood. *Bris* —4F **73**
Birkdale. *War* —4C **74**
Birkdale. *Yate* —1A **34**

Birkett Rd. *W Mare* —4A **126**
Birkin St. *Bris* —4C **70**
Birnbeck Ct. *W Mare* —1B **132**
Birnbeck Rd. *W Mare* —4A **126**
Bisdee Rd. *Hut* —5B **134**
Bishop Av. *W Mare* —2E **129**
Bishop Manor Rd. *Bris* —5F **41**
Bishop M. *Bris* —2A **70**
Bishop Rd. *Bris* —3E **57**
Bishop Rd. *E Grn* —1E **63**
Bishops Clo. *Bris* —4A **56**
Bishops Ct. *Bris* —4E **55**
Bishops Cove. *Bris* —3B **86**
Bishops Rd. *Clav* —2F **143**
Bishop St. *St Pa* —2A **70**
Bishops Wood. *Alm* —1E **11**
Bishopsworth Rd. *Bris* —1C **86**
Bishop Ter. *St Pa* —2B **70**
Bishopthorpe Rd. *Bris* —5F **41**
Bishport Av. *Bris* —4C **86**
Bishport Clo. *Bris* —4D **87**
Bishport Grn. *Bris* —5E **87**
Bisley. *Yate* —2E **33**
Bissex Mead. *E Grn* —2D **63**
Biss Mdw. *Trow* —2A **118**
Bittern Clo. *W Mare* —4D **129**
Bitterwell Clo. *Coal H* —1F **47**
Bittle Mead. *Bris* —4B **88**
Blackacre. *Bris* —4E **89**
Blackberry Av. *Bris* —2A **60**
Blackberry Dri. *Fram C* —3D **31**
Blackberry Dri. *W Mare* —4E **129**
Blackberry Hill. *Stap* —2A **60**
Blackberry La. *P'head* —5B **48**
Blackbird Clo. *Mid N* —4E **151**
Black Boy Hill. *Bris* —5C **56**
Blackdown Ct. *Bris* —3D **89**
Blackdown Rd. *P'head* —3C **48**
Blackfriars. *Bris* —3F **69** (1B **4**)
Blackfriars Rd. *Nail* —4A **122**
Blackhorse Hill. *E Comp* —1D **25**
Blackhorse La. *Bris* —3B **46**
(in two parts)
Blackhorse Pl. *Mang* —1C **62**
Blackhorse Rd. *Bris* —2F **73**
Blackhorse Rd. *Mang* —5C **46**
Blackmoor. *Clev* —5C **120**
Blackmoor. *W Mare* —3D **129**
Blackmoor Rd. *Abb L* —1A **66**
Blackmoors La. *Bris* —2A **78**
Blackmore Dri. *Bath* —4D **105**
Blacksmith La. *Up Swa* —1C **100**
Blacksmiths La. *Kel* —1D **95**
Blackswarth Rd. *Bris* —3F **71**
Blackthorn Clo. *Bris* —3F **87**
Blackthorn Dri. *Brad S* —2F **27**
Blackthorne Ter. *W Mare* —4E **129**
Blackthorn Gdns. *W Mare* —4E **129**
Blackthorn Rd. *Bris* —3F **87**
Blackthorn Sq. *Clev* —5D **121**
Blackthorn Wlk. *Bris* —5A **62**
Blackthorn Way. *Nail* —3F **123**
Blackwell Hill Rd. *Back* —1F **125**
Bladen Clo. *P'head* —4A **50**
Bladud Bldgs. *Bath* —2B **106** (2C **96**)
Blagdon Clo. *Bris* —3A **80**
Blagdon Clo. *W Mare* —2D **139**
Blagdon Pk. *Bath* —5B **104**
Blagrove Clo. *Bris* —5E **87**
Blagrove Cres. *Bris* —5E **87**
Blair Rd. *Trow* —4A **118**
Blaisdon. *Yate* —2A **34**
Blaisdon Clo. *Bris* —3C **40**
Blaise Wlk. *Bris* —5E **39**
Blake End. *Kew* —1C **128**
Blakeney Gro. *Nail* —5B **122**
Blakeney Mills. *Yate* —5F **17**
Blakeney Rd. *Bris* —1C **58**
Blakeney Rd. *Pat* —5A **10**
Blake Rd. *Bris* —1D **59**
Blakes Rd. *T'bry* —3C **6**
Blanchards. *Chip S* —1F **35**

Briarside Rd.—Broom Farm Clo.

Briarside Rd. *Bris* —1E **41**
Briar Wlk. *Bris* —4E **61**
Briar Way. *Bris* —3D **61**
Briarwood. *Bris* —1B **56**
Briary Rd. *P'head* —3E **49**
Briavels Gro. *Bris* —5B **58**
Briburn M. Bath —3F 105 (3A 96)
(off Stanhope Pl.)
Brick St. *Bris* —3B **70**
Bridewell La. *Bath* —3A **106** (3B **96**)
Bridewell La. *Hut* —3F **141**
Bridewell St. *Bris* —3F **69** (1C **4**)
Bridge Av. *Trow* —2A **118**
Bridge Clo. *Bris* —4E **89**
Bridge Farm Clo. *Bris* —5C **88**
Bridge Farm Sq. *Cong* —2D **145**
Bridgeleap Rd. *Bris* —4B **46**
Bridge Pl. Rd. *C'ton* —1B **148**
Bridge Rd. *Bath* —4D **105**
Bridge Rd. *B'don* —5F **139**
Bridge Rd. *Eastv* —4D **59**
Bridge Rd. *K'wd* —4B **62**
Bridge Rd. *L Wsla* —4F **67**
Bridge Rd. *Mang* —3E **63**
Bridge Rd. *W Mare* —2D **133**
Bridge Rd. *Yate* —4C **16**
Bridges Ct. *Fish* —3D **61**
Bridges Dri. *Bris* —1E **61**
Bridge St. *Bath* —3B **106** (3C **96**)
Bridge St. *Brad A* —3E **115**
Bridge St. *Bris* —4A **70** (3C **4**)
Bridge St. *Eastv* —5F **59**
Bridge St. *Trow* —3D **119**
Bridge Valley Rd. *Bris* —2A **68**
Bridge Wlk. *Bris* —4C **42**
Bridge Way. *Fram C* —1D **31**
Bridgewell La. *W Mare* —2F **141**
Bridgman Gro. *Bris* —1E **43**
Bridgwater Rd. *Bris* —2A **86**
Bridgwater Rd. *Uph & B'don* —5C **132**
Bridgwater Rd. *Wins* —5C **156**
Bridle Way. *Alv* —3A **8**
Briercliffe Rd. *Bris* —5F **39**
Brierly Furlong. *Stok G* —1F **43**
Briery Leaze Rd. *Bris* —3C **88**
Brighton Cres. *Bris* —3D **79**
Brighton M. *Bris* —2D **69**
Brighton Pk. *Bris* —2D **71**
Brighton Pl. *Bris* —1F **73**
Brighton Rd. *Bris* —1E **69**
Brighton Rd. *Pat* —1B **26**
Brighton Rd. *W Mare* —2C **132**
Brighton St. *Bris* —1A **70**
Brighton Ter. *Bedm* —3D **79**
Bright St. *Bar H* —3D **71**
Bright St. *K'wd* —2F **73**
Brigstocke Rd. *Bris* —1A **70**
Brimbles. *Bris* —2D **43**
Brimbleworth La. *St Geo* —2A **130**
Brimridge Rd. *Wins* —4B **156**
Brinkworthy Rd. *Bris* —1A **60**
Brinmead Wlk. *Bris* —5B **86**
Brins Clo. *Stok G* —5B **28**
Brinscombe La. *Bath* —5F **157**
Brinsea Batch. *Cong* —5E **145**
Brinsea La. *Cong* —5F **145**
Brinsea Rd. *Cong* —3D **145**
Brinsham La. *Yate* —1C **18**
Briscoes Av. *Bris* —4E **87**
Brislington Hill. *Bris* —2D **81**
Brislington Retail Pk. *Brisl* —4A **82**
Brislington Trad. Est. *Bris* —3B **82**
Bristol Bus. Pk. *Bris* —3A **44**
Bristol Ga. *Bris* —5B **68**
Bristol Hill. *Bris* —3F **81**
Bristol Rd. *Bath* —4D **95** & 1A **104**
Bristol Rd. *Cong* —2D **145**
Bristol Rd. *Fram C* —5C **14**
Bristol Rd. *Fren* —4D **45**
Bristol Rd. *Ham* —1F **45**
Bristol Rd. *Key* —2F **91**
Bristol Rd. *Paul* —3B **146**

Bristol Rd. *P'head* —4F **49**
Bristol Rd. *Rads* —5B **148**
Bristol Rd. *T'bry* —5C **6**
Bristol Rd. *W Mare* —3A **130**
Bristol Rd. *W'chu* —3E **89**
Bristol Rd. *Wins* —5C **156**
Bristol Rd. *Wint* —2A **30**
Bristol Rd. Lwr. *W Mare* —5B **126**
Bristol Va. Cen. for Industry. *Bris*
—4D **79**
Bristol Va. Trad. Est. *Bris* —5E **79**
Bristol Vw. *Bath* —4D **109**
Britannia Cres. *Stok G* —4F **27**
Britannia Ho. *Brad S* —2B **42**
Britannia Rd. *E'tn* —1D **71**
Britannia Rd. *K'wd* —2E **73**
Britannia Rd. *Pat* —1F **25**
Britannia Way. *Clev* —5C **120**
British Rd. *Bris* —2D **79**
British Row. *Trow* —1C **118**
British, The. *Yate* —2D **17**
Brittan Pl. *P'bry* —4A **52**
Britten Ct. *L Grn* —1B **84**
Britten's Clo. *Paul* —3C **146**
Britten's Hill. *Paul* —3C **146**
Brixham Rd. *Bris* —3E **79**
Brixton Rd. *Bris* —2D **71**
Brixton Rd. M. *E'tn* —2D **71**
Broadbury Rd. *Bris* —5F **79**
Broadcloth La. *Trow* —3E **119**
Broadcloth La. E. *Trow* —4E **119**
Broad Cft. *Brad S* —4E **11**
Broadcroft Av. *Clav* —2F **143**
Broadcroft Clo. *Clav* —2F **143**
Broadfield Av. *Bris* —2E **73**
Broadfield Rd. *Bris* —5C **80**
Broadlands. *Clev* —3E **121**
Broadlands Av. *Key* —2F **91**
Broadlands Dri. *Bris* —3C **38**
Broad La. *W'lgh* —4F **31**
Broad La. *Yate* —2D **17**
Broadleas. *Bris* —1E **87**
Broadleaze. *Shire* —5F **37**
Broadley Pk. *N Brad* —4E **155**
Broadleys Av. *Bris* —5E **41**
Broadmead. *Bris* —3A **70** (1D **5**)
Broadmead. *Trow* —1A **118**
Broadmead La. *Key* —4D **93**
Broadmead Shop. Cen. *Bris*
—3A **70** (1D **5**)
Broadmoor La. *Bath* —2A **98**
Broadmoor Pk. *Bath* —4C **98**
Broadmoor Va. *Bath* —3B **98**
Broadoak Hill. *Dun* —5B **86**
Broadoak Rd. *Bris* —4B **86**
Broadoak Rd. *W Mare* —5B **132**
Broad Oaks. *Bris* —4A **68**
Broadoak Wlk. *Bris* —3D **61**
Broad Plain. *Bris* —3B **70** (3F **5**)
Broad Quay. *Bath* —4A **106** (5C **96**)
Broad Quay. *Bris* —4F **69** (3B **4**)
Broad Rd. *Bris* —1E **73**
Broadstone Wlk. *Bris* —3F **87**
Broad St. *Bath* —2B **106** (2C **96**)
Broad St. *Bris* —3F **69** (2C **4**)
Broad St. *Chip S* —5D **19**
Broad St. *Cong* —2D **145**
Broad St. *Stap H* —3F **61**
Broad St. *Trow* —1C **118**
Broad St. *Wrin* —1B **156**
Broad St. Pl. *Bath* —2B **106** (2C **96**)
Broad Wlk. *Bris* —3B **80**
Broad Wlk. *P'head* —1A **50**
Broad Wlk. Shop. Precinct. *Bris*
—3D **81**
Broadway. *Bath* —3C **106** (4E **97**)
Broadway. *Lock* —4B **136**
Broadway. *Salt* —5F **93**
Broadway. *W Mare* —1D **139**
Broadway. *Yate* —4B **18**
Broadway Av. *Bris* —1F **57**
Broadway La. *Rads* —3E **147**

Broadway Rd. *Bishop* —4F **57**
Broadway Rd. *B'wth* —3B **86**
Broadways Dri. *Bris* —5B **44**
Broad Weir. *Bris* —3A **70** (2E **5**)
Brock End. *P'head* —5A **48**
Brockhurst Gdns. *Bris* —2C **72**
Brockhurst Rd. *Bris* —2C **72**
Brockley Clo. *Lit S* —2E **27**
Brockley Clo. *Nail* —4C **122**
Brockley Clo. *W Mare* —2D **139**
Brockley Combe Rd. *Back* —5A **124**
Brockley Cres. *W Mare* —2D **139**
Brockley La. *B'ley* —3A **124**
Brockley Rd. *Salt* —5F **93**
Brockley Wlk. *Bris* —5C **78**
Brockley Way. *B'ley* —5A **124**
Brockley Way. *Clav* —1F **143**
Brockridge La. *Fram C* —2E **31**
Brocks La. *L Ash* —4B **76**
Brocks Rd. *Bris* —5E **87**
Brock St. *Bath* —2A **106** (1A **96**)
Brockway. *Nail* —3E **123**
Brockworth. *Yate* —3E **33**
Brockworth Cres. *Bris* —1B **60**
Bromley Dri. *Bris* —4F **45**
Bromley Heath Av. *Bris* —4F **45**
Bromley Heath Rd. *Bris* —5F **45**
(in two parts)
Bromley Rd. *Bris* —2B **58**
Brompton Clo. *Bris* —2B **74**
Brompton Rd. *W Mare* —1E **139**
Broncksea Rd. *Bris* —3B **42**
Brook Clo. *L Ash* —4D **77**
Brookcote Dri. *Lit S* —3F **27**
Brookdale Rd. *Bris* —2D **87**
Brookfield Av. *Bris* —4F **57**
Brookfield Clo. *Chip S* —4E **19**
Brookfield Pk. *Bath* —4C **98**
Brookfield Rd. *Bris* —5F **57**
Brookfield Rd. *Pat* —1D **27**
Brookfield Wlk. *Clev* —3F **121**
Brookfield Wlk. *Old C* —2E **85**
Brookgate. *Bris* —4A **78**
Brook Hill. *Bris* —1B **70**
Brook Ho. *Lit S* —1E **27**
Brookland Rd. *Bris* —2F **57**
Brookland Rd. *W Mare* —1F **133**
Brook La. *Mont* —1B **70**
Brook La. *Stap* —1A **60**
Brooklea. *Old C* —1D **85**
Brookleaze. *Bris* —1E **55**
Brookleaze Bldgs. *Bath* —4C **100**
Brook Lintons. *Bris* —2F **81**
Brooklyn. *Wrin* —1B **156**
Brooklyn Rd. *Bath* —4D **101**
Brooklyn Rd. *Bris* —5D **79**
Brooklyn St. *Bris* —5B **58**
Brookmead. *T'bry* —5E **7**
Brookridge Ho. *Bris* —1B **40**
Brook Rd. *Bath* —3B **105**
Brook Rd. *Fish* —3C **60**
Brook Rd. *Mang* —1B **62**
Brook Rd. *Mont* —1B **70**
Brook Rd. *S'vle* —1F **79**
Brook Rd. *St G* —1A **72**
Brook Rd. *Trow* —2A **118**
Brook Rd. *War* —2C **74**
(in two parts)
Brookside. *Paul* —3B **146**
Brookside. *Pill* —4E **53**
Brookside Clo. *Bathe* —1A **102**
Brookside Clo. *Paul* —3B **146**
Brookside Dri. *Fram C* —1D **31**
Brookside Ho. *Bath* —5C **98**
Brookside Rd. *Bris* —3A **82**
Brook St. *Bris* —3E **71**
Brook St. *Chip S* —5C **18**
Brookthorpe. *Yate* —1F **33**
Brookthorpe Av. *Bris* —3C **38**
Brookview Wlk. *Bris* —1D **87**
Brook Way. *Brad S* —5E **11**
Broom Farm Clo. *Nail* —5D **123**

Cambridge Rd. *Clev* —1D **121**
Cambridge St. *Redf* —3E **71**
Cambridge St. *Tot* —1B **80**
Cambridge Ter. *Bath* —4C **106** (5E **97**)
Cam Brook Clo. *C'ton* —1A **148**
Camden Ct. *Bath* —1A **106**
Camden Cres. *Bath* —1A **106**
Camden Rd. *Bath* —1B **106**
Camden Rd. *Bris* —5D **69**
Camden Row. *Bath* —1A **106**
(in two parts)
Camden Ter. Bath —1B 106
(off Camden Rd.)
Camden Ter. *Bris* —4C **68**
Camden Ter. *W Mare* —1C **132**
Cameley Grn. *Bath* —3A **104**
Camelford Rd. *Bris* —5F **59**
Cameron Wlk. *Bris* —1E **59**
Cameroons Clo. *Key* —4A **92**
Camerton Clo. *Salt* —1A **94**
Camerton Hill. *C'ton* —1B **148**
Camerton Rd. *Bris* —1F **71**
Campbells Farm Dri. *Bris* —3B **38**
Campbell St. *Bris* —1A **70**
Campian Wlk. *Bris* —2F **87**
Campion Clo. *T'bry* —2E **7**
Campion Clo. *W Mare* —1B **134**
Campion Dri. *Brad S* —4F **11**
Campion Dri. *Trow* —4D **119**
Camplins. *Clev* —5C **120**
Camp Rd. *Bris* —3B **68**
Camp Rd. *W Mare* —4A **126**
Camp Rd. N. *W Mare* —4A **126**
Camp Vw. *Nail* —3C **122**
Camp Vw. *Wint* D —5A **30**
Camvale. *Pea J* —1E **149**
Camview. *Paul* —3A **146**
Camwal Ind. Est. *Bris* —5C **70**
Camwal Rd. *Bris* —5C **70**
Canada Coombe. *Hut* —1D **141**
Canada Way. *Bris* —5C **68**
Canal Rd. *Trow* —5D **117**
Canal Ter. Ind. Est. *Trow* —4D **117**
Canal Ter. *B'ptn* —5A **102**
Canberra Cres. *Lock* —2F **135**
Canberra Gro. *Bris* —5D **27**
Canberra Rd. *W Mare* —5D **133**
Canford La. *Bris* —5F **39**
Canford Rd. *Bris* —4B **40**
Cann La. *Bris* —4F **75**
Cannons Ga. *Clev* —5C **120**
Cannon St. *Bedm* —1E **79**
Cannon St. *Bris* —2C **69** (1C **4**)
Canons Clo. *Wint* —2A **30**
Canons Ho. *Bris* —5E **69** (5A **4**)
Canons Rd. *Bris* —5E **69** (5A **4**)
Canon St. *Bris* —2E **71**
Canon's Wlk. *Bris* —5A **62**
Canon's Wlk. *W Mare* —3B **128**
Canons Way. *Bris* —4E **69** (4A **4**)
Canowie Rd. *Bris* —4D **57**
Cantell Gro. *Bris* —3B **90**
Canterbury Clo. *W Mare* —1E **129**
Canterbury Clo. *Yate* —3A **18**
Canterbury Rd. *Bath* —4E **105**
Canterbury St. *Bar H* —4D **71**
Canters Leaze. *Wickw* —3C **154**
Cantock's Clo. *Bris* —3E **69** (2A **4**)
Canton Pl. *Bath* —1B **106**
Canvey Clo. *Bris* —5A **42**
Canynge Ho. *Bris* —5A **70**
Canynge Rd. *Bris* —2B **68**
Canynge Sq. *Bris* —2B **68**
Canynge St. *Bris* —4A **70** (4D **5**)
Capel Clo. *Bris* —2D **75**
Capell Clo. *W Mare* —5F **127**
Capel Rd. *Bris* —3D **39**
Capenor Clo. *P'head* —4E **49**
Capgrave Clo. *Bris* —2C **82**
Capgrave Cres. *Bris* —2C **82**
Caraway Gdns. *Bris* —5E **59**

Carders Corner. *Trow* —3D **119**
Cardigan Cres. *W Mare* —5A **128**
Cardigan La. *Bris* —1D **57**
Cardigan Rd. *Bris* —1D **57**
Cardill Clo. *Bris* —5C **78**
Cardinal Clo. *Bath* —4E **109**
Carditch Drove. *Cong* —5B **144**
Carey's Clo. *Clev* —2F **121**
Carice Gdns. *Clev* —5D **121**
Carisbrooke Cres. *Trow* —2E **117**
Carisbrooke Rd. *Bris* —5F **79**
Carlingford Ter. *Rads* —2D **153**
Carlingford Ter. *Rads* —2D **153**
Carlow Rd. *Bris* —5A **80**
Carlton Ct. *Bris* —5C **40**
Carlton Mans. N. W Mare —1B 132
(off Beach Rd.)
Carlton Mans. S. W Mare —1B 132
(off Beach Rd.)
Carlton Pk. *Bris* —2E **71**
Carlton Row. *Trow* —4C **118**
Carlton St. *W Mare* —1B **132**
Carlyle Rd. *Bris* —1E **71**
Carmarthen Clo. *Yate* —2B **18**
Carmarthen Gro. *Will* —4D **85**
Carmarthen Rd. *Bris* —1C **56**
Carnarvon Rd. *Bris* —5E **57**
Caroline Bldgs. *Bath* —4C **106** (5E **97**)
Caroline Clo. *Key* —4E **91**
Caroline Pl. *Bris* —2A **70**
Caroline Pl. *Bath* —1A **106** (1B **96**)
Carpenters La. *Key* —3A **92**
Carpenters Shop La. *Bris* —1A **62**
Carre Gdns. *W Mare* —1D **129**
Carr Ho. *Bath* —3B **104**
Carrick Ho. Bris —4B 68
(off Hotwell Rd.)
Carrington Rd. *Bris* —1C **78**
Carsons Rd. *Mang* —4D **63**
Carter Rd. *Paul* —4A **146**
Carter Wlk. *Brad S* —1F **27**
Cart La. *Bris* —4A **70** (4E **5**)
Cartledge Rd. *Bris* —1E **71**
Cashmore Ho. *Bris* —3D **71**
Caslon Ct. *Bris* —5A **70** (5E **5**)
Cassell Rd. *Bris* —2E **61**
Cassey Bottom La. *Bris* —3C **72**
Castle Clo. *Bris* —2F **39**
Castle Ct. *T'bry* —3C **6**
Castle Farm Rd. *Bris* —3D **83**
Castle Gdns. *Bath* —1F **109**
Castle Hill. *Ban* —5F **137**
Castle Ho. *Wickw* —2C **154**
Castle M. *Wickw* —2C **154**
Castle Pl. *Trow* —2D **119**
Castle Rd. *Bris* —5F **61**
Castle Rd. *Clev* —1D **121**
Castle Rd. *Old C* —2E **85**
Castle Rd. *Puck* —1E **65**
Castle Rd. *W Mare* —2C **128**
Castle St. *Bris* —3A **70** (2E **5**)
Castle St. *T'bry* —2B **6**
Castle St. *Trow* —2D **119**
Castle Vw. Rd. *Clev* —1D **121**
Castlewood Clo. *Clev* —2D **121**
Caswell Hill. *P'bry* —5D **51**
Caswell La. *P'bry* —5E **51**
Catbrain Hill. *Bris* —3D **25**
Catbrain La. *Bris* —3D **25**
Catemead. *Clev* —5C **120**
Cater Rd. *Bris* —2C **86**
Catharine Pl. *Bath* —2A **106** (1A **96**)
Cathcart Ho. *Bath* —1B **106**
Cathedral Sq. *Bris* —4E **69** (4A **4**)
Catherine Mead St. *Bris* —1E **79**
Catherine St. *A'mth* —4E **37**
Catherine Way. *Bathe* —2B **102**
Catley Gro. *L Ash* —4D **77**
Cato St. *Bris* —5D **59**
Catsley Pl. *Bath* —3D **101**
Cattistock Dri. *Bris* —4C **72**
Cattle Mkt. Rd. *Bris* —5B **70** (5F **5**)

Cattybrook Rd. *Mang & E Grn* —2F **63**
(in two parts)
Cattybrook St. *Bris* —2D **71**
Caulfield Rd. *W Mare* —1E **129**
Causeway. *Tic & Nail* —2A **122**
Causeway, The. *Coal H* —2E **31**
Causeway, The. *Cong* —2D **145**
Causeway, The. *Yat* —4C **142**
Causeway Vw. *Nail* —3B **122**
Causley Dri. *Bar C* —5C **74**
Cautletts Clo. *Mid N* —4C **150**
Cavan Wlk. *Bris* —4F **79**
Cave Ct. *Bris* —2A **70**
Cave Dri. *Bris* —1F **61**
Cave Gro. *E Grn* —5D **47**
Cavell Ct. *Clev* —5C **120**
Cavendish Clo. *Salt* —5F **93**
Cavendish Cres. *Bath* —1F **105**
Cavendish Gdns. *Bris* —3E **55**
Cavendish Lodge. *Bath* —1F **105**
Cavendish Pl. *Bath* —1F **105**
Cavendish Rd. *Bath* —1F **105** (1A **96**)
Cavendish Rd. *Bris* —2C **56**
Cavendish Rd. *Pat* —1B **26**
Caverners Ct. *W Mare* —4F **127**
Caversham Dri. *Nail* —3F **123**
Cave St. *Bris* —2A **70**
Caxton Ct. *Bath* —2B **106** (2C **96**)
Caxton Ga. *Bris* —5A **70** (5E **5**)
Cecil Av. *Bris* —1B **72**
Cecil Rd. *Clif* —2B **68**
Cecil Rd. *K'wd* —2F **73**
Cecil Rd. *W Mare* —4C **126**
Cedar Av. *W Mare* —4A **128**
Cedar Clo. *L Ash* —4B **76**
Cedar Clo. *Old C* —1D **85**
Cedar Clo. *Pat* —2B **26**
Cedar Ct. *Brad A* —1E **115**
Cedar Ct. *Bris* —3E **55**
Cedar Dri. *Key* —4F **91**
Cedar Gro. *Bath* —1E **109**
Cedar Gro. *Bris* —2F **55**
Cedar Gro. *Trow* —4B **118**
Cedar Hall. *Bris* —4E **45**
Cedarhurst Rd. *P'head* —5A **48**
Cedarn Ct. *W Mare* —1F **127**
Cedar Pk. *Bris* —2F **55**
Cedar Row. *Bris* —1B **54**
Cedars, The. *Bris* —4F **55**
Cedars Way. *Wint* —4F **29**
Cedar Ter. *Rads* —3A **152**
Cedar Vs. *Bath* —4F **105**
Cedar Wlk. *Bath* —4F **105**
(in two parts)
Cedar Way. *Bath* —4F **105** (5A **96**)
Cedar Way. *Nail* —3F **123**
Cedar Way. *P'head* —4D **49**
Cedar Way. *Puck* —2D **65**
Cedric Clo. *Bath* —2D **105**
Cedric Rd. *Bath* —2D **105**
Celandine Clo. *T'bry* —2E **7**
Celestine Rd. *Yate* —3E **17**
Celia Ter. *St Ap* —4B **72**
Celtic Way. *B'don* —3F **139**
Cemetery La. *Brad A* —2F **115**
Cemetery Rd. *Bris* —2C **80**
Cennick Av. *Bris* —1A **74**
Centaurus Rd. *Pat* —2E **25**
Central Av. *Brad S* —5A **20**
Central Av. *Bris* —5E **73**
Central Trad. Est. *Bris* —1D **81**
Central Way. *Clev* —5D **121**
Centre Dri. *Ban* —4C **136**
Centre, The. *Key* —3A **92**
Centre, The. *W Mare* —1C **132**
Ceres Clo. *L Grn* —3B **84**
Cerimon Ga. *Stok G* —4A **28**
Cerney Gdns. *Nail* —3F **123**
Cerney La. *Bris* —2A **54**
Cesson Clo. *Chip S* —1E **35**
·Chadleigh Gro. *Bris* —1F **87**
Chaffinch Dri. *Mid N* —4E **151**

Chesham Rd. S.—Circular Rd.

Cobthorn Way—Cornwall Cres.

Cornwallis Av. *Bris* —4C **68**
Cornwallis Av. *W Mare* —1C **128**
Cornwallis Cres. *Bris* —4B **68**
Cornwallis Gro. *Bris* —4B **68**
Cornwall Rd. *Bris* —3F **57**
Coronation Av. *Bath* —1D **109**
Coronation Av. *Brad A* —2F **115**
Coronation Av. *Bris* —3C **60**
Coronation Av. *Key* —4F **91**
Coronation Clo. *Bris* —4F **69** (3C **4**)
Coronation Cotts. *Bathe* —3A **102**
Coronation Est. *W Mare* —5D **133**
Coronation Pl. *Bris* —4F **69** (3C **4**)
Coronation Rd. *Ban* —5E **137**
Coronation Rd. *Bath* —2E **105**
Coronation Rd. *B'don* —5A **140**
Coronation Rd. *Down* —2A **62**
Coronation Rd. *K'wd* —3B **74**
Coronation Rd. *S'vle* —1C **78**
Coronation Rd. *War* —5C **74**
Coronation Rd. *W Mare* —3C **128**
Coronation St. *Trow* —3D **119**
Coronation Vs. *Rads* —1D **153**
Corondale Rd. *W Mare* —5B **128**
Corridor, The. *Bath* —3B **106** (3C **96**)
Corsley Wlk. *Bris* —5B **80**
Corston. *W Mare* —1E **139**
Corston La. *Cor* —5C **94**
Corston Vw. *Bath* —2D **109**
Corston Wlk. *Bris* —5F **37**
Coryton. *W Mare* —3E **129**
Cossham Clo. *T'bry* —2D **7**
Cossham Rd. *Bris* —2F **71**
Cossham Rd. *Yate* —3E **65**
Cossham St. *Mang* —2C **62**
Cossham Wlk. *Bris* —1C **72**
Cossington Rd. *Bris* —4B **80**
Cossins Rd. *Bris* —4D **57**
Costers Clo. *Alv* —2B **8**
Costiland Dri. *Bris* —2B **86**
Cote Bank Ho. *Bris* —5D **41**
Cote Dri. *Bris* —3C **56**
Cote Ho. La. *Bris* —2C **56**
Cote La. *Bris* —3C **56**
Cote Lea Pk. *Bris* —5D **41**
Cote Paddock. *Bris* —3B **56**
Cote Pk. *Bris* —1A **56**
Cote Rd. *Bris* —2C **56**
Cotham Brow. *Bris* —1F **69**
Cotham Gdns. *Bris* —1D **69**
Cotham Gro. *Bris* —1F **69**
Cotham Hill. *Bris* —1D **69**
Cotham Lawn Rd. *Bris* —1E **69**
Cotham Pk. *Bris* —1E **69**
Cotham Pk. N. *Bris* —1E **69**
Cotham Pl. *Bris* —1E **69**
Cotham Rd. *Bris* —2E **69**
Cotham Rd. S. *Bris* —2F **69**
Cotham Side. *Bris* —1F **69**
Cotham Va. *Bris* —1E **69**
Cotman Wlk. *Bris* —1D **59**
Cotman Wlk. *W Mare* —3D **129**
Cotrith Gro. *Bris* —1A **40**
Cotswold Clo. *P'head* —4A **50**
Cotswold Ct. *Chip S* —5D **19**
Cotswold Rd. *Bath* —5E **105**
Cotswold Rd. *Bris* —2F **79**
Cotswold Rd. *Chip S* —1D **35**
Cotswold Ter. *Bath* —3F **107**
Cotswold Vw. *Bath* —4C **104**
Cotswold Vw. *Fil* —1C **42**
Cotswold Vw. *K'wd* —5F **61**
Cotswold Vw. *Wickw* —1C **154**
Cottage Pl. *Bath* —4D **101**
Cottage Pl. *Bris* —2F **69** (1B **4**)
Cottages, The. *Wrin* —1B **156**
Cottington Ct. *Bris* —5A **74**
Cottisford Rd. *Bris* —3D **59**
Cottle Gdns. *Bris* —2B **90**
Cottle Rd. *Bris* —2B **90**
Cottles La. *Tur* —3F **113**
Cotton Mead. *Cor* —5D **95**

Cottonwood Dri. *L Grn* —2C **84**
Cottrell Av. *Bris* —5D **61**
Cottrell Rd. *Bris* —4E **59**
Coulson Dri. *W Mare* —2F **129**
Coulsons Clo. *Bris* —5C **88**
Coulson's Rd. *Bris* —5B **88**
Coulson Wlk. *Bris* —5E **61**
Counterpool Rd. *Bris* —3E **73**
Counterslip. *Bris* —4A **70** (3D **5**)
Counterslip Gdns. *Bris* —2E **89**
Countess Wlk. *Bris* —1F **59**
County St. *Bris* —1C **80**
County Way. *Trow* —2D **119**
Court Av. *Stok G* —4B **28**
Court Av. *Yat* —4B **142**
Court Clo. *Back* —3E **125**
Court Clo. *Bris* —5A **42**
Court Clo. *P'head* —4F **49**
Courtenay Cres. *Bris* —1F **87**
Courtenay Rd. *Key* —5A **92**
Courtenay Wlk. *W Mare* —2E **129**
Court Farm Rd. *Bris* —5B **88**
Court Farm Rd. *L Grn* —4F **83**
Courtfield Gro. *Bris* —3C **60**
Court Gdns. *Bathe* —2B **102**
Court Hay. *E'ton G* —3C **52**
Courtlands. *Key* —3A **92**
Courtlands. *Pat* —5E **11**
Courtlands La. *Bris* —1A **78**
Court La. *Bathf* —4C **102**
Court La. *Clev* —3F **121**
Court La. *Wick* —5A **154**
Courtmead. *Bath* —5A **110**
Courtney Rd. *Bris* —3A **74**
Courtney Way. *Bris* —3B **74**
Court Pl. *W Mare* —3D **129**
Court Rd. *Fram C* —1B **30**
Court Rd. *Hor* —5B **42**
Court Rd. *Kew* —1E **127**
Court Rd. *K'wd* —3F **73**
Court Rd. *Old C* —2D **85**
Courtside. *Bris* —3B **74**
Courtside M. *Bris* —1E **69**
Court St. *Trow* —2D **119**
Court Vw. Clo. *Alm* —1C **10**
Court Vw. *Wick* —5B **154**
Courtyard, The. *Alm* —3F **11**
Courville Clo. *Alv* —3B **8**
Cousins Clo. *Bris* —1F **39**
Cousins La. *Bris* —3B **72**
Cousins M. *St Ap* —4B **72**
Cousins Way. *E Grn* —4D **47**
Couzens Clo. *Chip S* —4D **19**
Couzens Pl. *Stok G* —4D **28**
Coventry Wlk. *Bris* —4B **72**
Cowdray Rd. *Bris* —1F **87**
Cowhorn Hill. *Old C* —5E **75**
Cow La. *Bath* —2F **105**
Cowler Wlk. *Bris* —4B **86**
Cowling Dri. *Bris* —3E **89**
Cowling Rd. *Bris* —3E **89**
Cowmead Wlk. *Bris* —5C **58**
Cowper Rd. *Bris* —1E **69**
Cowper St. *Bris* —3E **71**
Cowship La. *Crom* —1A **154**
Cox Ct. *Bar C* —1B **84**
Coxgrove Hill. *Puck* —1B **64**
Coxley Dri. *Bath* —4C **100**
Cox's Grn. *Wrin* —2C **156**
Coxway. *Clev* —4E **121**
Crabtree Path. *Clev* —5C **120**
Crabtree Wlk. *Bris* —5F **59**
Craddock Clo. *Bris* —1C **84**
Cranberry Wlk. *Bris* —4E **39**
Cranbourne Chase. *W Mare* —4E **127**
Cranbourne Rd. *Pat* —2B **26**
Cranbrook Rd. *Bris* —3E **57**
Crandale Rd. *Bath* —4E **105**
Crandell Clo. *Bris* —5B **24**
Crandon Lea. *Holt* —1F **155**
Crane Clo. *Bris* —2D **75**
Cranford Clo. *W Mare* —4B **128**

Cranham. *Yate* —2E **33**
Cranham Clo. *Bris* —5B **62**
Cranham Dri. *Pat* —5E **11**
Cranham Rd. *Bris* —4E **41**
Cranhill Rd. *Bath* —1E **105**
Cranleigh. *Bath* —4A **110**
Cranleigh Ct. Rd. *Yate* —4F **17**
Cranleigh Gdns. *Bris* —3A **56**
Cranleigh Rd. *Bris* —3D **89**
Cranmore. *W Mare* —1E **139**
Cranmore Av. *Key* —2F **91**
Cranmore Clo. *Trow* —1A **118**
Cranmore Cres. *Bris* —3F **41**
Cranmore Pl. *Bath* —4E **109**
Cranside Av. *Bris* —3E **57**
Cransley Cres. *Bris* —5E **41**
Crantock Av. *Bris* —5D **79**
Crantock Dri. *Alm* —1D **11**
Crantock Rd. *Yate* —5F **17**
Cranwell Gro. *Bris* —3C **88**
Cranwell Rd. *Loch* —3A **136**
Cranwells Pk. *Bath* —1E **105**
Crates Clo. *K'wd* —2A **74**
Craven Clo. *L Grn* —5B **74**
Craven Way. *Bar C* —5B **74**
Crawford Clo. *Clev* —5B **120**
Crawley Cres. *Trow* —2A **118**
Crawl La. *Clan* —5E **147**
Craydon Gro. *Bris* —3F **89**
Craydon Rd. *Bris* —3F **89**
Craydon Wlk. *Bris* —3F **89**
Crediton. *W Mare* —3E **129**
Crediton Cres. *Bris* —4B **80**
Crescent Cen., The. *Bris* —4A **70** (3E **5**)
Crescent Gdns. *Bath* —2F **105** (2A **96**)
Crescent La. *Bath* —1F **105** (1A **96**)
Crescent Rd. *Bris* —1E **61**
Crescent, The. *Back* —2C **124**
Crescent, The. *Henl* —1E **57**
Crescent, The. *Mil* —4F **127**
Crescent, The. *Sea M* —1E **55**
Crescent, The. *Soun* —4F **61**
Crescent, The. *Wick* —4B **154**
Crescent, The. *Worl* —3F **127**
Crescent Vw. *Bath* —4A **106** (5A **96**)
Cresswell Clo. *W Mare* —3E **129**
Crest, The. *Bris* —3E **81**
Creswicke Av. *Bris* —5E **73**
Creswicke Rd. *Bris* —1F **87**
Crewkerne Clo. *Nail* —4F **123**
Crews Hole Rd. *Bris* —3F **71**
Cribbs Causeway. *Bris* —4B **24**
Cribbs Causeway Cen. (Ind. Est.) *Bris*
—3C **24**
Cribbs Retail Pk. *Pat* —3E **25**
Cricket Fld. Grn. *Nail* —3C **122**
Cricklade Ct. *Nail* —4F **123**
Cricklade Rd. *Bris* —3A **58**
Cripps Rd. *Bris* —2E **79**
Crispin La. *T'bry* —3C **6**
Crispin Way. *Bris* —5B **62**
Crockerne Dri. *Pill* —4E **53**
Crockerne Ho. Pill —2F 53
(off Underbanks)
Crocombe La. *Tim* —1F **157**
Croft Av. *Bris* —3E **59**
Croft Clo. *Bit* —5F **85**
Crofters Wlk. *Brad S* —1F **27**
Crofton Av. *Bris* —1B **58**
Croft Rd. *Bath* —5C **100**
Croft Rd. *Mon C* —3F **111**
Crofts End Rd. *Bris* —1A **72**
Croft, The. *Back* —1C **124**
Croft, The. *Bris* —2B **62**
Croft, The. *Clev* —2F **121**
Croft, The. *Hut* —5C **134**
Croft, The. *Old C* —2E **85**
Croft, The. *Trow* —4C **118**
Croft Vw. *Bris* —1E **57**
Crokeswood Wlk. *Bris* —3C **38**
Crome Rd. *Bris* —5D **43**
Cromer Rd. *Bris* —5E **59**

Cromer Rd.—Derwent Rd.

Cromer Rd. *W Mare* —3C **132**
Cromwell Ct. *Bris* —5A **74**
Cromwell Dri. *W Mare* —1E **129**
Cromwell Rd. *St And* —5F **57**
Cromwell Rd. *St G* —2C **72**
Cromwells Hide. *Bris* —2A **60**
Cromwell St. *Bris* —2E **79**
Crooke's La. *Kew* —1E **127**
Crookwell Drove. *Cong* —5C **144**
Croomes Hill. *Bris* —1F **61**
Cropthorne Rd. *Bris* —3C **42**
Cropthorne Rd. S. *Bris* —4C **42**
Crosby Row. *Clif* —4C **68**
Crosscombe Dri. *Bris* —5D **87**
Crosscombe Wlk. *Bris* —5D **87**
Cross Elms La. *Bris* —2A **56**
Crossfield Rd. *Bris* —4A **62**
Cross Lanes. *Pill* —3D **53**
(in two parts)
Crossleaze Rd. *Bris* —2E **83**
Crossley Clo. *Wint* —2B **30**
Crossman Av. *Wint* —4A **30**
Crossman Wlk. *Clev* —3F **121**
Cross St. *Bris* —1E **73**
Cross St. *Key* —1B **92**
Cross St. *Trow* —1D **119**
Cross St. *W Mare* —1C **132**
Cross Tree Gro. *Brad S* —1F **27**
Cross Wlk. *Bris* —2C **88**
Crossways Rd. *Bris* —4C **80**
Crossways Rd. *T'bry* —3E **7**
Crowe Hill. *Lim S & F'frd* —3C **112**
Crowe La. *F'frd* —4C **112**
Crow La. *Bris* —4F **69** (3C **4**)
Crow La. *Hen* —2B **40**
Crown Ct. *Brad A* —2F **115**
Crowndale Rd. *Bris* —2C **80**
Crown Gdns. *Bris* —3D **75**
Crown Glass Pl. *Nail* —3D **123**
Crown Hill. *Bath* —5D **99**
Crown Hill. *Bris* —2B **72**
Crown Hill Wlk. *Bris* —1B **72**
Crown Ho. *Nail* —4B **122**
Crown Ind. Est. *War* —3E **75**
Crown La. *Bris* —4F **61**
Crownleaze. *Bris* —4F **61**
Crown Rd. *Bath* —5C **98**
Crown Rd. *Bris* —5F **61**
Crown Rd. *War* —4E **75**
Crows Gro. *Brad S* —3F **11**
Crowther Pk. *Bris* —3C **58**
Crowther Rd. *Bris* —3C **58**
Crowthers Av. *Yate* —3A **18**
Crowther St. *Bris* —2D **79**
Croydon St. *Bris* —2D **71**
Crunnis, The. *Brad S* —3A **28**
Crusty La. *Pill* —2E **53**
Cuckoo La. *Wint D* —1B **46**
Cuffington Av. *Bris* —1F **81**
Culverhill Rd. *Chip S* —5C **18**
Culver Rd. *Brad A* —4F **115**
Culvers Rd. *Key* —2A **92**
Culver St. *Bris* —4E **69** (3A **4**)
Culvert, The. *Brad S* —1F **27**
Culverwell Rd. *Bris* —4C **86**
Cumberland Basin Rd. *Bris* —4B **68**
Cumberland Clo. *Bris* —5C **68**
Cumberland Gro. *Bris* —5B **58**
Cumberland Ho. *Bath* —3F **105** (3A **96**)
(off Norfolk Cres.)
Cumberland Pl. *Bris* —4B **68**
Cumberland Rd. *Bris* —5B **68**
Cumberland Row. *Bath* —3A **106** (3A **96**)
Cumberland St. *Bris* —2A **70**
Cumbria Clo. *T'bry* —3F **7**
Cunningham Gdns. *Bris* —2D **61**
Cunnington Clo. *Will* —4D **85**
Curland Gro. *Bris* —3D **89**
Curlew Clo. *Bris* —1B **60**
Curlew Gdns. *W Mare* —4D **129**
Curtis La. *Stok G* —5C **28**

Custom Clo. *Bris* —1C **88**
Cutler Rd. *Bris* —2B **86**
Cygnet Cres. *W Mare* —4D **129**
Cynder Way. *E Grn* —3C **46**
Cynthia Rd. *Bath* —4D **105**
Cynthia Vs. *Bath* —4D **105**
Cypress Ct. *Bris* —4F **55**
Cypress Gdns. *Bris* —4A **68**
Cypress Gro. *Bris* —1E **57**
Cypress Ter. *Rads* —3A **152**
Cyrus Ct. *E Grn* —5D **47**

Dafford's Bldgs. *Bath* —4D **101**
Dafford's Pl. *Bath* —4D **101**
(off Dafford St.)
Dafford St. *Bath* —4D **101**
Daglands, The. *C'ton* —1A **148**
Dahlia Gdns. *Bath* —2C **106** (1F **97**)
Daisey Bank. *Bath* —5C **106**
Daisy Rd. *Bris* —5E **59**
Dakin Clo. *Bris* —4A **80**
Dakota Dri. *Bris* —4C **88**
Dalby Av. *Bris* —1F **79**
Dale St. *Bris* —2B **72**
(Hudd's Hill Rd.)
Dale St. *Bris* —2B **70** (1F **5**)
(Newfoundland St.)
Daley Clo. *W Mare* —2F **129**
Dalkeith Av. *Bris* —1E **73**
Dalrymple Rd. *Bris* —1A **70**
Dalston Rd. *Bris* —1D **79**
Dalton Sq. *Bris* —2A **70**
Dalwood. *W Mare* —3E **129**
Dame Ct. Clo. *W Mare* —1D **129**
Dampier Rd. *Bris* —2C **78**
Damson Rd. *W Mare* —5B **128**
Danbury Cres. *Bris* —3E **41**
Danbury Wlk. *Bris* —3E **41**
Dancey Mead. *Bris* —1B **86**
Dandy's Mdw. *P'head* —3A **50**
Daneacre Rd. *Rads* —1D **153**
Dane Clo. *W'ley* —2F **113**
Dane Ri. *W'ley* —2F **113**
Dangerfield Av. *Bris* —2B **86**
Daniel Clo. *Clev* —3F **121**
Daniel M. *Bath* —2C **106** (2E **97**)
Daniel St. *Bath* —2C **106** (2E **97**)
Dapp's Hill. *Key* —3B **92**
Dark La. *Back* —2D **125**
Dark La. *Ban* —5F **137**
Dark La. *Bris* —4C **40**
Dark La. *Mid N* —4C **112**
Darley Clo. *Bris* —1F **39**
Darlington M. *Bath* —2C **106** (2E **97**)
Darlington Pl. *Bath* —3C **106** (4F **97**)
Darlington Rd. *Bath* —2C **106** (1F **97**)
Darlington St. *Bath* —2C **106** (2E **97**)
Darmead. *W Mare* —4F **129**
Darnley Av. *Bris* —1B **58**
Dart Clo. *T'bry* —4C **6**
Dartmoor St. *Bris* —1D **79**
Dartmouth Av. *Bath* —4D **105**
Dartmouth Clo. *W Mare* —3E **129**
Dartmouth Wlk. *Key* —4F **91**
Dart Rd. *Clev* —5D **121**
Daubeny Clo. *Bris* —2D **61**
Davenport Clo. *L Grn* —3C **84**
Daventry Rd. *Bris* —4A **80**
Davey St. *Bris* —1B **70**
David's Clo. *Alv* —3B **8**
David's La. *Alv* —3B **8**
David's Rd. *Bris* —1E **89**
David St. *Bris* —3B **70** (2F **5**)
David Thomas Houses. *Bris* —5A **58**
Davies Dri. *St Ap* —5B **72**
Davin Cres. *Pill* —4E **53**
Davis Clo. *Bar C* —5B **74**
Davis Ct. *T'bry* —2D **7**
Davis La. *Clev* —5D **121**
Davis St. *Bris* —4D **37**
Dawes Clo. *Clev* —5D **121**

Dawley Clo. *Wint* —2A **30**
Dawlish Rd. *Bris* —3F **79**
Dawn Ri. *Bris* —1B **74**
Day Cres. *Bath* —3A **104**
Day's Rd. *St Ph* —4C **70**
Deacon Clo. *Wint* —4A **30**
Deacons Clo. *W Mare* —3C **128**
Deadmill La. *Swain* —3D **101**
Dean Av. *T'bry* —2D **7**
Dean Clo. *Bris* —5D **73**
Dean Clo. *W Mare* —2F **129**
Dean Ct. *Yate* —3D **17**
Dean Cres. *Bris* —1E **79**
(in two parts)
Deanery Clo. *K'wd* —2D **75**
Deanery Rd. *Bris* —4E **69** (4A **4**)
Deanery Rd. *War* —2C **74**
Deanhill La. *Bath* —4A **98**
Dean La. *Bris* —1E **79**
Deanna Ct. *Bris* —1A **62**
Dean Rd. *Bris* —4E **21**
Dean Rd. *Yate* —3E **17**
Deans Dri. *S'wll* —5C **60**
Deans Mead. *Bris* —4C **38**
Deans, The. *P'head* —4D **49**
Dean St. *Bris* —1E **79**
Dean St. *St Pa* —2A **70**
De Beccas La. *E'ton G* —3D **53**
De Clifford Rd. *Bris* —2E **39**
Deep Coombe Rd. *Bris* —3C **78**
Deep Pit Rd. *Bris* —1A **72**
Deerhurst. *Bris* —5A **62**
Deerhurst. *Yate* —1E **33**
Deering Clo. *Bris* —3D **39**
Deer Mead. *Clev* —5B **120**
Deerswood. *Bris* —5C **62**
Delabere Av. *Bris* —2D **61**
Delamere Rd. *Trow* —5D **117**
Delapre Rd. *W Mare* —5B **132**
De La Warre Ct. *St Ap* —4B **72**
Delius Gro. *Bris* —1F **87**
Dell, The. *Brad S* —2A **28**
Dell, The. *Bris* —5E **75**
Dell, The. *Nail* —3D **122**
Dell, The. *W Trym* —2B **56**
Dell, The. *W Mare* —1C **128**
Delvin Rd. *Bris* —4E **41**
De Montalt Pl. *C Down* —3C **110**
Denbigh St. *Bris* —1B **70**
Dene Clo. *Key* —5B **92**
Dene Rd. *Bris* —4E **89**
Denleigh Clo. *Bris* —4C **88**
Denmark Av. *Bris* —4E **69** (3A **4**)
Denmark Pl. *Bris* —4A **58**
Denmark Rd. *Bath* —3E **105**
Denmark St. *Bris* —4E **69** (3A **4**)
Denning Ct. *W Mare* —1F **129**
Dennisworth. *Puck* —2D **65**
Dennor Pk. *Bris* —1D **89**
Denny Clo. *P'head* —3C **48**
Denny Isle Dri. *Sev B* —4B **20**
Denny Vw. *P'head* —3B **48**
Denny Vw. *W Mare. Abb L* —2B **66**
Denston Dri. *P'head* —4A **50**
Denston Wlk. *Bris* —1C **86**
Denton Patch. *E Grn* —5D **47**
Dentwood Gro. *Bris* —5D **39**
Derby Rd. *Bris* —4A **58**
Derby St. *Bris* —2F **71**
Derham Clo. *Yat* —3B **142**
Derham Pk. *Yat* —3B **142**
Derham Rd. *Bris* —3C **86**
Derhill Ter. *Bath* —3F **107**
Dermot Rd. *Bris* —1B **70**
Derricke Rd. *Bris* —2B **90**
Derrick Rd. *Bris* —2F **73**
Derry Rd. *Bris* —3D **79**
Derwent Clo. *Pat* —1D **27**
Derwent Ct. *T'bry* —4E **7**
Derwent Gro. *Key* —3C **92**
Derwent Rd. *Bris* —1B **72**
Derwent Rd. *W Mare* —3E **133**

Devaney Clo. *St Ap* —5B **72**
Deverell Clo. *Brad A* —5F **115**
Deveron Gro. *Key* —4C **92**
Deverose Ct. *Bris* —1A **84**
Devon Gro. *Bris* —2E **71**
Devon Rd. *Bris* —1E **71**
Devonshire Bldgs. *Bath* —5A **106**
Devonshire Dri. *P'head* —3B **48**
Devonshire Rd. *B'ptn* —5F **101**
Devonshire Rd. *Bris* —3D **57**
Devonshire Rd. *W Mare* —5C **132**
Devonshire Vs. *Bath* —1A **110**
Dewfalls Dri. *Brad S* —5F **115**
Dial Hill Rd. *Clev* —2D **121**
Dial La. *Bris* —1F **61**
Diamond Batch. *W Mare* —4F **129**
Diamond Rd. *Bris* —3B **72**
Diamond St. *Bris* —2E **79**
Diana Gdns. *Brad S* —1A **28**
Dibden Clo. *Bris* —4C **46**
Dibden La. *E Grn* —5C **46**
Dibden Rd. *Bris* —4C **46**
Dickens Clo. *Bris* —4C **42**
Dickenson Rd. *Bris* —2C **132**
Dickensons Gro. *Cong* —3E **145**
Didsbury Clo. *Bris* —3B **40**
Dighton Ga. *Stok G* —4A **28**
Dighton St. *Bris* —2F **69**
Dillon Ct. *Bris* —3F **71**
Dinder Clo. *Nail* —4D **123**
Dingle Clo. *Bris* —1E **55**
Dingle Rd. *Bris* —5F **39**
Dingle, The. *Bris* —5F **39**
Dingle, The. *Wint* —1B **46**
Dingle, The. *Yate* —2B **18**
Dingle Vw. *Bris* —5E **39**
Dinglewood Clo. *Bris* —5F **39**
Dings Wlk. *Bris* —4C **70**
Dixon Gdns. *Bath* —5A **100**
Dixon Rd. *Bris* —3B **82**
Dock Ga. La. *Bris* —5C **68**
Docks Ind. Est. *Chit* —1F **21**
Doctor White's Clo. *Bris* —5A **70** (5D **5**)
Dodington La. *Dod* —3D **35**
Dodington Rd. *Bris* —2D **35**
Dodisham Wlk. *Bris* —1D **61**
Dodmore Crossing. *W'lgh* —5D **33**
Dolemoor La. *Cong* —2A **144**
(in two parts)
Dolman Clo. *Bris* —1A **40**
Dolphin Sq. *W Mare* —1B **132**
Dominion Rd. *Bath* —3B **104**
Dominion Rd. *Bris* —4B **60**
Donald Rd. *Bris* —1B **86**
Doncaster Rd. *Bris* —3D **41**
Donegal Rd. *Bris* —4F **79**
Dongola Av. *Bris* —3A **58**
Dongola Rd. *Bris* —3A **58**
Donnington Wlk. *Key* —4F **91**
Doone Rd. *Bris* —4B **42**
Dorcas Av. *Stok G* —4B **28**
Dorchester Clo. *Nail* —5C **122**
Dorchester Rd. *Bris* —5C **42**
Dorchester St. *Bath* —4B **106** (5C **96**)
Dorester Clo. *Bris* —5E **25**
Dorian Clo. *Bris* —5A **42**
Dorian Rd. *Bris* —4A **42**
Dormer Clo. *Coal H* —3F **31**
Dormer Rd. *Bris* —4D **59**
Dorset Clo. *Bath* —3E **105**
Dorset Cotts. *Bath* —3D **111**
Dorset Gro. *Bris* —5C **58**
Dorset Ho. *Bath* —1E **109**
Dorset Rd. *K'wd* —1F **73**
Dorset Rd. *W Trym* —1D **57**
Dorset St. *Bath* —3E **105**
Dorset St. *Bris* —2D **79**
Dorset Way. *Yate* —3C **18**
Douglas Rd. *Hor* —5B **42**
Douglas Rd. *K'wd* —3F **73**

Douglas Rd. *W Mare* —3D **133**
Doulton Way. *Bris* —3D **89**
Dovecote. *Yate* —1A **34**
Dovecote Clo. *Trow* —2B **118**
Dovedale. *T'bry* —5E **7**
Dove La. *Redf* —3E **71**
Dove La. *Bris* —2E **69**
Dovercourt Rd. *Bris* —2C **58**
Dover Ho. *Bath* —1B **106**
*Dover Pl. Bath —5B **100***
(off Seymour Rd.)
Dover Pl. *Bris* —3D **69**
Dover Pl. Cotts. *Bris* —3D **69**
Dovers La. *Bathf* —4D **103**
Dovers Pk. *Bathf* —4D **103**
Dove St. *Bris* —2F **69**
Dove St. S. *Bris* —2F **69**
Doveswell Gro. *Bris* —4C **86**
Doveton St. *Bris* —1F **79**
Dovey Ct. *Bris* —5E **75**
Dowdeswell Clo. *Bris* —1B **40**
Dowding Rd. *Bath* —5C **100**
Dowland. *W Mare* —3E **129**
Dowland Clo. *Bris* —2F **87**
Dowling Rd. *Bris* —5F **87**
Down Av. *Bath* —3B **110**
Downavon. *Brad A* —4E **115**
Down Clo. *P'head* —3B **48**
Downend Pk. *Bris* —2B **58**
Downend Pk. Rd. *Bris* —2F **61**
Downend Rd. *Fish & Down* —2D **61**
Downend Rd. *Hor* —2B **58**
Downend Rd. *K'wd* —1F **73**
Down Farm Ho. *Wint* —3F **29**
Downfield. *Key* —3F **91**
Downfield Clo. *Alv* —2A **8**
Downfield Dri. *Fram C* —1D **31**
Downfield Lodge. *Bris* —1C **68**
Downfield Rd. *Bris* —1C **68**
Downhayes Rd. *Trow* —5D **117**
Downland Clo. *Nail* —4C **122**
Down La. *B'ptn* —5A **102**
Down Leaze. *Alv* —2B **8**
Downleaze. *Down* —4F **45**
Downleaze. *P'head* —3C **48**
Downleaze. *Stok B* —4B **56**
Downleaze Dri. *Chip S* —1C **34**
Downman Rd. *Bris* —2C **58**
Down Rd. *Alv* —2A **8**
Down Rd. *P'head* —5A **48**
Down Rd. *Wint D* —5A **30**
Downs Clo. *Alv* —2B **8**
Downs Clo. *Brad A* —2C **114**
Downs Clo. *W Mare* —4D **129**
Downs Cote Av. *Bris* —1B **56**
Downs Cote Dri. *Bris* —1B **56**
Downs Cote Gdns. *Bris* —1C **56**
Downs Cote Pk. *Bris* —1C **56**
Downs Cote Vw. *Bris* —1C **56**
Downside. *P'head* —3E **49**
Downside Clo. *Bar C* —4B **74**
Downside Clo. *B'ptn* —5A **102**
Downside Pk. *Trow* —5E **117**
Downside Rd. *Bris* —1C **68**
Downside Rd. *W Mare* —4D **133**
Downside Vw. *Trow* —5E **117**
Downs Pk. E. *Bris* —2C **56**
Downs Pk. W. *Bris* —2C **56**
Downs Rd. *Bris* —1C **56**
Downs, The. *P'head* —4D **49**
Downs, The. *Wickw* —1A **154**
Downs Vw. *Brad A* —2C **114**
Downsway. *Paul* —3A **146**
Down, The. *Alv* —2A **8**
Down, The. *Trow* —5D **117**
Downton Rd. *Bris* —4F **79**
Down Vw. *Bris* —4B **58**
Down Vw. *Rads* —4C **152**
Dowry Pl. *Bris* —4B **68**
Dowry Rd. *Bris* —4C **68**
Dowry Sq. *Bris* —4C **68**
Dragon Ct. *Bris* —1A **72**

Dragon Rd. *Wint* —4F **29**
Dragons Hill Clo. *Key* —3B **92**
Dragons Hill Ct. *Key* —3B **92**
Dragons Hill Gdns. *Key* —3B **92**
Dragonswell Rd. *Bris* —2C **40**
Dragon Wlk. *Bris* —1B **72**
Drake Av. *Bath* —2A **110**
Drake Clo. *W Mare* —1D **129**
Drake Clo. *Salt* —5F **93**
Drake Rd. *Bris* —2C **78**
Drakes Way. *P'head* —3C **48**
Draycot Pl. *Bris* —5F **69** (5B **4**)
Draycott Ct. *Bath* —2B **106** (1D **97**)
Draycott Rd. *Bris* —2B **58**
Draydon Rd. *Bris* —5E **79**
Drayton. *W Mare* —1E **139**
Drayton Clo. *Bris* —5D **81**
Drayton Rd. *Bris* —4E **39**
Dring, The. *Rads* —2B **152**
Drive, The. *H'gro* —2E **89**
Drive, The. *Henl* —2D **57**
Drive, The. *W Mare* —5D **127**
Drove Ct. *Nail* —2D **123**
Drove Rd. *Cong* —3D **145**
Drove Rd. *W Mare* —3C **132**
Drove, The. *P'bry* —1E **51**
Druce's Hill. *Brad A* —2D **115**
Druett's Clo. *Bris* —5A **42**
Druid Clo. *Stok B* —2A **56**
Druid Hill. *Bris* —2A **56**
Druid Rd. *Bris* —3F **55**
Druid Stoke Av. *Bris* —2E **55**
Druid Woods. *Bris* —2E **55**
Druid Wood St. *Bris* —2F **55**
Drummond Ct. *L Grn* —1B **84**
Drummond Rd. *Fish* —4B **60**
Drummond Rd. *St Pa* —1A **70**
Drungway. *Bath* —3F **111**
Dryham Clo. *Bris* —2B **74**
Dryleaze. *Key* —1A **92**
Dryleaze. *Yate* —1A **18**
Dryleaze Rd. *Bris* —1B **60**
Drynham Drove. *Trow* —3E **155**
Drynham Clo. *Trow* —4D **119**
Drynham Pk. *Trow* —4D **119**
Drynham Rd. *Trow* —4D **119**
Drysdale Clo. *W Mare* —4B **128**
Dubber's La. *Bris* —5A **60**
Dublin Cres. *Bris* —1D **57**
Duchess Rd. *Bris* —1C **68**
Duchess Way. *Bris* —2F **59**
Duchy Clo. *Rads* —4B **148**
Duchy Rd. *Rads* —4B **148**
Ducie Rd. *Law H* —3D **71**
Ducie Rd. *Stap H* —2A **62**
Duckmoor La. *Bris* —1C **78**
Duckmoor Yd. *Bris* —1C **78**
Dudley Clo. *Key* —4A **92**
Dudley Ct. *Bar C* —1B **84**
Dudley Gro. *Bris* —4C **42**
Dugar Wlk. *Bris* —4E **57**
Duke St. *Bath* —3B **106** (4D **97**)
Duke St. *Trow* —1D **119**
Dulverton Rd. *Bris* —3F **57**
Dumaine Av. *Stok G* —4A **28**
Dumfries Pl. *W Mare* —3C **132**
Duncan Gdns. *Bath* —3B **98**
Duncombe La. *Bris* —5C **60**
Duncombe Rd. *Bris* —1D **73**
Dundas Clo. *Bris* —2A **40**
Dundonald Rd. *Bris* —4D **57**
Dundridge Gdns. *Bris* —4C **72**
Dundridge La. *Bris* —4C **72**
Dundry Clo. *Bris* —4A **74**
Dundry Vw. *Bris* —4C **80**
Dunedin Way. *St Geo* —1A **130**
Dunford Clo. *Trow* —4D **119**
Dunford Rd. *Bris* —2F **79**
Dunkeld Av. *Bris* —2B **42**
Dunkerry Rd. *Bris* —2F **79**
Dunkerton Hill. *Bath* —3D **157**
Dunkery Clo. *Nail* —4D **123**

Fairlyn Dri.—Forest Rd.

Fairlyn Dri. *Bris* —4B **62**
Fairoaks. *L Grn* —2C **84**
Fairview. *W Mare* —1D **129**
Fair Vw. Dri. *Bris* —5E **57**
Fairview Rd. *Bris* —2B **74**
Fairway. *Bris* —4F **81**
Fairway Clo. *Old C* —1D **85**
Fairway Clo. *W Mare* —3F **127**
Fairway Ind. Cen. *Brad S* —1B **42**
Fairways. *Salt* —2A **94**
Falcon Clo. *Bris* —4B **40**
Falcon Clo. *Pat* —1A **26**
Falcon Clo. *P'head* —4F **49**
Falcon Ct. *W Trym* —1C **56**
Falcon Cres. *W Mare* —5B **128**
Falcondale Rd. *Bris* —5B **40**
Falcondale Wlk. *Bris* —4C **40**
Falcon Dri. *Pat* —1A **26**
Falconer Rd. *Bath* —3B **98**
Falcon Wlk. *Pat* —5A **10**
Falcon Way. *T'bry* —2E **7**
Falfield Rd. *Bris* —2E **81**
Falfield Wlk. *Bris* —4E **41**
Falkland Rd. *Bris* —5B **58**
Fallodon Ct. *Bris* —2D **57**
Fallodon Way. *Bris* —2D **57**
Fallowfield. *War* —5F **75**
Fallowfield. *W Mare* —2D **129**
Falmouth Clo. *Nail* —4F **123**
Falmouth Rd. *Bris* —3F **57**
Fane Clo. *Bris* —2C **40**
Fanshawe Rd. *Bris* —1C **88**
Faraday Rd. *Bris* —5B **68**
Farendell Rd. *E Grn* —3D **47**
Far Handstones. *Bris* —1C **84**
Farington Rd. *Bris* —5F **41**
Farleigh Av. *Trow* —3A **118**
Farleigh Ri. *Bathf & Mon F* —5E **103**
Farleigh Rd. *Back* —2D **125**
Farleigh Rd. *Key* —4F **91**
Farleigh Wlk. *Bris* —5C **78**
Farler's End. *Nail* —5C **123**
(in two parts)
Farley Clo. *Lit S* —2E **27**
Farm Clo. *E Grn* —1D **63**
Farm Ct. *Bris* —5A **46**
Farmer Rd. *Bris* —4A **86**
Farmhouse Clo. *Nail* —4D **123**
Farm La. *E Comp* —1C **24**
Farm Rd. *Bris* —5A **46**
Farm Rd. *Hut* —1C **140**
Farm Rd. *W Mare* —4F **127**
Farmwell Dri. *Bris* —3D **87**
Farnaby Clo. *Bris* —1E **87**
Farnborough Rd. *Lock* —4A **136**
Farndale Rd. *Bris* —4C **72**
Farndale Rd. *W Mare* —5B **128**
Farne Clo. *Bris* —2D **57**
Farrant Clo. *Bris* —2F **87**
Farringford Ho. *Bris* —5F **59**
Farrington Rd. *Paul* —4A **146**
Farr's La. *Bath* —2C **110**
Farrs La. *Bris* —4F **69** (4B **4**)
Farr St. *Bris* —4D **37**
Faulkland Rd. *Bath* —4E **105**
Faulkland Vw. *Pea J* —5E **157**
Faversham Dri. *W Mare* —2E **139**
Fawkes Clo. *Bris* —2D **75**
Fearnville Est. *Clev* —4C **120**
Featherstone Rd. *Bris* —3B **62**
Feeder Rd. *Bris* —5B **70**
Felix Rd. *Bris* —2C **70**
Felstead Rd. *Bris* —3A **42**
Feltham Rd. *Puck* —2E **65**
Felton Gro. *Bris* —5B **78**
Fenbrook Clo. *Ham* —3D **45**
Fenhurst Gdns. *L Ash* —5B **76**
Feniton. *W Mare* —3E **129**
Fennel Dri. *Brad S* —2C **28**
Fennell Gro. *Bris* —2C **40**
Fenners. *W Mare* —1F **129**
Fenswood Clo. *L Ash* —4A **76**

Fenswood Mead. *L Ash* —4A **76**
Fenswood Rd. *L Ash* —4A **76**
Fenton Clo. *Salt* —5F **93**
Fenton Rd. *Bris* —3F **57**
Fermaine Av. *Bris* —2B **82**
Fernbank Rd. *Bris* —5E **57**
Fern Clo. *Bren* —1D **41**
Fern Clo. *Mid N* —4E **151**
Ferndale Av. *L Grn* —2B **84**
Ferndale Rd. *Bath* —3D **101**
Ferndale Rd. *Bris* —2C **42**
Ferndale Rd. *P'head* —2F **49**
Ferndene. *Brad S* —4E **11**
Ferndown. *Yate* —5A **18**
Ferndown Clo. *Bris* —5C **38**
Fern Gro. *Lit S* —1F **27**
Fern Gro. *Nail* —5B **122**
Fernhill La. *Bris* —3D **39**
Fernhurst Rd. *Bris* —1B **72**
Fern Lea. *B'don* —5F **139**
Fernlea Gdns. *E'ton G* —3D **53**
Fernlea Rd. *W Mare* —1A **134**
Fernleaze. *Coal H* —3E **31**
Fernleigh Ct. *Bris* —4D **57**
Fern Rd. *Bris* —2F **61**
Fernside. *Back* —1C **124**
Fernsteed Rd. *Bris* —2B **86**
Fern St. *Bris* —1B **70**
Ferry La. *Bath* —3B **106** (4E **97**)
Ferry Rd. *Bris* —4F **83**
Ferry Steps Ind. Est. *Bris* —1C **80**
Ferry St. *Bris* —4A **70** (4D **5**)
Fersfield. *Bath* —1C **110**
Fiddes Rd. *Bris* —3E **57**
Fielders, The. *W Mare* —1F **129**
Field Farm Clo. *Stok G* —5B **28**
Fieldgrove La. *Bris* —5E **85**
Fieldings. *W'ley* —2F **113**
Fieldings Rd. *Bath* —3D **105**
Field La. *Bris* —2A **84**
Field La. *L Sev* —4F **9**
Field Marshall Slim Ct. *Bris*
—3B **70** (1F **5**)
Field Rd. *Bris* —1E **73**
Field Vw. *Bris* —2C **70**
Field Vw. Dri. *Bris* —1F **61**
Field Way. *Trow* —4A **118**
Fiennes Clo. *Bris* —3A **62**
Fifth Av. *Bris* —3C **42**
Fifth Way. *Bris* —2A **38**
Filby Dri. *Lit S* —1E **27**
Filer Clo. *Pea J* —4D **157**
Filton Av. *Hor & Fil* —1B **58**
Filton Gro. *Bris* —1B **58**
Filton Hill. *Brad S* —5C **26**
Filton La. *Brad S* —2F **43**
Filton Rd. *Fren & Ham* —2A **44**
Filton Rd. *Hor* —5B **42**
Filton Rd. *Stok G* —2F **43**
Filwood B'way. *Bris* —5A **80**
Filwood Ct. *Bris* —4D **61**
Filwood Dri. *Bris* —2B **74**
Filwood Rd. *Bris* —3C **60**
Finch Clo. *W Mare* —5C **128**
Finch Rd. *Chip S* —1B **34**
Finmere Gdns. *W Mare* —1E **129**
Fircliff Pk. *P'head* —1F **49**
Fireclay Rd. *Bris* —3F **71**
Fire Engine La. *Coal H* —2F **31**
Firework Clo. *Bris* —2D **75**
Firfield St. *Bris* —1C **80**
Firgrove Cres. *Yate* —4B **18**
Firgrove La. *Mid N* —1E **149**
Firleaze. *Nail* —4A **122**
Firs Ct. *Key* —4E **91**
Firs Hill. *Trow* —5A **118**
First Av. *Bath* —5E **105**
First Av. *Bris* —5A **72**
First Av. *P'bry* —2A **52**
First Av. *W'fld I* —4F **151**
Firs, The. *Bris* —1A **62**

Firs, The. *C Hay* —3C **110**
Firs, The. *Lim S* —4B **112**
First Way. *Bris* —3E **37**
Fir Tree Av. *Lock* —4C **134**
Fir Tree Av. *Paul* —5C **146**
Fir Tree Clo. *Pat* —2A **26**
Firtree La. *Bris* —4C **72**
Fisher Av. *Bris* —1C **74**
Fisher Rd. *Bris* —1C **74**
Fishponds Rd. *Eastv & Fish* —5E **59**
Fishponds Trad. Est. *Bris* —5A **60**
Fishpool Hill. *Bris* —5D **25**
Fitchett Wlk. *Bris* —1B **40**
Fitzgerald Rd. *Bris* —2B **80**
Fitzharding Rd. *Pill* —4A **54**
Fitzmaurice Clo. *Brad A* —5F **115**
Fitzmaurice Pl. *Brad A* —4E **115**
Fitzroy Rd. *Bris* —5D **61**
Fitzroy St. *Bris* —1C **80**
Fitzroy Ter. *Bris* —5D **57**
Five Acre Dri. *Bris* —5B **44**
Five Arches Clo. *Mid N* —2A **152**
Flamingo Cres. *W Mare* —5C **128**
Flatwoods Cres. *Clav D* —1F **111**
Flatwoods Rd. *Clav D* —1F **111**
Flaxman Clo. *Bris* —1D **59**
Flaxpits La. *Wint* —3F **29**
Fleece Cotts. *Trow* —3E **119**
Florence Gro. *W Mare* —5F **127**
Florence Pk. *Alm* —1E **11**
Florence Pk. *Bris* —3D **57**
Florence Rd. *Bris* —4A **62**
Florida Ter. *Mid N* —2F **151**
Flowerdown Bri. *W Mare* —1B **134**
Flowerdown Rd. *Lock* —4A **136**
Flowers Hill. *Bris* —5A **82**
Flowers Hill Clo. *Bris* —5A **82**
Flowers Hill Trad. Cen. *Bris* —4A **82**
Flowers Ind. Est. *Bris* —4B **82**
Flowerwell Rd. *Bris* —3D **87**
Folleigh Dri. *L Ash* —3D **77**
Folleigh La. *L Ash* —3D **77**
Folliot Clo. *Bris* —4C **44**
Folly Bri. Clo. *Yate* —4F **17**
Folly Brook Rd. *E Grn* —2C **46**
Follyfield. *Brad A* —5E **115**
Folly La. *Bris* —3C **70**
Folly La. *W Mare* —2C **138**
Folly Rd. *Iron A* —2B **14**
Folly, The. *Bris* —5B **46**
Folly, The. *Salt* —2B **94**
Fontana Clo. *L Grn* —2D **85**
Fonthill Rd. *Bath* —4F **99**
Fonthill Rd. *Bris* —2F **41**
Fonthill Way. *Bit* —3D **85**
Fontmell Ct. *Bris* —1F **89**
Fontwell Dri. *Bris* —3B **46**
Footes La. *Fram C* —2D **31**
Footshill Clo. *Bris* —4E **73**
Footshill Dri. *Bris* —3E **73**
Footshill Gdns. *Bris* —4E **73**
Footshill Rd. *Bris* —4E **73**
Forde Clo. *Bar C* —5B **74**
Fordell Pl. *Bris* —2C **80**
Ford La. *E Grn* —1D **63**
Ford Rd. *Pea J* —1F **149**
Ford St. *Bris* —4E **71**
Forefield Pl. *Bath* —4B **106**
Forefield Ri. *Bath* —5B **106**
Forefield Ter. *Bath* —4C **106**
Forest Av. *Bris* —4D **61**
Forest Dri. *Bren* —1E **41**
Forest Dri. *W Mare* —4E **127**
Forest Edge. *Bris* —1E **83**
Forester Av. *Bath* —1B **106**
Forester Ct. *Bath* —1B **106**
Forester La. *Bath* —1C **106** (1F **97**)
Forester Rd. *Bath* —2C **106** (1E **97**)
Forester Rd. *P'head* —4F **49**
Forest Hills. *Alm* —1D **11**
Fore St. *Trow* —1D **119**
Forest Rd. *Fish* —4D **61**

Gas La. *Bris* —4C **70**
Gaston Av. *Key* —2B **92**
Gastons, The. *Bris* —4C **38**
Gatcombe Dri. *Stok G* —5A **28**
Gatcombe Rd. *Bris* —3D **87**
Gatehouse Av. *Bris* —3C **86**
Gatehouse Clo. *Bris* —3C **86**
Gatehouse Ct. *Bris* —3C **86**
Gatehouse Way. *Bris* —3C **86**
Gatesby Mead. *Stok G* —4A **28**
Gathorne Cres. *Yate* —4F **17**
Gathorne Rd. *Bris* —1D **79**
Gatton Rd. *Bris* —1C **70**
Gaunts Clo. *P'head* —4B **48**
Gaunt's Earthcott La. *Alm* —1D **13**
Gaunts La. *Bris* —4E **69** (3A **4**)
Gaunts Rd. *Chip S* —1D **35**
Gay Ct. *Bath* —3F **101**
Gay Elms Rd. *Bris* —4C **86**
Gay's Hill. *Bath* —1B **106**
Gayner Rd. *Bris* —3C **42**
Gay's Rd. *Bris* —1D **83**
Gay St. *Bath* —2A **106** (2A **96**)
Gaywood Ho. *Bris* —2D **79**
Gazelle Rd. *W Mare* —5F **133**
Gazzard Clo. *Wint* —2A **30**
Gazzard Rd. *Wint* —2A **30**
Gee Moors. *Bris* —3B **74**
Gefle Clo. *Bris* —5D **69**
Geldof Dri. *Mid N* —2D **151**
Geoffrey Clo. *Bris* —2A **86**
George & Dragon La. *Bris* —3F **71**
George La. *Back* —1F **125**
George's Bldgs. *Bath* —1B **106** (1C **96**)
George's Pl. *Bath* —3C **106** (3F **97**)
George's Rd. *Bath* —5B **100**
George St. *Bath* —2A **106** (2B **96**)
George St. *Bathw* —3C **106** (3F **97**)
George St. *Bris* —2E **71**
George St. *P'head* —5E **49**
George St. *Trow* —1D **119**
George St. *W Mare* —1C **132**
George Whitefield Ct. *Bris* —3A **70** (1E **5**)
(1E **5**)
Georgian Vw. *Bath* —1D **109**
Gerald Rd. *Bris* —2C **78**
Gerard Rd. *W Mare* —5C **126**
Gerrard Bldgs. *Bath* —2C **106** (2E **97**)
Gerrish Av. *Stap H* —2B **62**
Gerrish Av. *W'hall* —2E **71**
Gibbsfold Rd. *Bris* —5E **87**
Gibson Rd. *Bris* —1F **69**
Giffard Ho. *Lit S* —3F **27**
Gifford Cres. *Lit S* —3E **27**
Gifford Rd. *Bris* —5B **24**
Gilbeck Rd. *Nail* —3B **122**
Gilbert Rd. *K'wd* —1F **73**
Gilbert Rd. *Redf* —2E **71**
Gilberyn Dri. *W Mare* —2F **129**
Gilda Clo. *Bris* —3E **89**
Gilda Cres. *Bris* —2D **89**
Gilda Pde. *Bris* —3E **89**
Gilda Sq. E. *Bris* —3D **89**
Gilda Sq. W. *Bris* —3D **89**
Gillard Clo. *K'wd* —2D **73**
Gillard Rd. *Bris* —2D **73**
Gill Av. *Bris* —2D **61**
Gillebank Clo. *Bris* —3F **89**
Gillingham Hill. *Bris* —5D **73**
Gillingham Ter. *Bath* —5C **100**
Gillingstool. *T'bry* —4D **7**
Gillmews. *W Mare* —1E **129**
Gillmore Clo. *W Mare* —4B **128**
Gillmore Rd. *W Mare* —4B **128**
Gillson Clo. *Hut* —1A **140**
Gilpin Clo. *K'wd* —5B **62**
Gilray Clo. *Bris* —1D **59**
Gilroy Clo. *L Grn* —2D **85**
Gilslake Av. *Bris* —1D **41**
Gilton Ho. *Bris* —3A **82**
Gimblett Rd. *W Mare* —1F **129**
Gingell Clo. *Bris* —4B **74**

Gingell's Grn. *Bris* —2C **72**
Gipsies Plat. *Brad S* —4B **20**
Gipsy La. *Trow* —1F **155**
Gipsy Patch La. *Lit S* —3D **27**
Glades, The. *Bris* —5A **60**
Gladstone Dri. *Bris* —4F **61**
Gladstone La. *Fram C* —2E **31**
Gladstone Pl. *C Down* —2D **111**
Gladstone Rd. *Bath* —2D **111**
Gladstone Rd. *Bris* —2D **89**
Gladstone Rd. *K'wd* —1F **73**
Gladstone Rd. *Trow* —3A **118**
Gladstone St. *Bedm* —2D **79**
Gladstone St. *Mid N* —1E **151**
Gladstone St. *Redf* —3F **71**
Gladstone St. *Stap H* —4F **61**
Glaisdale Rd. *Bris* —2C **60**
Glanville Gdns. *Bris* —3A **74**
Glass Ho. La. *Bris* —5D **71**
Glastonbury Clo. *L Grn* —4B **74**
Glastonbury Clo. *Nail* —4F **123**
Glastonbury Way. *W Mare* —3E **129**
Glebe Av. *P'head* —4A **50**
Glebe Fld. *Alm* —1C **10**
Glebelands. *Rads* —3A **152**
Glebelands Rd. *Bris* —1C **42**
Glebe Rd. *Bath* —5C **104**
Glebe Rd. *Bris* —2A **72**
Glebe Rd. *Clev* —4C **120**
Glebe Rd. *L Ash* —4E **77**
Glebe Rd. *P'head* —4A **50**
Glebe Rd. *Trow* —3A **118**
Glebe Rd. *W Mare* —5C **126**
Glebe, The. *F'frd* —5C **112**
Glebe, The. *Tim* —1E **157**
Glebe, The. *Wrin* —1B **156**
Glebe Wlk. *Key* —4E **91**
Gledemoor Dri. *Coal H* —2F **31**
Gleeson Ho. *Bris* —1D **61**
Glena Av. *Bris* —3D **81**
Glenarm Rd. *Bris* —3A **82**
Glenarm Wlk. *Bris* —3A **82**
Glen Av. *Abb L* —2B **66**
Glenavon Ct. *Bris* —3E **55**
Glenavon Pk. *Bris* —3E **55**
Glenburn Rd. *Bris* —1D **73**
Glencairn Ct. *Bath* —3C **106** (3E **97**)
Glencoyne Sq. *Bris* —2E **41**
Glendale. *Clif* —4B **68**
Glendale. *Down* —4A **46**
Glendale. *Fish* —4E **61**
Glendare St. *Bris* —4E **71**
Glendevon Rd. *Bris* —5C **88**
Glen Dri. *Bris* —2F **55**
Gleneagles. *Yate* —5A **18**
Gleneagles Clo. *Nail* —4F **123**
Gleneagles Clo. *W Mare* —2D **129**
Gleneagles Dri. *Bris* —1F **39**
Gleneagles Rd. *War* —4D **75**
Glenfall. *Yate* —2F **33**
Glenfrome Ho. *Eastv* —5D **59**
Glenfrome Rd. *St W & Eastv* —5C **58**
Glen La. *Bris* —3F **81**
Glen Pk. *Eastv* —5E **59**
Glen Pk. *St G* —2C **72**
Glen Pk. Gdns. *Bris* —2C **72**
Glenroy Av. *Bris* —1D **73**
Glenside Clo. *Bris* —5E **45**
Glenside Pk. *Bris* —2A **60**
Glen, The. *Han* —1D **83**
Glen, The. *Redl* —4D **57**
Glen, The. *Salt* —3B **94**
Glen, The. *W Mare* —3F **127**
Glen, The. *Yate* —4A **18**
Glentworth Rd. *Clif* —4D **69**
Glentworth Rd. *Redl* —5E **57**
Glenview Rd. *Bris* —3F **81**
Glenwood. *Bris* —4E **61**
Glenwood Dri. *Old C* —1D **85**
Glenwood Ri. *P'head* —3B **48**
Glenwood Rd. *Bris* —5E **41**

Glen Yeo Ter. *Cong* —2C **144**
Gloster Av. *Bris* —4F **59**
Gloucester Clo. *Stok G* —4F **27**
Gloucester La. *Bris* —3B **70**
Gloucester Mans. *Bris* —5F **57**
Gloucester Pl. *Bris* —3F **69** (1B **4**)
Gloucester Rd. *Alm* —1D **11**
Gloucester Rd. *A'mth* —3C **36**
Gloucester Rd. *Bishop & Hor* —5F **57**
Gloucester Rd. *Pat* —2C **26**
Gloucester Rd. *Rudg* —5A **8**
Gloucester Rd. *Stap H* —4F **61**
Gloucester Rd. *Swain* —1D **101**
Gloucester Rd. *T'bry* —3C **6**
Gloucester Rd. *Trow* —3B **118**
Gloucester Rd. *Wint* —2D **29**
Gloucester Rd. N. *Bris & Fil* —3B **42**
Gloucester Row. *Bris* —3B **68**
Gloucester St. *Bath* —2A **106** (1A **96**)
Gloucester St. *Clif* —3B **68**
Gloucester St. *Eastv* —4F **59**
Gloucester St. *St Pa* —2A **70** (1E **5**)
Gloucester St. *W Mare* —1B **132**
Gloucester Ter. *T'bry* —3C **6**
Glyn Va. *Bris* —4F **79**
Goddard Dri. *W Mare* —1F **129**
Godfrey Ct. *L Grn* —1B **84**
Goding La. *Ban* —5F **137**
Godwin Dri. *Nail* —2B **122**
Goffenton Dri. *Bris* —1D **61**
Goldcrest Rd. *Chip S* —2B **34**
Golden Hill. *Bris* —2F **57**
Goldfinch Way. *Puck* —3E **65**
Goldney Av. *Clif* —4C **68**
Goldney Av. *War* —3E **75**
Goldney La. *Bris* —4C **68**
Goldney Rd. *Bris* —4C **68**
Goldsbury Wlk. *Bris* —3C **38**
Goldsmiths Ho. *Bris* —4B **70** (3F **5**)
Golf Club La. *Salt* —2A **94**
Golf Course La. *Bris* —1B **42**
Golf Course Rd. *Bath* —3D **107**
Gooch Ct. *Old C* —2E **85**
Gooch Way. *W Mare* —2F **129**
Goodeve Pk. *Bris* —4F **55**
(in two parts)
Goodeve Rd. *Bris* —4F **55**
Goodhind St. *Bris* —2C **70**
Goodneston Rd. *Bris* —4C **60**
Goodring Hill. *Bris* —3C **38**
Good Shepherd Clo. *Bris* —3E **57**
Goodwin Dri. *Bris* —4B **88**
Goodwood Clo. *Whit B* —3F **155**
Goodwood Gdns. *Bris* —3B **46**
Goold Clo. *Cor* —4C **94**
Goolden St. *Bris* —1C **80**
Goosard La. *High L* —1A **146**
Goose Acre. *Stok G* —3B **28**
Gooseberry La. *Key* —3B **92**
Goose Grn. *Bris* —1E **75**
Goosegreen. *Fram C* —1E **31**
Goose Grn. *Yate* —2A **18**
Goose Grn. Way. *Yate* —3C **16**
Gooseland Clo. *Bris* —5B **88**
Goosey La. *St Geo* —3A **130**
Gordano Gdns. *E'ton G* —1D **53**
Gordano Rd. *P'bry* —1F **51**
Gordano Vw. *P'head* —3E **49**
Gordon Av. *Bris* —1F **71**
Gordon Clo. *Bris* —1A **72**
Gordon Rd. *Bath* —4C **106**
Gordon Rd. *Pea J* —4D **157**
Gordon Rd. *St Pa* —1B **70**
Gordon Rd. *W Mare* —1D **133**
Gordon Rd. *W'hall* —1F **71**
Gore Rd. *Bris* —2C **78**
Gore's Marsh Rd. *Bris* —3C **78**
Gorham Clo. *Bris* —2E **39**
Gorlands Rd. *Chip S* —5E **19**
Gorlangton Clo. *Bris* —1C **88**
Gorse Cover Rd. *Sev B* —3B **20**

Gorse Hill. *Bris* —4D **61**
Gorse La. *Bris* —4D **69**
Gosforth Rd. *Bris* —2D **41**
Goslet Rd. *Bris* —3A **90**
Goss Barton. *Nail* —4C **122**
Goss Clo. *Nail* —4B **122**
Goss La. *Nail* —4B **122**
Goss Vw. *Nail* —4B **122**
Gotley Rd. *Bris* —3F **81**
Gott Dri. *Bris* —4F **71**
Goulston Rd. *Bris* —3C **86**
Goulston Wlk. *Bris* —2C **86**
Goulter St. *Bris* —4D **71**
Gourney Clo. *Bris* —2D **39**
Gover Rd. *Han* —2E **83**
Goy Rd. *Pat* —2C **26**
Grace Clo. *Chip S* —5E **19**
Grace Clo. *Yat* —3B **142**
Grace Ct. *Bris* —1F **61**
Grace Dri. *Bris* —1C **74**
Grace Dri. *Mid N* —2D **151**
Grace Rd. *Bris* —2E **61**
Grace Rd. *W Mare* —1F **129**
Gradwell Clo. *W Mare* —4F **129**
Graeme Clo. *Bris* —3C **60**
Graham Rd. *Bedm* —2E **79**
Graham Rd. *Down* —1B **62**
Graham Rd. *E'tn* —1D **71**
Graham Rd. *W Mare* —1C **132**
Grainger Ct. *Bris* —5A **38**
Grampian Clo. *Old C* —1E **85**
Granby Ct. *Bris* —4B **68**
Granby Hill. *Bris* —4B **68**
Grand Pde. *Bath* —3B **106** (3C **96**)
Grange Av. *Bris* —5E **73**
Grange Av. *Lit S* —3E **27**
Grange Clo. *Brad S* —4E **11**
Grange Clo. *Uph* —2C **138**
Grange Clo. N. *Bris* —1D **57**
Grange Ct. *Bris* —1D **57**
Grange Ct. *Han* —5F **73**
Grange Ct. Rd. *Bris* —1C **56**
Grange Dri. *Bris* —1E **61**
Grange End. *Mid N* —5E **151**
Grange Pk. *Fren* —4E **45**
Grange Pk. *W Trym* —1D **57**
Grange Rd. *B'wth* —3C **86**
Grange Rd. *Clif* —3C **68**
Grange Rd. *Salt* —5E **93**
Grange Rd. *Uph* —2C **138**
Grange Vw. *Brad A* —2F **115**
Grangeville Clo. *L Grn* —2D **85**
Grangewood Clo. *Bris* —1E **61**
Granny's La. *Bris* —4A **74**
Grantham La. *Bris* —2E **73**
Grantham Rd. *Bris* —2E **73**
Grantson Clo. *Bris* —3A **82**
Granville Clo. *Bris* —2D **83**
Granville Rd. *Bath* —3F **99**
Granville St. *Bris* —4E **71**
Grasmere. *Trow* —5E **117**
Grasmere Clo. *Bris* —4C **40**
Grasmere Dri. *W Mare* —4D **133**
Grasmere Gdns. *Bris* —4F **75**
Grassington Dri. *Chip S* —1C **34**
Grass Meers Dri. *Bris* —4C **88**
Grassmere Rd. *Yat* —3B **142**
Gratitude Rd. *Bris* —1E **71**
Gravel Hill Rd. *Yate* —2C **18**
(in two parts)
Gravel, The. *Holt* —1A **155**
Gravel Wlk. *Bath* —2F **105** (1A **96**)
Graveney Clo. *Bris* —4F **81**
Gray Clo. *Bris* —2A **40**
Grayle Rd. *Bris* —2C **40**
Gt. Ann St. *Bris* —3B **70** (1F **5**)
Gt. Bedford St. *Bath* —1A **106**
Great Brockeridge. *Bris* —1B **56**
Great Dowles. *Bris* —1C **84**
Gt. George St. *Bris* —4E **69** (3E **4**)
Gt. George St. *St Jud* —3B **70** (1F **5**)

Gt. Hayles Rd. *Bris* —1B **88**
Great Leaze. *Bris* —1C **84**
Gt. Mdw. Rd. *Brad S* —3B **28**
Great Orchard. *Brad A* —5F **113**
Gt. Park Rd. *Alm* —3E **11**
Great Parks. *Holt* —1F **155**
Gt. Pulteney St. *Bath* —2B **106** (2D **97**)
Gt. Stanhope St. *Bath* —3F **105** (3A **96**)
Gt. Stoke Way. *Brad S* —2F **43**
Gt. Western Bus. Pk. *Yate* —3D **17**
Gt. Western La. *Bris* —4E **71**
Gt. Western Rd. *Clev* —3D **121**
Gt. Western Way. *Bris* —4B **70** (4F **5**)
Greenacre. *W Mare* —2F **127**
Greenacre Rd. *Bris* —5C **88**
Greenacres. *Bath* —3C **98**
Greenacres. *Bris* —5A **40**
Greenacres. *E Grn* —5D **47**
Greenacres. *Mid N* —3B **150**
Greenacres Cvn. Pk. *Coal H* —4F **31**
Greenbank Av. E. *Bris* —1E **71**
Greenbank Av. W. *Bris* —1D **71**
Greenbank Gdns. *Bath* —5C **98**
Greenbank Rd. *G'bnk* —5E **59**
Greenbank Rd. *Han* —1F **83**
Greenbank Rd. *S'vle* —5C **68**
Greenbank Vw. *Bris* —5E **59**
Green Clo. *Bris* —4C **42**
Green Clo. *Holt* —2F **155**
Green Cotts. *Bath* —3D **111**
Green Cft. *Bris* —1C **72**
Greendale Rd. *Bedm* —2A **80**
Greendale Rd. *Redl* —3D **57**
Green Dell Clo. *Bris* —1F **87**
Greenditch Av. *Bris* —3E **87**
Greendown. *Bris* —2D **72**
Green Down Pl. *Bath* —3B **110**
Green Dragon Rd. *Wint* —4F **29**
Greenfield Av. *Bris* —4F **41**
Greenfield Cres. *Nail* —2D **123**
Greenfield Pk. *P'head* —5E **49**
Greenfield Pl. *W Mare* —5A **126**
Greenfield Rd. *Bris* —3F **41**
Greenfields Av. *Ban* —5E **137**
Greenfinch Lodge. *Bris* —1A **60**
Greengage Clo. *W Mare* —5C **128**
Green Hayes. *Chip S* —1E **35**
Greenhill Clo. *Nail* —3C **122**
Greenhill Clo. *W Mare* —2E **129**
Greenhill Down. *Alv* —3B **8**
Greenhill Gdns. *Alv* —3B **8**
Greenhill Gdns. *Hil* —3F **117**
Greenhill Gro. *Bris* —3C **78**
Greenhill La. *Alv* —4A **8**
Greenhill La. *Bris* —3E **39**
Greenhill Pde. *Alv* —2B **8**
Greenhill Pl. *Mid N* —1D **151**
Greenhill Rd. *Alv* —2B **8**
Greenhill Rd. *Mid N* —1D **151**
Greenland Mills. *Brad A* —3F **115**
Greenland Rd. *W Mare* —4B **128**
Greenlands Rd. *Bris* —5A **24**
Greenlands Rd. *Pea J* —1F **149**
Greenlands Way. *Bris* —5A **24**
Greenland Vw. *Brad A* —3E **115**
Green La. *Bris* —4D **37**
Green La. *Sev B* —3B **20**
Green La. *Trow* —2E **119**
Green La. *Wint* —3E **29**
Greenleaze. *Bris* —4D **81**
Greenleaze Av. *Bris* —3F **45**
Greenleaze Clo. *Bris* —3F **45**
Greenmore Rd. *Bris* —3D **81**
Greenore. *Bris* —3E **73**
Green Pk. Ho. *Bath* —3A **106** (4A **96**)
Green Pk. M. *Bath* —3F **105** (4A **96**)
Green Pk. Rd. *Bath* —3A **106** (4A **96**)
Greenpark Rd. *Bris* —3A **42**
Green Pk. Station. *Bath*
—3F **105** (3A **96**)
Green Parlour Rd. *Rads* —3F **153**
Grn. Pastures Rd. *Wrax* —2F **123**

Greenridge Clo. *Bris* —4A **86**
Greens Hill. *Bris* —4A **60**
Greenside Clo. *Bris* —1F **39**
Greenslade Gdns. *Nail* —2C **122**
Greensplott Rd. *Brad S* —2A **22**
Greensplott Rd. *Chit* —2A **22**
Green St. *Bath* —2A **106** (3B **96**)
Green St. *Bris* —1B **80**
Green Ter. *Trow* —5C **116**
Green, The. *Back* —3B **124**
Green, The. *Lock* —4E **135**
Green, The. *New C* —5A **62**
Green, The. *Pill* —3F **53**
Green, The. *Shire* —1A **54**
Green, The. *Stok G* —5A **28**
Green, The. *Wick* —5A **154**
Green, The. *Wins* —4A **156**
Green Tree Rd. *Mid N* —1E **151**
Greenvale Clo. *Tim* —2E **157**
Greenvale Dri. *Tim* —2E **157**
Greenvale Rd. *Paul* —4A **146**
Greenview. *L Grn* —3C **84**
Green Wlk. *Bris* —4C **80**
Greenway Bush La. *Bris* —1C **78**
Greenway Ct. *Bath* —5A **106**
Greenway Dri. *Bris* —3F **41**
Greenway Gdns. *Trow* —4E **117**
Greenway La. *Bath* —1A **110**
Greenway Pk. *Bris* —4F **41**
Greenway Pk. *Clev* —3F **121**
Greenway Rd. *Bris* —5D **57**
Greenways. *Bris* —1C **74**
Greenways Rd. *Yate* —3F **17**
Greenway, The. *Bris* —4E **61**
Greenwood Clo. *Bris* —5A **42**
Greenwood Dri. *Alv* —3A **8**
Greenwood Rd. *Bris* —3C **80**
Greenwood Rd. *W Mare* —3C **128**
Gregory Ct. *Bris* —4C **74**
Gregory Mead. *Yat* —2A **142**
Gregorys Gro. *Bath* —4E **109**
Gregory's Tyning. *Paul* —3B **146**
Greinton. *W Mare* —1E **139**
Grenville Av. *Lock* —4E **135**
Grenville Clo. *Bris* —2B **72**
Grenville Rd. *Bris* —4A **58**
Greve Ct. *Bar C* —1B **84**
Greville Rd. *Bris* —1D **79**
Greville St. *Bris* —1E **79**
Greyfriars. *Bris* —3F **69** (1B **4**)
Greylands Rd. *Bris* —1B **86**
Greystoke. *Bris* —3C **40**
Greystoke Av. *Bris* —4C **40**
Greystoke Gdns. *Bris* —4C **40**
Greystones. *Bris* —3A **46**
Griffin Clo. *W Mare* —3E **129**
Griffin Rd. *Clev* —3D **121**
Griggfield Wlk. *Bris* —1B **88**
Grimsbury Rd. *Bris* —2C **74**
Grindell Rd. *Bris* —3F **71**
Grinfield Av. *Bris* —4E **87**
Grinfield Ct. *Bris* —4E **87**
Grittleton Rd. *Bris* —4A **42**
Grosvenor Bri. Rd. *Bath* —5D **101**
Grosvenor Pk. *Bath* —5D **101**
Grosvenor Pl. *Bath* —5D **101**
Grosvenor Rd. *Bris* —1B **70**
Grosvenor Ter. *Bath* —4D **101**
Grosvenor Vs. *Bath* —5C **100**
Ground Corner. *Holt* —2D **155**
Grove Av. *Bris* —5F **69** (5C **4**)
Grove Av. *Fish* —3B **60**
Grove Av. *W Trym* —5E **39**
Grove Bank. *Bris* —3E **45**
Grove Ct. *Trow* —4C **118**
Grove Dri. *Mid N* —4A **128**
Grove La. *W Mare* —5B **126**
Grove Leaze. *Brad A* —3C **114**
Grove Leaze. *Shire* —1E **53**
Grove Pk. *Brisl* —3F **81**
Grove Pk. *Redl* —5E **57**

Hatchet La. *Stok G* —5A **28**
Hatchet Rd. *Stok G* —4F **27**
Hatchmere. *T'bry* —4E **7**
Hatfield Bldgs. *Bath* —4C **106** (5E **97**)
Hatfield Rd. *Bath* —1F **109**
Hatfield Rd. *W Mare* —5E **127**
Hatherley. *Yate* —2A **34**
Hatherley Rd. *Bris* —3A **58**
Hathway Wlk. *Bris* —2C **70**
Hatters La. *Chip S* —5D **19**
Havelock Ct. *Trow* —3C **118**
Havelock St. *Trow* —3D **119**
Haven, The. *Bris* —1A **74**
Haversham Clo. *W Mare* —4B **128**
Haverstock Rd. *Bris* —2C **80**
Haviland Gro. *Bath* —3B **98**
Haviland Pk. *Bath* —4C **98**
Havory. *Bath* —5D **101**
Hawarden Ter. *Bath* —5C **100**
Hawburn Clo. *Bris* —3F **81**
Hawcroft. *Holt* —1E **155**
Hawesbury. *Bris* —2D **41**
Haweswater Clo. *Bris* —4F **75**
Hawke Rd. *Kew* —1C **128**
Hawkesbury Rd. *Bris* —4A **60**
Hawkesley Dri. *Lit S* —3F **27**
  (in two parts)
Hawkesworth Rd. *Yate* —3E **17**
Hawkfield Bus. Pk. *Hawk B* —3F **87**
Hawkfield Clo. *Hawk B* —3F **87**
Hawkfield Rd. *Bris* —3F **87**
Hawkfield Way. *Hawk B* —3F **87**
Hawkins Clo. *Bris* —1E **85**
Hawkins Cres. *Brad S* —1F **27**
Hawkins St. *Bris* —3B **70** (2F **5**)
Hawkley Dri. *Brad S* —3F **11**
Hawkridge Dri. *Puck* —2E **65**
Hawksmoor Clo. *Bris* —2C **88**
Hawksworth Dri. *Bris* —5D **73**
Hawksworth Dri. *W Mare* —1A **130**
Hawland Gro. *Bath* —3B **98**
Hawthorn Av. *Bris* —5D **73**
Hawthorn Clo. *Pat* —1A **26**
Hawthorn Clo. *P'head* —3B **48**
Hawthorn Clo. *Puck* —2E **65**
Hawthorn Coombe. *W Mare*
                —2C **128**
Hawthorn Dri. *T'bry* —2D **7**
Hawthorn Cres. *Yat* —1A **142**
Hawthorne Gdns. *Stap H* —3B **62**
Hawthornes, The. *Stap H* —3B **62**
Hawthorn St. *Bris* —2C **80**
Hawthorn Gdns. *W Mare* —3B **128**
Hawthorn Gro. *Bath* —3A **110**
Hawthorn Gro. *Trow* —5C **118**
Hawthorn Heights. *W Mare* —2B **128**
Hawthorn Hill. *W Mare* —3C **128**
Hawthorn Pk. *W Mare* —2C **128**
Hawthorn Rd. *Rads* —2E **153**
Hawthorns. *Key* —3A **92**
Hawthorns La. *Key* —3A **92**
Hawthorns, The. *Clev* —3C **120**
Hawthorn Way. *Nail* —3E **123**
Hawthorn Way. *Stok G* —4A **28**
Haycombe. *Bris* —2B **88**
Haycombe Dri. *Bath* —5B **104**
Haycombe La. *Bath* —1A **108**
Hayden Clo. *Bath* —4F **105**
Haydock Clo. *Bris* —3B **46**
Haydon Gdns. *Bris* —2D **59**
Haydon Ga. *Rads* —4C **152**
Haydon Hill. *Rads* —4C **152**
Haydon Ind. Est. *Rads* —4C **152**
Hayeley Dri. *Brad S* —3A **28**
Hayes Clo. *Bris* —3C **70**
Hayes Clo. *Trow* —4E **117**
Hayes Ct. *Pat* —2D **27**
Hayesfield Pk. *Bath* —4A **106** (5A **96**)
Hayes Pk. Rd. *Mid N* —2C **150**
Hayes Pl. *Bath* —4A **106**
Hayes Rd. *Mid N* —2C **150**
Hayeswood Rd. *Tim* —1D **157**

Hay Hill. *Bath* —2A **106** (1B **96**)
Hay Leaze. *Yate* —2F **17**
Hayleigh Ho. *Bris* —4E **87**
Haymarket, The. *Bris* —3F **69** (1C **4**)
Haymarket Wlk. *Bris* —1C **4**
Haynes La. *Bris* —2F **61**
Haythorne Ct. *Stap H* —2B **62**
Haytor Pk. *Bris* —1C **55**
Hayward Clo. *Clev* —5C **120**
Hayward Rd. *Bar H* —3E **71**
Hayward Rd. *Stap H* —3F **61**
Haywood Clo. *W Mare* —2E **139**
Haywood Gdns. *W Mare* —2E **139**
Hazel Av. *Bris* —5D **57**
Hazelbury Clo. *Nail* —3C **122**
Hazelbury Dri. *Bris* —5E **75**
Hazelbury Rd. *Bris* —5E **81**
Hazelbury Rd. *Nail* —4C **122**
Hazel Cote Rd. *Bris* —4D **89**
Hazel Cres. *T'bry* —3E **7**
Hazeldene Rd. *Pat* —2E **26**
Hazeldene Rd. *W Mare* —5E **127**
Hazel Gdns. *Alv* —3A **8**
Hazel Gro. *Bath* —5E **105**
Hazel Gro. *Bris* —4C **42**
Hazel Gro. *Mid N* —4E **151**
Hazel Gro. *Trow* —5B **118**
Hazelgrove. *Wint* —4F **29**
Hazel La. *Rudg* —4A **8**
Hazell Clo. *Clev* —5E **121**
Hazel Ter. *Mid N* —4E **151**
Hazelton Rd. *Bris* —4F **57**
Hazel Way. *Bath* —4E **109**
Hazelwood Ct. *Bris* —4F **55**
Hazelwood Rd. *Bris* —4F **55**
Hazleton Gdns. *Clav D* —1F **111**
Headford Av. *Bris* —3D **73**
Headford Rd. *Bris* —4F **79**
Headington Clo. *Han* —1F **83**
Headley Ct. *Bris* —2D **87**
Headley La. *Bris* —2C **86**
Headley Pk. Av. *Bris* —2D **87**
Headley Pk. Rd. *Bris* —1C **86**
Headley Rd. *Bris* —2C **86**
Headley Wlk. *Bris* —1D **87**
Heart Meers. *Bris* —3D **89**
Heath Clo. *Wint* —3A **30**
Heathcote Dri. *Coal H* —2F **31**
Heathcote La. *Coal H* —2F **31**
  (off Boundary Rd.)
Heathcote Rd. *Fish* —5D **61**
Heathcote Rd. *Stap H* —2A **62**
Heathcote Wlk. *Bris* —5E **61**
Heath Ct. *Bris* —5F **45**
Heather Av. *Fram C* —3D **31**
Heather Clo. *Bris* —2D **73**
Heatherdene. *Bris* —1B **88**
Heather Dri. *Bath* —4E **109**
Heather Shaw. *Trow* —2E **119**
Heathfield Clo. *Key* —3E **91**
Heathfield Cres. *Bris* —4C **88**
Heathfield Rd. *Nail* —3D **123**
Heathfield Way. *Nail* —3D **123**
Heath Gdns. *Bris* —4F **45**
Heath Gdns. *Coal H* —3E **31**
Heathgate. *Yat* —3B **142**
Heathgates. *Nail* —3E **123**
Heathgates. *W Mare* —4B **132**
Heath Ho. La. *Stap* —3D **59**
Heath Ridge. *L Ash* —3C **76**
Heath Ri. *Bris* —5D **75**
Heath Rd. *Down* —5F **45**
Heath Rd. *Han* —1D **83**
Heath Rd. *Nail* —2E **123**
  (in two parts)
Heath St. *Bris* —4E **59**
Heath Wlk. *Bris* —5F **45**
Heber St. *Bris* —3E **71**
Hebron Rd. *Bris* —2E **79**
Heddington Clo. *Trow* —5C **118**

Hedge Clo. *W Mare* —4F **129**
Hedgemead Clo. *Bris* —2F **59**
Hedgemead Ct. *Bath* —1B **106**
  (off Margaret's Hill)
Hedgemead Vw. *Bris* —2A **60**
Hedges Clo. *Clev* —5B **120**
Hedges, The. *St Geo* —3A **130**
Hedwick Av. *Bris* —3A **72**
Hedwick St. *Bris* —3A **72**
Heggard Clo. *Bris* —3C **86**
Helens Ct. *Trow* —1C **118**
Hellier Wlk. *Bris* —5E **87**
Helmdon Rd. *Trow* —1A **118**
Helston Rd. *Nail* —4F **123**
Hemmings Pde. *Bris* —3D **71**
Hemming Way. *Hut* —5C **134**
Hemplow Clo. *Bris* —1F **89**
Hempton La. *Alm* —4D **11**
Henacre Rd. *Bris* —4B **38**
Henbury Ct. *Hen* —1A **40**
Henbury Gdns. *Hen* —2A **40**
Henbury Hill. *W Trym* —3B **40**
Henbury Rd. *Han* —5D **73**
Henbury Rd. *Hen & W Trym* —2A **40**
Hencliffe Rd. *Bris* —1F **89**
Hencliffe Way. *Han* —2D **83**
Henderson Clo. *Trow* —3B **118**
Henderson Rd. *Bris* —5D **73**
Hendre Rd. *Bris* —3C **78**
Hendy Ct. *Yate* —1F **33**
Henfield Cres. *Old C* —1D **85**
Henfield Rd. *Coal H* —5E **31**
Hengaston St. *Bris* —3D **79**
Hengrove Av. *Bris* —5D **81**
Hengrove La. *Bris* —5C **80**
Hengrove Rd. *Bris* —5C **80**
Hengrove Way. *Bris* —2D **87**
Henleaze Av. *Bris* —2C **56**
Henleaze Gdns. *Bris* —2C **56**
Henleaze Pk. *Bris* —2E **57**
Henleaze Pk. Dri. *Bris* —1D **57**
Henleaze Rd. *Bris* —2C **56**
Henleaze Ter. *Bris* —5D **41**
Henley Gro. *Bris* —2D **57**
Henley La. *Yat* —4D **143**
Henley Lodge. *Yat* —4D **143**
Henley Rd. *Yat* —4C **142**
Hennessy Clo. *Bris* —5B **88**
Henrietta Ct. *Bath* —1B **106** (1D **97**)
Henrietta Gdns. *Bath* —2B **106** (1D **97**)
Henrietta M. *Bath* —2B **106** (2D **97**)
Henrietta Pl. *Bath* —2B **106** (2C **96**)
Henrietta Rd. *Bath* —2B **106** (1D **97**)
Henrietta St. *Bath* —2B **106** (1D **97**)
Henrietta St. *E'tn* —1D **71**
Henrietta St. *K'dwn* —2F **69**
Henrietta Vs. *Bath* —3B **106** (1D **97**)
Henry St. *Bath* —3B **106** (4C **96**)
Henry St. *Tot* —1B **80**
Henry Williamson Ct. *Bar C* —5B **74**
Henshaw Clo. *Bris* —5E **61**
Henshaw Rd. *Bris* —5E **61**
Henshaw Wlk. *Bris* —5E **61**
Hensley Gdns. *Bath* —5F **105**
Hensley Rd. *Bath* —5F **105**
Hensman's Hill. *Bris* —4C **68**
Hepburn Rd. *Bris* —2A **70**
Herald Clo. *Bris* —2F **55**
Herapath St. *Bris* —4E **71**
Herbert Cres. *Bris* —4F **59**
Herbert Rd. *Bath* —4E **105**
Herbert Rd. *Clev* —2D **121**
Herbert St. *Bris* —1E **71**
  (in two parts)
Herbert St. *W'hall* —2E **71**
Hercules Clo. *Lit S* —3F **27**
Hereford Rd. *Bris* —5C **58**
Hereford St. *Bedm* —2F **79**
Heritage Clo. *Pea J* —4D **157**
Herkomer Clo. *Bris* —5D **43**
Herluin Way. *W Mare* —2E **133**
Hermes Clo. *Salt* —5F **93**

Hermitage Clo. *Bris* —5A **38**
Hermitage Rd. *Bath* —5F **99**
Hermitage Rd. *Bris* —2F **61**
Heron Clo. *W Mare* —4C **128**
Heron Gdns. *P'head* —4A **50**
Heron Rd. *Bris* —1D **71**
Heron Way. *Chip S* —2B **34**
Herridge Clo. *Bris* —4D **87**
Herridge Rd. *Bris* —4D **87**
Hersey Gdns. *Bris* —5A **86**
Hesding Clo. *Bris* —2E **83**
Hestercombe Rd. *Bris* —2D **87**
Hetling Ct. *Bath* —3A **106** (4B **96**)
Heyford Av. *Bris* —3D **59**
Heyron Wlk. *Bris* —4D **87**
Heywood Rd. *Pill* —3E **53**
Heywood Ter. *Pill* —3E **53**
Hicking Ct. *K'wd* —4A **74**
Hicks Av. *E Grn* —4D **47**
Hick's Barton. *Bris* —2B **72**
Hicks Comn. Rd. *Wint* —4A **30**
Hicks Ct. *L Grn* —1B **84**
Hicks Ga. Ho. *Key* —5C **83**
High Acre. *Paul* —5C **146**
Higham St. *Bris* —1B **80**
High Bannerdown. *Bathe* —2C **102**
Highbury Pde. *W Mare* —4A **126**
Highbury Pl. *Bath* —5B **100**
Highbury Rd. *Bedm* —4E **79**
Highbury Rd. *Hor* —5B **42**
Highbury Rd. *W Mare* —4A **126**
Highbury Ter. *Bath* —5B **100**
Highbury Vs. *Bath* —5B **100**
(off Highbury Pl.)
Highbury Vs. *Bris* —2E **69**
(in three parts)
Highcroft. *Bris* —4E **75**
Highdale Av. *Clev* —3D **121**
Highdale Clo. *Bris* —4D **89**
Highdale Rd. *Clev* —3D **121**
High Elm. *Bris* —4A **74**
Highett Dri. *Bris* —1C **70**
Highfield Av. *Bris* —5F **73**
Highfield Clo. *Bath* —4C **104**
Highfield Clo. *Stok G* —1B **44**
Highfield Dri. *P'head* —5A **48**
Highfield Gdns. *Bit* —3E **85**
Highfield Gro. *Bris* —2F **57**
Highfield Rd. *Brad A* —2E **115**
Highfield Rd. *Chip S* —5C **18**
Highfield Rd. *Key* —5B **92**
Highfield Rd. *Pea J* —1F **149**
Highfield Rd. *W Mare* —2E **139**
Highfields. *Rads* —3A **152**
High Gro. *Bris* —1D **55**
Highgrove St. *Bris* —1C **80**
High Kingsdown. *Bris* —2E **69**
Highland Clo. *W Mare* —3F **127**
Highland Cres. *Bris* —5C **56**
Highland Pl. *Bris* —5C **56**
Highland Rd. *Bath* —4C **104**
Highland Sq. *Bris* —5C **56**
Highlands Rd. *L Ash* —3C **76**
Highlands Rd. *P'head* —3D **49**
Highland Ter. *Bath* —3E **105**
High La. *Yate* —1F **29**
Highleaze Rd. *Old C* —1E **85**
Highmead Gdns. *Bris* —4A **86**
High Meadows. *Mid N* —3C **150**
Highmore Gdns. *Bris* —5E **43**
Highnam Clo. *Pat* —5D **11**
High Pk. *Bris* —4D **81**
High Pk. *Paul* —3A **146**
Highridge Cres. *Bris* —3B **86**
Highridge Grn. *Bris* —1A **86**
Highridge Pk. *Bris* —2B **86**
Highridge Rd. *Bedm* —3D **79**
Highridge Rd. *B'wth* —4B **86**
Highridge Wlk. *Bris* —1A **86**
High St. *Ban* —5C **136**
High St. *Bath* —3B **106** (3C **96**)
High St. *B'ptn* —5A **102**

High St. *Bathe* —3A **102**
High St. *Bathf* —4D **103**
High St. *Bit* —5F **85**
High St. *Bris* —3F **69** (2C **4**)
High St. *Chip S* —5D **19**
High St. *Clav* —2F **143**
High St. *Clif* —5C **56**
High St. *Cong* —2D **145**
High St. *E'tn* —1D **71**
High St. *F'frd* —4D **112**
High St. *Han* —5E **73**
High St. *High L* —1A **146**
High St. *Iron A* —2F **15**
High St. *Key* —2A **92**
High St. *K'wd* —2A **74**
High St. *Mid N* —3D **151**
High St. *Nail* —3D **123**
High St. *Old C* —2E **85**
High St. *Paul* —4B **146**
High St. *P'bry* —4A **52**
High St. *P'head* —4F **48**
High St. *Salt* —1A **94**
High St. *Shire* —5F **37**
High St. *Stap H* —3E **61**
High St. *T'bry* —4C **6**
High St. *Tim* —1E **157**
High St. *Twer A* —3B **104**
High St. *War* —2D **87**
High St. *W Trym* —5C **40**
High St. *W'ton* —4B **98**
High St. *W Mare* —5B **126**
(in three parts)
High St. *Wick* —5B **154**
High St. *Wickw* —1B **154**
High St. *Wint* —3F **29**
High St. *W'ly* —1A **100**
High St. *Wor* —4C **128**
High St. *Wrin* —1B **156**
High St. *Yat* —2B **142**
High Vw. *Bath* —4F **105**
High Vw. *P'head* —4C **48**
Highview Rd. *Bris* —5A **62**
Highwall La. *Q Char* —5C **90**
Highway. *Yate* —4B **18**
Highwood La. *Bren & Pat* —2D **25**
Highwood Rd. *Pat* —3A **26**
Highworth Cres. *Yate* —1F **33**
Highworth Rd. *Bris* —4F **71**
Hilbury Ct. *Trow* —1E **119**
Hilcot Gro. *W Mare* —4F **127**
Hildesheim Clo. *W Mare* —1D **133**
Hill Av. *Bath* —3A **110**
Hill Av. *Bris* —2A **80**
Hillbrook Rd. *T'bry* —4E **7**
Hill Burn. *Bris* —1E **57**
Hillburn Rd. *Bris* —3C **72**
Hillcote Est. *W Mare* —3F **139**
Hill Ct. *Paul* —3B **146**
Hill Crest. *Bris* —4D **81**
Hill Crest. *Cong* —1E **145**
Hillcrest. *Pea J* —2F **149**
Hillcrest. *T'bry* —3C **6**
Hillcrest Clo. *Nail* —4D **123**
Hillcrest Dri. *Bath* —5D **105**
Hillcrest Flats. *Brad A* —2E **115**
Hillcrest Rd. *Nail* —4D **123**
Hillcrest Rd. *P'head* —4A **48**
Hillcroft Clo. *W Mare* —3E **127**
Hilldale Rd. *Back* —3D **125**
Hill End. *W Mare* —2C **128**
Hill End Dri. *Bris* —1F **39**
Hillfields Av. *Bris* —5E **61**
Hill Gay Clo. *P'head* —4B **48**
Hill Gro. *Bris* —1E **57**
Hillgrove St. *Bris* —2F **69**
Hillgrove St. N. *Bris* —1F **69**
Hillgrove Ter. *Uph* —1B **138**
Hillhouse. *Bris* —3B **62**
Hill Ho. Rd. *Bris* —1B **62**
Hill Lawn. *Bris* —2F **81**
Hillmer Ri. *Ban* —5D **137**
Hillmoor. *Clev* —4E **121**

Hill Pk. *Cong* —1E **145**
Hill Path. *Ban* —5F **137**
Hill Rd. *Clev* —2C **120**
Hill Rd. *Dun* —5A **86**
Hill Rd. *W Mare* —5D **127**
Hill Rd. *Wor* —3C **128**
Hill Rd. E. *W Mare* —3C **128**
Hills Barton. *Bris* —4C **78**
Hillsborough Flats. *Bris* —4C **68**
Hillsborough Ho. *W Mare* —4E **133**
Hillsborough Rd. *Bris* —1E **81**
Hills Clo. *Key* —3C **92**
Hillsdon Rd. *Bris* —4B **40**
Hillside. *Clif* —4D **69**
Hillside. *Cot* —2E **69**
Hillside. *Mang* —2B **62**
Hillside. *P'bry* —5F **51**
Hillside Av. *Bris* —2E **73**
Hillside Av. *Mid N* —4B **150**
Hillside Clo. *Fram C* —2E **31**
Hillside Clo. *Paul* —3C **146**
Hillside Cres. *Mid N* —4B **150**
Hillside Gdns. *W Mare* —4F **127**
Hillside La. *Fram C* —2E **31**
Hillside Rd. *Back* —3C **124**
Hillside Rd. *Bath* —5E **105**
Hillside Rd. *B'don* —3F **139**
Hillside Rd. *Bris* —3C **72**
Hillside Rd. *Clev* —3D **121**
Hillside Rd. *L Ash* —3D **77**
Hillside Rd. *Mid N* —4C **150**
Hillside Rd. *P'head* —5A **48**
Hillside St. *Bris* —1C **80**
Hillside Vw. *Mid N* —2D **151**
Hillside Vw. *Pea J* —1F **149**
Hillside W. *Hut* —5D **135**
Hill St. *Bris* —3E **69** (2A **4**)
Hill St. *Hil* —3F **117**
Hill St. *K'wd* —2B **74**
Hill St. *St G* —2B **72**
Hill St. *Tot* —1B **80**
Hill St. *Trow* —1C **118**
Hill, The. *Alm* —2D **11**
Hill, The. *F'frd* —4D **113**
Hilltop. *P'head* —4C **48**
Hilltop Gdns. *Soun* —5F **61**
(in two parts)
Hilltop Gdns. *St G* —3C **72**
Hilltop Rd. *Bris* —5F **61**
Hilltop Vw. *Bris* —3C **72**
Hill Vw. *Clif* —4D **69**
Hill Vw. *Fil* —1C **42**
Hill Vw. *Henl* —1E **57**
Hillview. *Mid N* —5B **150**
Hill Vw. *Soun* —5F **61**
Hillview. *Tim* —2E **157**
Hillview Av. *Clev* —4D **121**
Hill Vw. Clo. *Old C* —1E **85**
Hill Vw. Ct. *W Mare* —5B **128**
Hillview Pk. Homes. *W Mare* —5B **128**
Hill Vw. Rd. *Bath* —4C **100**
Hill Vw. Rd. *Bris* —5C **78**
Hill Vw. Rd. *Puck* —2E **65**
Hill Vw. Rd. *W Mare* —1E **133**
Hillyfield Rd. *Bris* —2C **86**
Hillyfields. *Wins* —4C **156**
Hillyfields Way. *Wins* —4B **156**
Hilperton Rd. *Trow* —1E **119**
Hilton Ct. *Bris* —2D **71**
Hinkley Clo. *St Geo* —2A **130**
Hinton. *W Mare* —1E **139**
Hinton Clo. *Bath* —3A **104**
Hinton Clo. *Salt* —1A **94**
Hinton Dri. *Bris* —4E **75**
Hinton La. *Bris* —4B **68**
Hinton Rd. *E'tn* —1E **71**
Hinton Rd. *Fish* —3C **60**
Hinton Rd. *Puck* —1F **65**
Hiscocks Dri. *Bath* —5F **105**
Hither Grn. *Clev* —4F **121**
Hither Grn. Ind. Est. *Clev* —4F **121**
Hither Mead. *Fram C* —3D **31**

Hi-Way Cvn. Site. *Bris* —5D **23**
Hobart Rd. *W Mare* —5D **133**
Hobbiton Rd. *W Mare* —1E **129**
Hobbs Ct. *Nail* —3E *123*
(off Link Rd.)
Hobbs La. *Bris* —4E **69** (3A **4**)
Hobbs La. *War* —1D **75**
Hobhouse Clo. *Brad A* —5F **115**
Hobhouse Clo. *Bris* —5E **41**
Hobwell La. *L Ash* —2E **77**
Hockey's La. *Fish* —3C **60**
Hockley Ct. *Bath* —5E **99**
Hodden La. *Puck* —2E **65**
Hodshill. *S'ske* —5A **110**
Hogarth M. *W Mare* —2E **129**
Hogarth Wlk. *Bris* —4D **43**
Hogarth Wlk. *W Mare* —2E **129**
Hogues Wlk. *Bris* —4D **87**
Holbeach Way. *Bris* —5C **88**
Holbrook Cres. *Bris* —4F **87**
Holbrook La. *Bris* —4A **154**
Holbrook La. *Trow* —4C **118**
Holcombe. *Bris* —3C **88**
Holcombe Clo. *B'ptn* —5A **102**
Holcombe Grn. *Bath* —4C **98**
(in two parts)
Holcombe Gro. *Key* —3F **91**
Holcombe La. *B'ptn* —5A **102**
Holcombe Va. *B'ptn* —5A **102**
Holdenhurst Rd. *Bris* —1E **73**
Holders Wlk. *L Ash* —5B **76**
Holford Clo. *Nail* —4D **123**
Holford Ct. *Bris* —3D **89**
Holland Rd. *Bath* —5C **100**
Holland Rd. *Clev* —5B **120**
Holland St. *W Mare* —5E **127**
Hollidge Gdns. *Bris* —1F **79**
Hollies La. *Nthnd* —1B **102**
Hollies Shop. Cen., The. *Mid N*
—3D **151**
Hollis Av. *P'head* —5E **49**
Hollis Clo. *L Ash* —4C **76**
Hollis Cres. *P'head* —5E **49**
Hollister's Dri. *Bris* —5F **87**
Holloway. *Bath* —4A **106** (5B **96**)
Hollow La. *W Mare* —2D **129**
Hollowmead. *Clav* —3E **143**
Hollowmead Clo. *Clav* —3F **143**
Hollow Rd. *Alm* —2C **10**
Hollow Rd. *Bris* —2A **74**
Hollows, The. *Coal H* —2E **47**
Hollow, The. *Bath* —4C **104**
Hollway Clo. *Bris* —3A **90**
Hollway Rd. *Bris* —3A **90**
Hollybush Clo. *W'ley* —2F **113**
Hollybush La. *Bris* —2A **56**
(in two parts)
Holly Clo. *Alv* —3A **8**
Holly Clo. *Nail* —2F **123**
Holly Clo. *Puck* —2E **65**
Holly Clo. *S'wll* —5C **60**
Holly Clo. *W Mare* —4E **129**
Holly Ct. *Mid N* —3E **151**
Holly Cres. *Bris* —1A **74**
Holly Dri. *Bath* —4E **109**
Holly Grn. *Bris* —1C **74**
Holly Gro. *Bar C* —4E **61**
Hollyguest Rd. *Bris* —4F **73**
Holly Hill. *Iron A* —3A **16**
Holly Hill Rd. *Bris* —2A **74**
Holly La. *Clev* —1F **121**
Hollyleigh Av. *Bris* —2C **42**
Holly Lodge Rd. *Bris* —5B **60**
Hollyman Wlk. *Clev* —3F **121**
Hollymead La. *Bris* —3A **56**
Hollyridge. *Bris* —2E **89**
Holly Ridge. *P'head* —3C **48**
Holly Wlk. *Key* —5F **91**
Holly Wlk. *Rads* —3B **152**
Hollywood La. *E Comp* —1C **24**
Hollywood Rd. *Bris* —2F **81**
Holmdale Rd. *Bris* —1E **43**

Holmesdale Rd. *Bris* —2A **80**
Holmes Gro. *Bris* —2D **57**
Holmes Hill Rd. *Bris* —2B **72**
Holmes St. *Bris* —4D **71**
Holmlea Pk. E. *Bath* —2B **104**
Holmlea Pk. W. *Bath* —2B **104**
Holm-Mead La. *Bris* —1E **93**
Holmoak Rd. *Key* —4E **91**
Holm Rd. *Hut* —1C **140**
Holms Rd. *W Mare* —3E **133**
Holmwood. *Bris* —5E **73**
Holmwood Clo. *Wint* —3F **29**
Holmwood Gdns. *Bris* —4C **40**
Holroyd Ho. *Bris* —2F **79**
Holsom Clo. *Bris* —2A **90**
Holsom Rd. *Bris* —2B **90**
Holst Gdns. *Bris* —1F **87**
Holton Rd. *Bris* —1C **58**
Holt Rd. *Brad A* —3F **115** & 1A **116**
Holyrood Clo. *Stok G* —5F **27**
Holyrood Clo. *Trow* —5B **118**
Holy Well Clo. *St Ap* —4A **72**
Homeavon Ho. *Key* —3B **92**
Home Clo. *Bris* —2A **42**
Home Clo. *Trow* —3D **119**
Home Clo. *Wrin* —1C **156**
Home Farm Clo. *Pea J* —2E **149**
Home Farm Rd. *Abb L* —3D **67**
Homefield. *Cong* —3E **145**
Homefield. *Lock* —3D **135**
Homefield. *T'bry* —4E **7**
Homefield. *Tim* —1F **157**
Homefield. *Yate* —3A **18**
Homefield Clo. *E Grn* —1D **63**
Homefield Clo. *Lock* —3E **135**
Homefield Clo. *Salt* —1A **94**
Homefield Clo. *Wins* —3A **156**
Homefield Dri. *Bris* —2C **60**
Homefield Rd. *Puck* —2D **65**
Homefield Rd. *Salt* —1B **94**
Home Gdns. *Bris* —5C **56**
Home Ground. *Bris* —5D **41**
Homeground. *Clev* —4E **121**
Homeground. *E Grn* —1D **63**
Home Ground. *Shire* —5F **37**
Homelands. *Bath* —2A **102**
Homelea Pk. E. *Bath* —2B **104**
Homelea Pk. W. *Bath* —2B **104**
Homeleaze Rd. *Bris* —1F **41**
Home Mead. *Bris* —1A **88**
(Creswicke Rd.)
Home Mead. *Bris* —1C **84**
(Earlstone Clo.)
Homemead Dri. *Bris* —4F **81**
Home Mill Bldgs. *Trow* —2D **119**
Home Orchard. *Yate* —4F **17**
Homestead. *Bris* —5F **89**
Homestead. *P'head* —5A **48**
Homestead Gdns. *Bris* —3D **45**
Homestead Rd. *Brad S* —1B **42**
Homestead, The. *Clev* —3C **120**
Homestead, The. *Key* —5A **92**
Homestead, The. *Trow* —4C **118**
Homestead Way. *Wins* —4B **156**
Honeyborne Way. *Wickw* —2C **154**
Honey Garston Clo. *Bris* —4D **87**
Honey Garston Rd. *Bris* —4D **87**
Honey Hill Rd. *Bris* —2B **74**
Honeylands. *P'head* —5E **49**
Honeymans Clo. *Trow* —2F **119**
Honeymead. *Bris* —2E **89**
Honeysuckle Clo. *Brad S* —4A **12**
Honeysuckle Clo. *Trow* —2E **119**
Honeysuckle La. *Bris* —3A **60**
Honeysuckle Pl. *W Mare* —5E **129**
Honey Way. *Bris* —2B **74**
Honiton. *W Mare* —3E **129**
Honiton Rd. *Bris* —4C **60**
Honiton Rd. *Clev* —5E **121**
Hooper Rd. *Bris* —3F **89**
Hopechapel Hill. *Bris* —4B **68**
Hope Ct. *Bris* —5D **69**

Hope Ho. *Pill* —2F *53*
(off Underbanks)
Hope Rd. *Bris* —2E **79**
Hope Rd. *Yate* —4C **16**
Hope Sq. *Bris* —4B **68**
Hope Ter. *Mid N* —3E **151**
Hopetoun Rd. *Bris* —4B **58**
Hopewell Gdns. *Bris* —5B **38**
Hopkin Clo. *T'bry* —5E **7**
Hopkins St. *W Mare* —5C **126**
Hopland Clo. *L Grn* —2D **85**
Hopp's Rd. *Bris* —3F **73**
Horesham Gro. *Bris* —3E **87**
Horfield Rd. *Bris* —3F **69** (1B **4**)
Horley Rd. *Bris* —5C **58**
Hornbeams, The. *Bris* —3D **45**
Hornbeam Wlk. *Key* —5E **91**
Hornhill Clo. *Bris* —4D **87**
Horsecastle Clo. *Yat* —2A **142**
Horsecastle Farm Rd. *Yat* —2A **142**
Horsecombe Brow. *Bath* —3B **110**
Horsecombe Gro. *Bath* —3B **110**
Horsecombe Va. *Bath* —3B **110**
Horsecroft Gdns. *Bar C* —4C **74**
Horsefair, The. *Bris* —3A **70** (1D **5**)
Horsepool Rd. *Bris* —4A **86**
Horse Rd. *Hil M* —3E **117**
Horse Shoe Dri. *Bris* —3E **55**
Horseshoe La. *Chip S* —5D **19**
Horseshoe La. *T'bry* —4C **6**
(off Rock St.)
Horseshoe Rd. *Bath* —4D **107** (5F **97**)
Horseshoe Wlk. *Bath* —4C **106** (5F **97**)
Horse St. *Chip S* —5D **19**
(in two parts)
Hortham La. *G Ear* —1E **11**
Horton Clo. *Brad A* —5F **115**
Horton Ho. *Bath* —1B **106**
Horton Rd. *Chip S* —4E **19**
Horton St. *Bris* —3B **70**
Horwood Ct. *Bar C* —1C **84**
Horwood La. *Wickw* —3C **154**
Horwood Rd. *Nail* —4E **123**
Hosey Wlk. *Bris* —3C **86**
Hospital Rd. *Pill* —4F **53**
(in two parts)
Host St. *Bris* —3F **69** (2B **4**)
Hot Bath St. *Bath* —3A **106** (4B **96**)
Hottom Gdns. *Bris* —5C **42**
Hot Water La. *Bris* —4B **62**
Hotwell Rd. *Bris* —3A **68**
Houlton St. *Bris* —2B **70** (1F **5**)
Hounds Clo. *Chip S* —5D **19**
Hounds Rd. *Chip S* —5D **19**
Howard Av. *Bris* —2A **72**
Howard Clo. *Salt* —5F **93**
Howard Rd. *S'vle* —1D **79**
Howard Rd. *Stap H* —3F **61**
Howard Rd. *T'bry* —2D **7**
Howard Rd. *W'bry P* —3D **57**
Howard St. *Bris* —1A **72**
Howecroft Gdns. *Bris* —3A **56**
Howells Mead. *E Grn* —5D **47**
Howes Clo. *Bar C* —4C **74**
Howett Rd. *Bris* —3E **71**
How Hill. *Bath* —3B **104**
Howsmoor La. *E Grn* —4D **47**
Hoylake. *Yate* —1A **34**
Hoylake Dri. *War* —4D **75**
Huckford La. *Ken* —5C **30**
Huckford Rd. *Wint* —4A **30**
Huckley Way. *Brad S* —3B **28**
Huddox Hill. *Pea J* —4D **157**
Hudd's Hill Gdns. *Bris* —1B **72**
Hudd's Hill Rd. *Bris* —2B **72**
Hudd's Va. Rd. *Bris* —2A **72**
Hudson Clo. *Yate* —1B **34**
Hughenden Rd. *Clif* —5C **56**
Hughenden Rd. *Hor* —2A **58**
Hughenden Rd. *W Mare* —5E **127**
Huish Ct. *Rads* —3E **153**
Hulbert Clo. *Bris* —3C **82**

Hulse Rd. *Bris* —4F **81**
Humberstan Wlk. *Bris* —4A **38**
Humber Way. *Bris* —4F **21**
Humphrey Davy Way. *Bris* —5B **68**
Humphrys Barton. *Bris* —5B **72**
Hungerford Av. *Trow* —3A **118**
Hungerford Clo. *Bris* —5A **82**
Hungerford Cres. *Bris* —4A **82**
Hungerford Gdns. *Bris* —5A **82**
Hungerford Rd. *Bath* —2D **105**
Hungerford Rd. *Bris* —4A **82**
Hungerford Wlk. *Bris* —4A **82**
Hung Rd. *Bris* —1A **54**
Hunters Clo. *Bris* —5E **73**
Hunters Dri. *Bris* —1B **74**
Hunter's Rd. *Bris* —5E **73**
Hunter's Way. *Bris* —1E **43**
Huntingdon Pl. *Brad A* —2D **115**
Huntingdon Ri. *Brad A* —1D **115**
Huntingdon St. *Brad A* —2D **115**
Huntingham Rd. *Bris* —4A **86**
Huntley Gro. *Nail* —4F **123**
Hunts Ground Rd. *Stok G* —5C **28**
Hunts La. *Bris* —1A **58**
Hunt's La. *Clav* —3E **143**
Hurle Cres. *Bris* —5E **73**
Hurle Rd. *Bris* —1D **69**
Hurlingham Rd. *Bris* —5B **58**
Hurn La. *Key* —4B **92**
Hurn Rd. *Clev* —4E **121**
Hurst Ct. *Rads* —3E **153**
Hurston Rd. *Bris* —5F **79**
Hurst Rd. *Bris* —5B **80**
Hurst Rd. *W Mare* —2E **133**
Hurst Wlk. *Bris* —5A **80**
Hurstwood Rd. *Bris* —2F **61**
Hutton Clo. *Bris* —5F **39**
Hutton Hill. *Hut* —1C **140**
Hutton Moor La. *W Mare* —2A **134**
Hutton Moor Rd. *W Mare* —1F **133**
Hutton Pk. (Cvn. Site). *W Mare*
—2A **134**
Huyton Rd. *Bris* —4A **60**
Hyde Av. *T'bry* —1C **6**
Hyde Rd. *Trow* —5C **116**
Hyde, The. *Clev* —5C **120**
Hyland Gro. *Bris* —4B **40**
Hylton Row. *Rads* —2F **153**

Ida Rd. *Bris* —2E **71**
Iddesleigh Rd. *Bris* —4D **57**
Idstone Rd. *Bris* —3D **61**
Idwal Clo. *Mid N* —1F **149**
Iford Clo. *Salt* —1A **94**
Iford La. *F'frd* —5D **113**
Ilchester Cres. *Bris* —4D **79**
Ilchester Rd. *Bris* —4C **78**
Iles Clo. *Han* —1F **83**
Ilex Av. *Clev* —4E **121**
Ilex Clo. *Bris* —2B **86**
Ilminster. *W Mare* —1E **139**
Ilminster Av. *Bris* —4A **80**
Ilminster Clo. *Clev* —4E **121**
Ilminster Clo. *Nail* —5C **122**
Ilsyn Gro. *Bris* —1F **89**
Imber Ct. Clo. *Bris* —5D **81**
Imperial Rd. *Know* —5E **81**
Imperial Rd. *Redl* —1D **69**
Imperial Wlk. *Bris* —4D **57**
Inglesham Clo. *Trow* —5D **119**
Ingleside Rd. *Bris* —1D **73**
Inglestone Rd. *Wickw* —2C **154**
Ingleton Dri. *W Mare* —1E **129**
Ingmire Rd. *Bris* —4D **59**
Inkerman Clo. *Bris* —5A **42**
Inman Ho. *Bath* —5B **100**
Inner Elm Ter. *Rads* —3F **151**
Innox Footpath. *Trow* —1C **118**
Innox Gdns. *Bris* —3C **86**
Innox Gro. *Eng* —2A **108**
Innox La. *Up Swa* —1C **100**

Innox Mill Clo. *Trow* —1B **118**
Innox Rd. *Bath* —4C **104**
Innox Rd. *Trow* —1B **118**
Inn's Ct. Av. *Bris* —1F **87**
Inn's Ct. Dri. *Bris* —1F **87**
Inn's Ct. Grn. *Bris* —1F **87**
Instow. *W Mare* —3E **129**
Instow Rd. *Bris* —5A **80**
Instow Wlk. *Bris* —5A **80**
International Ter. *Bris* —2D **37**
Interplex. *Brad S* —3E **11**
Inverness Rd. *Bath* —3D **105**
Ipswich Dri. *Bris* —4A **72**
Irby Rd. *Bris* —2C **78**
Irena Rd. *Bris* —4B **60**
Ireton Rd. *Bris* —2D **79**
Ironchurch Rd. *A'mth* —4D **21**
Ironmould La. *Bris* —3C **82**
Irving Clo. *Bris* —3A **62**
Irving Clo. *Clev* —3F **121**
Isabella Cotts. Bath —3C **110**
  (off Rock La.)
Isabella M. *Bath* —3C **110**
Island Gdns. *Bris* —3E **59**
Island, The. *Mid N* —3D **151**
Isleys Ct. *L Grn* —2B **84**
Islington. *Trow* —5D **117**
Islington Gdns. *Trow* —1D **119**
Islington Rd. *Bris* —1D **79**
Ison Hill. *Bris* —1F **39**
Ison Hill Rd. *Bris* —1F **39**
Itchington Rd. *Tyth* —1F **9**
Ivo Peters Rd. *Bath* —3F **105**
Ivor Rd. *Bris* —2E **71**
Ivy Av. *Bath* —5D **105**
Ivy Bank Pk. *Bath* —2A **110**
Ivybridge. *W Mare* —3E **129**
Ivy Clo. *Nail* —4C **122**
Ivy Cotts. *S'ske* —5A **110**
Ivy Ct. *P'head* —3B **48**
Ivy Gro. *Bath* —5D **105**
Ivy La. *Bris* —4C **60**
Ivy La. *W Mare* —5E **129**
Ivy Pl. *Bath* —5D **105**
Ivy Ter. *Brad A* —2E **115**
Ivy Ter. *Yate* —5D **33**
Ivy Vs. *Bath* —5D **105**
Ivy Vs. *Trow* —1A **118**
Ivy Wlk. *Ban* —4C **136**
Ivy Wlk. *Mid N* —4E **151**
Ivywell Rd. *Bris* —4A **56**
Iwood La. *Cong* —5F **145**

Jack Knight Ho. *Bris* —2C **58**
Jacobs Ct. Bris —4E **69**
  (off St George's Rd.)
Jacobs Ct. Bris —4E **69**
  (off Queen's Pde.)
Jacob St. *Bris* —3A **70** (2E **5**)
  (in two parts)
Jacob's Wells Rd. *Bris* —4D **69**
Jamaica St. *Bris* —2A **70**
James Clo. *Bris* —3A **62**
James Rd. *Bris* —4A **62**
James St. *Bris* —2B **70**
James St. *St W* —5C **58**
James St. *Trow* —5D **117**
James St. W. *Bath* —3F **105** (3A **96**)
Jane St. *Bris* —3D **71**
Jarvis St. *Bris* —4D **71**
Jasmine Clo. *W Mare* —4E **129**
Jasmine Gro. *Bris* —2E **39**
Jasmine La. *Clav* —1F **143**
Jasmine Way. *Trow* —2E **119**
Jasmine Way. *W Mare* —4E **129**
Jasper St. *Bris* —2D **79**
Jean Rd. *Bris* —3A **82**
Jeffery Ct. *Bris* —4D **75**
Jeffries Hill Bottom. *Bris* —5D **73**
Jellicoe Ct. *W Mare* —1C **128**
Jena Ct. *Salt* —5F **93**

Jenkins St. *Trow* —5C **116**
Jenner Clo. *Chip S* —1F **35**
Jersey Av. *Bris* —1B **82**
Jesmond Rd. *Clev* —3C **120**
Jesmond Rd. *St Geo* —1A **130**
Jesse Hughes Ct. *Bath* —4D **101**
Jessop Underpass. *Bris* —1B **78**
Jew's La. *Bath* —3D **105**
Jim O'Neil Ho. *Bris* —5F **37**
Jocelin Dri. *W Mare* —1D **129**
Jocelyn Rd. *Bris* —5B **42**
Jockey La. *Bris* —3C **72**
John Cabot Ct. *Bris* —5C **68**
John Carr's Ter. *Bris* —4D **69**
Johnny Ball La. *Bris* —3F **69** (1B **4**)
John Rennie Clo. *Brad A* —5F **115**
John Slessor Ct. *Bath* —1A **106**
Johnson Dri. *Bar C* —5B **74**
Johnson Rd. *E Grn* —1E **63**
Johnsons La. *Bris* —1F **71**
Johnsons Rd. *Bris* —1E **71**
Johnstone St. *Bath* —3B **106** (3D **97**)
John St. *Bath* —2A **106** (2B **96**)
John St. *Bris* —3F **69** (2C **4**)
John St. *K'wd* —2E **73**
John St. *St W* —5C **58**
John Wesley Rd. *Bris* —4D **73**
Jones Clo. *Yat* —2A **142**
Jones Hill. *Brad A* —5C **114**
Jordan Wlk. *Brad S* —1F **27**
Joy Hill. *Bris* —4B **68**
Jubilee Cotts. *Bris* —5B **78**
Jubilee Cres. *Mang* —5C **46**
Jubilee Dri. *T'bry* —3E **7**
Jubilee Gdns. *Yate* —4C **18**
Jubilee Ho. *Pat* —1E **27**
Jubilee Path. *W Mare* —4A **128**
Jubilee Pl. *Clev* —5D **121**
Jubilee Pl. *Redc* —5F **69** (5C **4**)
Jubilee Rd. *Bap M* —1C **70**
Jubilee Rd. *Know* —3E **81**
Jubilee Rd. *K'wd* —4A **62**
Jubilee Rd. *Rads* —3A **152**
Jubilee Rd. *St G* —3B **72**
Jubilee Rd. *W Mare* —1C **132**
Jubilee St. *Bris* —4B **70** (3F **5**)
Jubilee Ter. *Paul* —3B **146**
Jubilee Way. *Bris* —2D **37**
Julian Clo. *Bris* —4A **56**
Julian Cotts. *Bath* —3F **111**
Julian Rd. *Bath* —1A **106** (1A **96**)
Julian Rd. *S Park* —4A **56**
Julius Rd. *Bris* —4F **57**
Junction Av. *Bath* —4F **105**
Junction Rd. *Bath* —4F **105**
Junction Rd. *Brad A* —3E **115**
Juniper Ct. *Bris* —5E **59**
Juniper Way. *Brad S* —2B **28**
Jupiter Rd. *Pat* —2F **25**
Justice Av. *Salt* —1A **94**
Justice Rd. *Bris* —4B **60**
Jutland Rd. *Bris* —3D **37**

Karen Clo. *Back* —4C **124**
Karen Rd. *Back* —3C **124**
Kathdene Gdns. *Bris* —4B **58**
Kaynton Mead. *Bath* —3C **104**
Keates Clo. *Trow* —1D **119**
Keats Rd. *Rads* —4F **151**
Keble Av. *Bris* —4B **86**
Keed's La. *L Ash* —3A **76**
Keedwell Hill. *L Ash* —4B **76**
Keel Clo. *St G* —4B **72**
Keel's Hill. *Pea J* —1F **149**
Keene's Way. *Clev* —4B **120**
Keep, The. *Bris* —5F **75**
Keep, The. *W Mare* —2E **129**
Keinton Wlk. *Bris* —2C **40**
Kelbra Cres. *Fram C* —3D **31**
Kellaway Av. *Bris* —2E **57**
Kellaway Cres. *Bris* —1F **57**

Kingsway Trailer Cvn. Pk. *Wint* —1B 46
Kingsway Trailer Pk. *War* —4D 75
Kingswear. *W Mare* —3E 129
Kingswear Rd. *Bris* —4F 79
Kings Weston Av. *Bris* —5F 37
Kings Weston La. *Bris* —5E 21
Kings Weston Rd. *Law W & Hen*
—5C 38
Kington La. *T'bry* —3A 6
King William Av. *Bris* —4F 69 (4C 4)
King William St. *Bris* —1D 79
Kinsale Rd. *Bris* —1E 89
Kinsale Wlk. *Bris* —4A 80
Kinvara Rd. *Bris* —5A 80
Kipling Av. *Bath* —5A 106
Kipling Rd. *Bris* —3D 43
Kipling Rd. *Rads* —3F 151
Kirkby Rd. *Bris* —3C 38
Kirkstone Gdns. *Bris* —2E 41
Kirtlington Rd. *Bris* —4D 59
Kitcheners Ct. *Trow* —1C 118
Kite Hay Clo. *Bris* —2A 60
Kites Clo. *Brad S* —4E 11
Kite Wlk. *W Mare* —5C 128
Kitley Hill. *Rads* —5F 147
Knapp Rd. *T'bry* —3D 7
Knapps Clo. *Wins* —4A 156
Knapps Dri. *Wins* —4A 156
Knapps La. *Bris* —3C 60
Knapp, The. *Yate* —1B 18
Knap, The. *Hil* —4F 117
Knight Clo. *W Mare* —1E 129
Knightcott Gdns. *Ban* —5D 137
Knightcott Pk. *Ban* —5E 137
Knightcott Rd. *Abb L* —2B 66
Knightcott Rd. *Ban* —5C 136
Knighton Rd. *Bris* —3F 41
Knights Clo. *Henl* —1D 57
Knightstone Causeway. *W Mare*
—5A 126
Knightstone Clo. *Pea J* —1E 149
Knightstone Ct. *Clev* —5D 121
Knightstone Pl. *Bris* —2D 83
Knightstone Pl. *W'ton* —5C 98
Knightstone Pl. *W Mare* —3D 129
Knightstone Rd. *W Mare* —4A 126
Knightstone Sq. *Bris* —2E 89
Knightswood. *Nail* —2C 122
Knightwood Rd. *Stok G* —4B 28
Knobsbury Hill. *Mid N* —5F 153
Knobsbury La. *Writ* —3F 153
Knole Clo. *Alm* —2B 10
Knole La. *Bris* —1C 40
Knole Pk. *Alm* —3B 10
Knoll Ct. *Bris* —4F 55
Knoll Hill. *Bris* —4F 55
Knoll, The. *P'head* —1F 49
Knovill Clo. *Bris* —2D 39
Knowle Rd. *Bris* —2B 80
Knowles Rd. *Clev* —4C 120
Knowsley Rd. *Bris* —4A 60
Kyght Clo. *War* —2C 74
Kylross Av. *Bris* —3D 89
Kynges Mill Clo. *Bris* —5C 44
Kyrle Gdns. *Bathe* —3A 102

Labbott, The. *Key* —3A 92
Laburnam Ter. *Bathe* —3A 102
Laburnum Clo. *Mid N* —4C 150
Laburnum Ct. *W Mare* —1F 133
Laburnum Gro. *Bris* —3D 61
Laburnum Gro. *Mid N* —4C 150
Laburnum Gro. *Trow* —4B 118
Laburnum Rd. *Bris* —5E 73
Laburnum Rd. *W Mare* —1E 133
Laburnum Wlk. *Key* —5E 91
Lacey Rd. *Bris* —2A 90
Lacock Dri. *Bar C* —5B 74
Ladd Clo. *Bris* —3B 74
Ladden Ct. *T'bry* —4D 7

Ladies Mile. *Bris* —1B 68
Ladman Gro. *Bris* —2A 90
Ladman Rd. *Bris* —2A 90
Ladycroft. *Clev* —5B 120
Ladydown. *Trow* —4D 117
Ladye Wake. *W Mare* —1D 129
Ladymeade. *Back* —1C 124
Ladysmith Rd. *Bris* —3D 57
Ladywell. *Wrin* —1B 156
Laggan Gdns. *Bath* —5F 99
Lake Mead Gdns. *Bris* —4B 86
Lakemead Gro. *Bris* —2B 86
Lake Rd. *Bris* —5E 41
Lake Rd. *P'head* —2E 49
Lakeside. *Bris* —4A 60
Lake Vw. *Bris* —4B 60
Lake Vw. Rd. *Bris* —2F 71
Lakewood Cres. *Bris* —4D 41
Lakewood Rd. *Bris* —4D 41
Lamb Ale Grn. *Trow* —4E 119
Lambert Pl. *Bris* —2F 87
Lamb Hill. *Bris* —3B 72
Lambley Rd. *Bris* —2A 72
Lambourn Clo. *Bris* —2F 79
Lambourne Way. *P'head* —4B 50
Lambourn Rd. *Key* —4C 92
Lambridge Bldgs. *Bath* —4D 101
Lambridge Grange. *Bath* —4D 101
Lambridge M. *Bath* —5D 101
Lambridge Pl. *Bath* —5D 101
Lambridge St. *Bath* —5D 101
Lambrok Clo. *Trow* —4A 118
Lambrok Rd. *Trow* —4A 118
Lambrook Rd. *Bris* —3C 60
Lamb St. *Bris* —3B 70 (1F 5)
Lamord Ga. *Stok G* —4A 28
Lampard's Bldgs. *Bath*
—1A 106 (1B 96)
Lampeter Rd. *Bris* —5B 40
Lampton Av. *Bris* —5A 88
Lampton Gro. *Bris* —5A 88
Lampton Rd. *L Ash* —4B 76
Lanaway Rd. *Bris* —1D 61
Lancashire Rd. *Bris* —4A 58
Lancaster Clo. *Stok G* —5F 27
Lancaster Rd. *Bris* —5C 58
Lancaster Rd. *Yate* —3A 18
Lancaster St. *Bris* —3E 71
Landemann Cir. *W Mare* —5C 126
Landemann Path. *W Mare* —5C 126
Land La. *Yat* —4C 142
Landrail Wlk. *Bris* —1B 60
Landseer Av. *Bris* —1D 59
Landseer Clo. *W Mare* —2D 129
Landseer Rd. *Bath* —3C 104
Land, The. *Coal H* —2E 31
Lanercost Rd. *Bris* —2E 41
Lanesborough Ri. *Bris* —1F 89
Lanes Rd. *L Ash* —5A 86
Laneys Drove. *Lock* —3C 134
Langdale Ct. *Pat* —1C 26
Langdale Rd. *Bris* —3B 60
Langdon Rd. *Bath* —5C 104
Langfield Clo. *Bris* —1A 40
Langford Rd. *Bris* —5B 78
Langford Rd. *Trow* —5C 116
Langford Rd. *W Mare* —2E 133
Langford's La. *Paul* —1A 146
Langford Way. *Bris* —3A 74
Langham Rd. *Bris* —3E 81
Langhill Av. *Bris* —1E 87
Langley Cres. *Bris* —4A 78
Langley Mow. *E Grn* —5D 47
Langley Rd. *Trow* —5C 118
Langley's La. *C'tn* —3A 150
Langport Gdns. *Nail* —5D 123
Langport Rd. *W Mare* —2C 132
Langthorn Clo. *Fram C* —2E 31
Langton Ct. Rd. *Bris* —5F 71
Langton Pk. *Bris* —1E 79
Langton Rd. *Bris* —5F 71
Langton Way. *St Ap* —3A 72

Lansdown. *Yate* —1A 34
Lansdown Clo. *Bath* —5F 99
Lansdown Clo. *Bris* —5F 61
Lansdown Clo. *Trow* —3B 118
Lansdown Cres. *Bath* —5A 100
Lansdown Cres. *Tim* —1F 157
Lansdowne. Bris —3E 45
(off Harford Dri.)
Lansdowne Ind. Est. *Wickw* —1B 154
Lansdown Gdns. *W Mare* —1F 129
Lansdown Gro. *Bath* —1A 106
Lansdown La. *Bath* —4C 98
Lansdown M. *Bath* —2A 106 (2B 96)
Lansdown Pk. *Bath* —3F 99
Lansdown Pl. *Bris* —3C 68
Lansdown Pl. *E Grn* —1E 63
Lansdown Pl. E. *Bath* —1A 106
Lansdown Pl. W. *Bath* —5A 100
Lansdown Rd. *Bath* —1C 98 (1B 96)
Lansdown Rd. *Clif* —3C 68
Lansdown Rd. *E'tn* —1D 71
Lansdown Rd. *K'wd* —5F 61
Lansdown Rd. *Puck* —1E 65
Lansdown Rd. *Redl* —5E 57
Lansdown Rd. *Salt* —1A 94
Lansdown Ter. *Bris* —2F 57
Lansdown Ter. L'dwn —1A 106
(off Lansdown Rd.)
Lansdown Ter. *W'ton* —5D 99
Lansdown Vw. *Bris* —2A 74
Lansdown Vw. *Tim* —1F 157
Lansdown Vw. *Twer A* —4D 105
Lanthony Clo. *W Mare* —5E 129
Laphams Ct. *L Grn* —1B 84
Lapwing Clo. *Brad S* —4F 11
Lapwing Gdns. *Bris* —1B 60
Lapwing Gdns. *W Mare* —4D 129
Larch Clo. *Nail* —3F 123
Larch Ct. *Rads* —4A 152
Larches, The. *W Mare* —2E 129
Larch Gro. *Trow* —4B 118
Larchgrove Cres. *W Mare* —4D 129
Larchgrove Wlk. *W Mare* —4E 129
Larch Rd. *Bris* —4A 62
Larch Way. *Pat* —2A 26
Lark Clo. *Mid N* —4E 151
Larkdown. *Trow* —2F 119
Larkfield. *Coal H* —2F 31
Lark Pl. Bath —2E 105
(off Up. Bristol Rd.)
Lark Rd. *W Mare* —4D 129
Larks Fld. *Bris* —2A 60
Larksleaze Rd. *L Grn* —3A 84
Larkspur. *Trow* —1E 119
Larkspur Clo. *T'bry* —3E 7
Lasbury Gro. *Bris* —3E 87
Latchmoor Ho. *Bris* —5C 78
Late Broads. *W'ley* —2E 113
Latimer Clo. *Bris* —1A 82
Latteridge Rd. *Iron A* —1C 14
Latton Rd. *Bris* —4B 42
Launceston Av. *Bris* —5D 73
Launceston Rd. *Bris* —1D 73
Laura Pl. *Bath* —2B 106 (2D 97)
Laurel Dri. *Nail* —3E 123
Laurel Dri. *Paul* —4A 146
Laurel Dri. *Uph* —1C 138
Laurel Gro. *Yat* —2B 142
Laurels, The. *Mang* —1C 62
Laurel St. *Bris* —2F 73
Laurel Ter. *Yat* —2B 142
Laurie Cres. *Bris* —1F 57
Laurie Lee Ct. *Bar C* —5C 74
Lavender Clo. *T'bry* —3E 7
Lavender Clo. *Trow* —3E 119
Lavender Ct. *Bris* —1B 72
Lavender Way. *Brad S* —2B 28
Lavenham Rd. *Yate* —4D 17

Lavers Clo. *Bris* —4A **74**
Lavington Clo. *Clev* —5A **120**
Lavington Rd. *Bris* —4D **73**
Lawford Av. *Lit S* —3E **27**
Lawfords Ga. *Bris* —3B **70** (1F 5)
Lawford St. *Bris* —3B **70** (1F 5)
Lawn Av. *Bris* —2D **61**
Lawn Rd. *Bris* —2D **61**
Lawnside. *Back* —3D **125**
Lawns Rd. *Wrin* —4A **18**
Lawns, The. *Bris* —5A **38**
Lawns, The. *W Mare* —2F **129**
Lawns, The. *Yat* —2A **142**
Lawnwood Rd. *Bris* —2D **71**
Lawrence Av. *Bris* —1D **71**
Lawrence Clo. *W Mare* —3C **128**
Lawrence Dri. *Yate* —4D **17**
Lawrence Gro. *Bris* —2D **57**
Lawrence Hill. *Bris* —3D **71**
Lawrence Hill Ind. Pk. *Bris* —2D **71**
Lawrence M. *W Mare* —3C **128**
Lawrence Rd. *W Mare* —3C **128**
Lawrence Rd. *Wrin* —1C **156**
Lawrence Weston Rd. *Bris* —5B **22**
  (in two parts)
Lawson Clo. *Salt* —5E **93**
Laxey Rd. *Bris* —5B **42**
Laxton Way. *Pea J* —5D **157**
Lays Dri. *Key* —4E **91**
Leach Clo. *Clev* —5C **120**
Lea Cft. *Bris* —3C **86**
Leafield Pl. *Trow* —1A **118**
Leafy Way. *Lock* —4F **135**
Lea Gro. Rd. *Clev* —2C **120**
Leaholme Gdns. *Bris* —5C **88**
Leap Va. *Bris* —4C **46**
Leap Valley Cres. *Bris* —4B **46**
Lear Ct. *Bris* —5D **75**
Leaze, The. *Rads* —4A **152**
Leaze, The. *Yate* —4F **17**
Leda Av. *Bris* —1C **88**
Ledbury Rd. *Bris* —3F **61**
Leechpool Way. *Yate* —1A **18**
Lee Clo. *Pat* —1B **26**
Leedham Rd. *Lock* —4F **135**
Leeming Way. *Bris* —4E **37**
Lees Hill. *Bris* —5A **62**
Leeside. *P'head* —3E **49**
Lees La. *Bris* —5A **62**
Leewood Rd. *W Mare* —4D **127**
Leicester Sq. *Bris* —1F **79**
Leicester St. *Bris* —1F **79**
Leicester Wlk. *Bris* —5B **72**
Leigh Clo. *Bath* —4B **100**
Leigh Pk. Rd. *Brad A* —1E **115**
Leigh Rd. *Brad A* —1E **115**
Leigh Rd. *Bris* —2D **69**
Leigh Rd. *Holt* —1D **155**
Leigh St. *Bris* —1C **78**
Leighton Cres. *W Mare* —3E **139**
Leighton Rd. *Bath* —3B **98**
Leighton Rd. *Know* —3D **81**
Leighton Rd. *S'vle* —1D **79**
Leigh Vw. Rd. *P'head* —1F **49**
Leighwood Dri. *Nail* —4A **122**
Leinster Av. *Know* —1F **87**
Lemon La. *Bris* —2B **70**
Lena Av. *Bris* —1E **71**
Lena St. *Bris* —1D **71**
Lenover Gdns. *Bris* —4D **87**
Leonard La. *Bris* —3F **69** (2B 4)
Leonard Rd. *Bris* —3E **71**
Leonard's Av. *Bris* —1E **71**
Leopold Rd. *Bris* —5A **58**
Lescren Way. *Bris* —3F **37**
Leslie Ri. *L W'wd* —5A **114**
Lester Dri. *W Mare* —2E **129**
Lewington Rd. *Bris* —3E **61**
Lewins Mead. *Bris* —3F **69** (1B 4)
Lewin St. *Bris* —3F **71**
Lewis Clo. *Bris* —5F **75**

Lewisham Gro. *W Mare* —5E **127**
Lewis Rd. *Bris* —5C **78**
Lewis St. *Bris* —5D **71**
Lewton La. *Wint* —2A **30**
Leyland Wlk. *Bris* —4B **86**
Leys, The. *Clev* —5B **120**
Leyton Vs. *Bris* —5D **57**
Liberty Ind. Pk. *Bris* —4C **78**
Lichfield Rd. *Bris* —4A **72**
Liddington Way. *Trow* —5D **119**
Lilac Clo. *Bris* —3E **41**
Lilac Ct. *Key* —5E **91**
Lilac Gro. *Trow* —5B **118**
Lilac Ter. *Mid N* —2F **151**
Lilian Ter. *Paul* —4B **146**
Lillian St. *Bris* —2E **71**
Lillington Clo. *Rads* —2E **153**
Lillington Rd. *Rads* —2E **153**
Lilliput Av. *Chip S* —1C **34**
Lilliput Ct. *Chip S* —1C **34**
Lilstock Av. *Bris* —4B **58**
Lilton Wlk. *Bris* —4C **78**
Lilymead Av. *Bris* —2B **80**
Limebreach Wood. *Nail* —2C **122**
Lime Clo. *Bren* —1D **41**
Lime Clo. *Lock* —4F **135**
Lime Clo. *W Mare* —4E **129**
Lime Ct. *Key* —4E **91**
Lime Cft. *Yate* —2C **18**
Lime Gro. *Alv* —2A **8**
Lime Gro. *Bath* —3C **106** (4E **97**)
Lime Gro. Gdns. *Bath* —3C **106** (4E **97**)
Lime Kiln La. *Brad S* —2F **43**
Lime Kiln Gdns. *Brad S* —3F **11**
Lime Kiln La. *Clev* —3D **121**
Limerick Rd. *Bris* —5E **57**
Lime Rd. *Bedm* —1D **79**
Lime Rd. *Han* —5C **72**
Limes, The. *Bris* —3D **45**
  (off Wellington Pl.)
Lime Ter. *Rads* —3A **152**
Lime Trees Rd. *Bris* —2E **59**
Limpley Stoke Rd. *W'ley* —2D **113**
Lincoln Clo. *Key* —4E **91**
Lincoln St. *Bris* —3D **71**
Lincombe Av. *Bris* —1F **61**
Lincombe Rd. *Bris* —1E **61**
Lincombe Rd. *Rads* —4A **152**
Lincott Vw. *Pea J* —1F **149**
Linden Av. *W Mare* —5F **127**
Linden Clo. *Fish* —5C **60**
Linden Clo. *Rads* —4B **152**
Linden Clo. *Stoc* —2A **90**
Linden Clo. *Wint* —3A **30**
Linden Dri. *Brad S* —1A **28**
Linden Gdns. *Bath* —1E **105**
Linden Ho. *Bris* —2E **59**
Linden Pl. *Trow* —1B **118**
Linden Rd. *Clev* —2D **121**
Linden Rd. *W'bry P* —3D **57**
Lindens, The. *W Mare* —1C **128**
Lindisfarne Clo. *W'ley* —2F **113**
Lindon Ho. *Bris* —2A **82**
Lindrea St. *Bris* —2D **79**
Lindsay Rd. *Bris* —3C **58**
Linemere Clo. *Back* —2E **125**
Lines Way. *Bris* —5E **89**
Lingfield Pk. *Down* —3B **46**
Link Rd. *Brad S* —1B **42**
Link Rd. *Nail* —3B **123**
Link Rd. *P'head* —3E **49**
Link Rd. *Yate* —5B **18**
Link Rd. W. *Pat* —3D **25**
Links Rd. *Uph* —1A **138**
Linley Clo. *Bath* —4B **104**
Linley Ho. *Bath* —4B **106** (5D **97**)
  (off Henry St.)
Linleys, The. *Bath* —2D **105**
Linne Ho. *Bath* —4B **104**
Linnell Clo. *Bris* —1D **59**
Linnet Clo. *Pat* —1A **26**

Linnet Clo. *W Mare* —4C **128**
Linnet Way. *Bris* —1F **89**
Linnet Way. *Mid N* —4E **151**
Linsey Clo. *P'head* —4B **48**
Lintern Cres. *Bris* —4D **75**
Lintham Dri. *Bris* —4B **74**
Lion Clo. *Nail* —3C **122**
Lipgate Pl. *P'head* —5F **49**
Lippiatt La. *Tim* —1E **157**
Lisburn Rd. *Bris* —4A **80**
Lisle Rd. *W Mare* —1E **129**
Lister Gro. *L W'wd* —5A **114**
Litfield Pl. *Bris* —3B **68**
Litfield Rd. *Bris* —2B **68**
Lit. Ann St. *Bris* —2B **70** (1F 5)
Lit. Birch Cft. *Bris* —5C **88**
Lit. Bishop St. *Bris* —2A **70**
Littlebrook. *Paul* —3B **146**
Lit. Caroline Pl. *Bris* —5B **68**
Little Common. *N Brad* —4E **155**
Littlecross Ho. *Bris* —1D **79**
Littledean. *Yate* —2A **34**
Little Dowles. *Bris* —1C **84**
Littlefields Av. *Ban* —5E **137**
Littlefields Ri. *Ban* —5F **137**
Littlefields Rd. *Ban* —5F **137**
Lit. George St. *Bris* —2B **70** (1F 5)
Lit. George St. *W Mare* —1C **132**
Lit. Green La. *Sev B* —3B **20**
Little Halt. *P'head* —4A **48**
Little Ham. *Clev* —5C **120**
Little Hayes. *Bris* —2D **61**
Lit. Headley Clo. *Bris* —1D **87**
Little Hill. *Bath* —3B **104**
Lit. King St. *Bris* —4F **69** (4C 4)
Little Mead. *Bris* —3D **39**
Lit. Mead Clo. *Hut* —5C **134**
Little Mdw. *Brad S* —3C **28**
Lit. Mdw. End. *Nail* —4D **123**
Little Orchard. *Uph* —2B **138**
Little Paradise. *Bris* —1F **79**
Little Parks. *Holt* —1F **155**
Lit. Parr Clo. *Stap* —2E **59**
Lit. Paul St. *Bris* —2E **69**
Lit. Solsbury La. *Bathe* —2F **101**
Lit. Stanhope St. *Bath* —3F **105** (3A **96**)
Lit. Stoke La. *Lit S* —2E **27**
Lit. Stoke Rd. *Bris* —3A **56**
Lit. Thomas St. *Bris* —4A **70** (3D 5)
Littleton Ct. *Pat* —5B **10**
Littleton Rd. *Bris* —3F **79**
Littleton St. *Bris* —1E **71**
Lit. Wall Drove. *Cong* —2A **144**
Lit. Withey Mead. *Bris* —1A **56**
Littlewood Clo. *Bris* —5D **89**
Litton. *W Mare* —1E **139**
Livingstone Rd. *Bath* —4E **105**
Llewellyn Ct. *Bris* —4C **40**
Llewellyn Way. *W Mare* —2F **129**
Lockemor Rd. *Bris* —4B **88**
Lockeridge Clo. *Trow* —5D **119**
Lock Gdns. *Bris* —1A **86**
Locking Head Drove. *W Mare* —5E **129**
  (in two parts)
Locking Moor Rd. *W Mare* —5A **128**
  (in two parts)
Locking Rd. *W Mare* —1C **132**
Lockingwell Rd. *Key* —3E **91**
Lockleaze Rd. *Bris* —1C **58**
Locksacre. *Alv* —1C **8**
Locksbrook Ct. *Bath* —2D **105**
Locksbrook Rd. *Bath* —3C **104**
Locksbrook Rd. *W Mare* —1F **129**
Lock's La. *Iron A* —2A **14**
Locks Yd. Cvn. Site. *Bris* —4D **79**
Loddon Way. *Brad A* —4F **115**
Lodge Causeway. *Bris* —4B **60**
Lodge Clo. *Yat* —3B **142**
Lodge Ct. *Bris* —3A **56**
Lodge Dri. *L Ash* —3D **77**
Lodge Dri. *Old C* —3E **85**
Lodge Dri. *W Mare* —4E **127**

Lyons Ct. Rd. *Bris* —1F **89**
Lyppiatt Rd. *Bris* —2F **71**
Lyppincourt Rd. *Bris* —1C **40**
Lysander Rd. *W Trym & Pat* —3D **25**
Lysander Wlk. *Stok G* —4A **28**
Lytchet Dri. *Bris* —4B **46**
Lytes Cary Rd. *Key* —5A **92**
Lytham Ho. *Bris* —4F **81**
Lytton Gdns. *Bath* —5C **104**
Lytton Gro. *Bris* —4C **42**
Lytton Gro. *Key* —3C **92**
Lyveden Gdns. *Bris* —3D **87**
Lyvedon Way. *L Ash* —4D **77**

McAdam Way. *Bris* —5B **68**
Macaulay Bldgs. *Wid* —5D **107**
Macaulay Rd. *Bris* —4C **42**
McCrae Rd. *Lock* —3F **135**
McDonogh Ct. *Trow* —2E **119**
Macey's Rd. *Bris* —5F **87**
Machin Clo. *Bris* —1B **40**
Machin Gdns. *Bris* —1C **40**
Machin Rd. *Bris* —1B **40**
Macies, The. *Bath* —3C **98**
Mackie Av. *Bris* —2D **43**
Mackie Gro. *Bris* —2D **43**
Mackie Rd. *Bris* —2D **43**
McLaren Rd. *Bris* —3D **37**
Macleod Clo. *Clev* —4A **120**
Macquarie Clo. *Yat* —2A **142**
Macrae Ct. *Bris* —2A **74**
Macrae Rd. *Pill* —3A **54**
Madam La. *W Mare* —3D **129**
(in two parts)
Madeira Ct. *W Mare* —4A **126**
Madeira Rd. *Clev* —3D **121**
Madeira Rd. *W Mare* —4A **126**
Madeline Rd. *Bris* —4B **60**
Madison Clo. *Yate* —4F **17**
Maesbury. *Bris* —4A **74**
Maesbury Rd. *Key* —5A **92**
Maesknoll Rd. *Bris* —2C **80**
Magdalen Av. *Bath* —4A **106** (5A **96**)
Magdalene Pl. *Bris* —1B **70**
Magdalene Rd. *Rads* —2F **153**
Magdalen Rd. *Bath* —4A **106** (5A **96**)
Magdalen Way. *W Mare* —2E **129**
Magellan Clo. *W Mare* —1D **129**
Maggs Clo. *Bris* —1F **41**
Maggs Hill. *Tim* —1E **157**
Maggs La. *C'chu* —4D **89**
Maggs La. *Clay H* —5A **60**
Magnolia Av. *W Mare* —4E **129**
Magnolia Ri. *Trow* —3E **119**
Magnolia Rd. *Rads* —3B **152**
Magnon Rd. *Brad A* —2C **114**
Magpie Bottom La. *St G & K'wd*
—4D **73**
Magpie Clo. *W Mare* —5C **128**
Maidenhead Rd. *Bris* —5F **87**
Maiden Way. *Bris* —4E **37**
Maidstone Gro. *W Mare* —2E **139**
Maidstone St. *Bris* —2B **80**
Main Rd. *B'ley* —5A **124**
Main Rd. *E Comp* —1C **24**
Main Rd. *Hew* —1F **131**
Main Rd. *Hut* —1B **140**
Main Rd. *Yate* —2E **63**
Main Vw. *Coal H* —2F **31**
Maisemore. *Yate* —3F **33**
Maisemore Av. *Pat* —5D **11**
Makin Clo. *Bris* —5E **75**
Malago Rd. *Bris* —2E **79**
Malago Va. Est. *Bris* —2E **79**
Malago Wlk. *Bris* —4A **86**
Maldowers La. *Bris* —1C **72**
Mallard Clo. *Brad S* —4F **11**
Mallard Clo. *Bris* —1B **72**
Mallard Clo. *Chip S* —1C **34**
Mallard Wlk. *W Mare* —5C **128**
Mallow Clo. *Clev* —3E **121**

Mallow Clo. *T'bry* —2E **7**
Mallow Clo. *Trow* —4D **119**
Mall, The. *Bath* —4B **106** (4C **96**)
Mall, The. *Bris* —3B **68**
Mall, The. *Pat* —3F **25**
Malmains Dri. *Bris* —3D **45**
Malmesbury Clo. *Bris* —3E **57**
Malmesbury Clo. *L Grn* —5B **74**
Malthouse, The. *Bris* —5B **58**
Maltings Ind. Est., The. *Bath*
—3C **104**
Maltings, Ind. Pk., The. *Trow*
—1B **118**
Maltings, The. *Brad A* —4E **115**
Maltings, The. *W Mare* —3D **129**
Maltlands. *W Mare* —1B **134**
Malvern Bldgs. *Bath* —4B **100**
Malvern Ct. *Bris* —3B **72**
Malvern Dri. *Bris* —5E **75**
Malvern Dri. *T'bry* —4E **7**
Malvern Rd. *Brisl* —2F **81**
Malvern Rd. *St G* —3B **72**
Malvern Rd. *W Mare* —3C **132**
Malvern Ter. *Bath* —5B **100**
Malvern Vs. *Bath* —5B **100**
(off Belgrave Cres.)
Mancroft Av. *Bris* —5A **38**
Mandy Meadows. *Mid N* —3C **150**
Mangotsfield Rd. *Bris & Mang*
—3B **62**
Manilla Cres. *W Mare* —4B **126**
Manilla Pl. *W Mare* —4A **126**
Manilla Rd. *Bris* —3C **68**
Manmoor La. *Clev* —5F **121**
Manor Clo. *Coal H* —3E **31**
Manor Clo. *E'ton G* —3C **52**
Manor Clo. *Trow* —4A **118**
Manor Clo., The. *Abb L* —2C **66**
Manor Copse Rd. *Writ* —2F **153**
Manor Ct. *Back* —3C **124**
Manor Ct. *Bris* —3A **60**
Manor Ct. *Lock* —4E **135**
Manor Ct. *Trow* —4A **118**
Manor Court Dri. *Bris* —5A **42**
Manor Dri. *Bathf* —4D **103**
Manor Farm Cvn. Pk. *W Mare*
—2C **138**
Manor Farm Clo. *W Mare* —1F **139**
Manor Farm Cotts. *Brad S* —5E **11**
Manor Farm Cres. *Brad S* —5F **11**
Manor Farm Cres. *W Mare* —1F **139**
Manor Farm Roundabout. *Brad S*
—1F **27**
Manor Gdns. *Kew* —1F **127**
Manor Gdns. *Lock* —4E **135**
Manor Gdns. Ho. *Bris* —2B **60**
Manor Grange. *B'don* —4F **139**
Manor Gro. *Mang* —3C **62**
Manor Gro. *Pat* —4D **11**
Manor La. *Abb L* —2B **66**
Manor La. *Wint* —2B **30**
Manor Pk. *Bath* —1C **104**
Manor Pk. *Bris* —4D **57**
Manor Pk. *Rads* —2F **153**
Manor Pl. *Bris* —3E **45**
Manor Rd. *Abb L* —4B **66**
Manor Rd. *Bath* —5D **99**
Manor Rd. *Bishop* —3A **58**
Manor Rd. *B'wth* —2B **86**
Manor Rd. *Fish* —2B **60**
Manor Rd. *Key* —5B **92**
Manor Rd. *Trow* —4A **118**
Manor Rd. *W Mare* —4D **127**
Manor Rd. *Wick* —5B **154**
Manor Rd. *Writ* —2F **153**
Manor Rd. *Yate* —3C **62**
Manor Ter. *Rads* —2F **153**
Manor Valley. *W Mare* —4E **127**
Manor Vs. *Bath* —5D **99**
Manor Wlk. *T'bry* —1C **6**
Manor Way. *Chip S* —5E **19**
Mansbrook Ho. *Mid N* —3D **151**

Mansell Clo. *Salt* —5E **93**
Mansfield Av. *W Mare* —5F **127**
Mansfield St. *Bris* —3D **79**
Manston Clo. *Bris* —5E **81**
Manton Clo. *Trow* —5C **118**
Manvers St. *Bath* —3B **106** (4C **96**)
Manvers St. *Trow* —1D **119**
Manworthy Rd. *Bris* —2F **81**
Manx Rd. *Bris* —5B **42**
Maple Av. *Bris* —4E **61**
Maple Av. *T'bry* —3D **7**
Maple Clo. *Bris* —3F **89**
Maple Clo. *Lit S* —2E **27**
Maple Clo. *Old C* —1D **85**
Maple Clo. *W Mare* —5E **127**
Maple Ct. *Bris* —1F **73**
Maple Dri. *Rads* —3B **152**
Maple Gdns. *Bath* —5F **105**
Maple Gro. *Bath* —5F **105**
Maple Gro. *Trow* —4C **118**
Maple Leaf Ct. *Bris* —3C **68**
Mapleleaze. *Bris* —2F **81**
Maplemeade. *Bris* —3E **57**
Maple Rd. *Bris* —2F **57**
Maple Rd. *St Ap* —5F **71**
Maples, The. *Nail* —4B **122**
Maplestone Rd. *Bris* —5C **88**
Maple Wlk. *Key* —4F **91**
Maple Wlk. *Puck* —2E **65**
Mapstone Clo. *Ham* —1D **45**
Marbeck Rd. *Bris* —3D **41**
Marchants Pas. *Bath* —4B **106** (5C **96**)
Marchants Quay. *Bris* —5F **69** (5B **4**)
Marchfields Way. *W Mare* —2D **133**
Marconi Rd. *P'head* —3B **48**
Mardale Clo. *Bris* —2E **41**
Marden Rd. *Key* —4C **92**
Marden Wlk. *Trow* —4D **119**
Mardon Rd. *Bris* —4F **71**
Mardyke Ferry Rd. *Bris* —5D **69**
Margaret Rd. *Bris* —4B **86**
Margaret's Bldgs. *Bath*
—2A **106** (1A **96**)
Margaret's Hill. *Bath* —1B **106**
Margate St. *Bris* —2B **80**
Marguerite Rd. *Bris* —5B **78**
Marigold Wlk. *Bris* —3C **78**
Marina Dri. *Stav* —3D **117**
Marina Gdns. *Bris* —4A **60**
Marindin Dri. *W Mare* —1F **129**
Marine Hill. *Clev* —1C **120**
Marine Pde. *Clev* —2C **120**
Marine Pde. *Pill* —2E **53**
(in two parts)
Marine Pde. *W Mare* —3B **132**
(Beach Rd.)
Marine Pde. *W Mare* —4A **126**
(Claremont Cres.)
Mariners Clo. *Back* —2C **124**
Mariner's Clo. *W Mare* —4B **128**
Mariners Dri. *Back* —2C **124**
Mariners Dri. *Bris* —3F **55**
Mariner's Path. *Bris* —3F **55**
Mariners Path. *P'head* —3A **48**
Mariners Way. *Pill* —2E **53**
Marion Rd. *Bris* —2D **83**
Marion Wlk. *Bris* —3C **72**
Marissal Clo. *Bris* —1A **40**
Marissal Rd. *Bris* —1F **39**
Mariston Way. *Bris* —4E **75**
Marjoram Pl. *Brad S* —2B **28**
Marjorie Whimster Ho. *Bath* —3C **104**
Market Ind. Est. *Yat* —2B **142**
Market La. *W Mare* —5B **126**
Market Pl. *Rads* —1C **152**
Market Sq. *Bris* —4E **61**
Market St. *Brad A* —2E **115**
Market St. *Trow* —2D **119**
Markham Clo. *Bris* —5E **37**
Mark La. *Bris* —4E **69** (3A **4**)
Marksbury Rd. *Bris* —3E **79**
Marlborough Av. *Bris* —4A **60**

Marlborough Bldgs.—Merfield Rd.

Marlborough Bldgs. *Bath*
   —2F **105** (1A **96**)
Marlborough Dri. *Bris* —3D **45**
Marlborough Dri. *W Mare* —3E **129**
Marlborough Hill. *Bris* —2F **69**
Marlborough Hill Pl. *Bris* —2F **69**
Marlborough La. *Bath* —2F **105**
Marlborough St. *Bath*
   —1F **105** (1A **96**)
Marlborough St. *Bris* —2F **69** (1C **4**)
Marlborough St. *Eastv* —4A **60**
Marlepit Gro. *Bris* —2A **86**
Marley Pl. *Bris* —2B **68**
Marlfield Wlk. *Bris* —1A **86**
Marling Rd. *Bris* —2B **72**
Marlwood Dri. *Bris* —1C **40**
Marmaduke St. *Bris* —2B **80**
Marmion Cres. *Bris* —1A **40**
Marne Clo. *Bris* —3F **89**
Marsden Rd. *Bath* —1C **108**
Marshall Ho. *Bris* —3B **60**
Marsham Way. *Bris* —1B **84**
Marsh Clo. *Wint* —5A **30**
Marshfield Pk. *Bris* —4E **45**
Marshfield Rd. *Bris* —3D **61**
Marshfield Way. *Bath* —5B **100**
Marsh La. *Asht* —3C **78**
Marsh La. *E'ton G* —5A **36**
Marsh La. *Redf* —3E **71**
Marshmead. *Hil* —3F **117**
Marsh Rd. *Bris* —2B **78**
Marsh Rd. *Hil M* —2E **117**
Marsh Rd. *Yat* —3B **142**
Marsh St. *A'mth* —4E **37**
Marsh St. *Bris* —4F **69** (3B **4**)
Marshwall La. *Alm* —1A **10**
Marson Rd. *Clev* —3D **121**
Marston Rd. *Bris* —3D **81**
Marston Rd. *Trow* —3D **155**
Martcombe Rd. *E'ton G* —4C **52**
  (in three parts)
Martin Clo. *Pat* —1A **26**
Martindale Rd. *W Mare* —5B **128**
Martingale Rd. *Bris* —1F **81**
Martin's Clo. *Bris* —5E **73**
Martins Gro. *W Mare* —3C **128**
Martin's Rd. *Han* —5E **73**
Martin St. *Bris* —2D **79**
Martock. *W Mare* —1D **139**
Martock Cres. *Bris* —4E **79**
Martock Rd. *Bris* —4E **79**
Martock Rd. *Key* —5C **92**
Marwood Rd. *Bris* —5A **80**
Marybush La. *Bris* —3A **70** (2E **5**)
Mary Carpenter Pl. *Bris* —1B **70**
Mary St. Bris —2F **71**
  (off Alfred St.)
Marygold Leaze. *Bris* —1C **84**
Mary St. *Redf* —2F **71**
Mascot Rd. *Bris* —2F **79**
Masefield Way. *Bris* —1C **58**
Maskelyne Av. *Bris* —5F **41**
Masonpit Pool La. *Yate* —1E **29**
Masons La. *Brad A* —2E **115**
Masons Vw. *Wint* —2B **30**
Matchells Clo. *St Ap* —4E **72**
Materman Rd. *Stoc* —3A **90**
Matford Clo. *Bris* —5F **25**
Matford Clo. *Wint* —4A **30**
Matthews Clo. *Bris* —2B **90**
Matthews Rd. *Bris* —3E **71**
Maules La. *Ham* —2B **44**
Maulton Clo. *Holt* —2D **155**
Maunsell Rd. *Bris* —2D **39**
Maurice Rd. *Bris* —5A **58**
Mautravers Clo. *Brad S* —2F **27**
Maxcroft La. *Hil M* —2E **117**
Maxse Rd. *Bris* —2D **81**
Maybank Rd. *Yate* —5F **17**
Maybec Gdns. *Bris* —4C **72**
Maybourne. *Bris* —3C **82**
Maybrick Rd. *Bath* —4E **105**

Maycliffe Pk. *Bris* —5B **58**
Mayfair Av. *Nail* —4D **123**
Mayfield Av. *Bris* —5C **60**
Mayfield Av. *W Mare* —4C **128**
Mayfield Clo. *P'head* —5F **49**
Mayfield Pk. *Bris* —5C **60**
Mayfield Pk. N. *Bris* —5C **60**
Mayfield Pk. S. *Bris* —5C **60**
Mayfield Rd. *Bath* —4E **105**
Mayfields. *Key* —3A **92**
Mayflower Gdns. *Nail* —3F **123**
Maynard Clo. *Bris* —3E **87**
Maynard Clo. *Clev* —3F **121**
Maynard Rd. *Bris* —3E **87**
Mayors Bldgs. *Bris* —2D **61**
Mays Hill. *Fram C* —5A **16**
May's La. *W Mare* —2F **131**
May St. *Bris* —1E **73**
Maytree Av. *Bris* —1D **87**
Maytree Clo. *Bris* —1D **87**
May Tree Clo. *Nail* —4B **122**
May Tree Rd. *Rads* —3B **152**
May Tree Wlk. *Key* —5E **91**
Mayville Av. *Bris* —1D **43**
Maywood Av. *Bris* —3D **61**
Maywood Cres. *Bris* —3D **61**
Maywood Rd. *Bris* —3E **61**
Maze St. *Bris* —4D **71**
Mead Clo. *Bath* —1F **109**
Mead Clo. *Bris* —1A **54**
Mead Ct. *N Brad* —4E **155**
Mead Ct. *Wint* —3A **30**
Mead Ct. Bus. Pk. *T'bry* —4C **6**
Meade Ho. *Bath* —4B **104**
Meadgate. *E Grn* —5D **47**
Meadlands. *Cor* —5D **95**
Mead La. *Brad S* —3A **28**
Mead La. *Salt* —1B **94**
Meadowbank. *W Mare* —2D **129**
Meadow Clo. *Back* —2D **125**
Meadow Clo. *Bris* —5B **46**
Meadow Clo. *Nail* —2D **123**
Meadow Ct. *Bath* —2B **104**
Meadow Ct. Dri. *Old C* —2E **85**
Meadowcroft. *Down* —4C **46**
Meadow Cft. *W Mare* —1F **139**
Meadow Dri. *Bath* —4E **109**
Meadow Dri. *Lock* —4F **135**
Meadowfield. *Brad A* —3C **114**
Meadow Gdns. *Bath* —5B **98**
Meadow Gro. *Bris* —5F **37**
Meadowland. *Yat* —2A **142**
Meadowland Rd. *Bris* —5A **24**
Meadowlands. *St Geo* —3A **130**
Meadow La. *B'ptn* —5E **101**
Meadow Mead. *Fram C* —1D **31**
Meadow Mead. *Yate* —1A **18**
Meadow Pk. *Bathf* —3C **102**
Meadow Rd. *Chip S* —5C **18**
Meadow Rd. *Clev* —3E **121**
Meadow Rd. *Paul* —5C **146**
Meadows Clo. *P'head* —3B **48**
Meadow Side. *Iron A* —2F **15**
Meadowside. *T'bry* —4E **7**
Meadowside Dri. *Bris* —5C **88**
Meadows, The. *Bris* —1F **83**
Meadow St. *A'mth* —3C **36**
Meadow St. *St Pa* —3A **70** (1E **5**)
Meadow St. *W Mare* —1C **132**
Meadowsweet Av. *Bris* —1D **43**
Meadowsweet Ct. *Stap* —2A **60**
Meadow Va. *Bris* —1C **72**
Meadow Vw. *Fram C* —2E **31**
Meadow Vw. *Rads* —3D **153**
Meadow Vw. Clo. *Bath* —1B **104**
Meadow Way. *Brad S* —2A **28**
Mead Ri. *Bris* —5B **70**
Mead Rd. *Chip S* —1E **35**
Mead Rd. *P'head* —5E **49**
Mead Rd. *Stok G* —3A **28**
Meads, The. *Bris* —5B **46**
  (in two parts)

Mead St. *Bris* —1B **80**
Mead, The. *Alv* —2B **8**
Mead, The. *Dun* —5A **86**
Mead, The. *Fil* —5D **27**
Mead, The. *Mid N* —1F **157**
Mead, The. *W'ley* —2F **113**
Mead Va. *W Mare* —4C **128**
Meadway. *Bris* —1E **55**
Mead Way. *T'bry* —5C **6**
Meadway. *Trow* —2A **118**
Meadway Av. *Nail* —3C **122**
Mearcombe La. *B'don* —5D **141**
Meardon Rd. *Bris* —2A **90**
Meare. *W Mare* —1D **139**
Meare Rd. *Bath* —2B **110**
Mede Clo. *Bris* —5A **70**
Medical Av. *Bris* —3E **69** (2A **4**)
Medina Clo. *T'bry* —5D **7**
Medway Clo. *Key* —5C **92**
Medway Ct. *T'bry* —4E **7**
Medway Dri. *Fram C* —2D **31**
Medway Dri. *Key* —5C **92**
Meere Bank. *Bris* —3D **39**
Meer Wall. *W Mare* —5A **144**
Meg Thatchers Gdns. *Bris* —3D **73**
Meg Thatcher's Grn. *Bris* —3D **73**
Melbourne Dri. *Chip S* —5D **19**
Melbourne Rd. *Bris* —3F **57**
Melbourne Ter. *Clev* —3D **121**
Melbury Rd. *Bris* —3B **80**
Melcombe Ct. *Bath* —5E **105**
Melcombe Rd. *Bath* —4E **105**
Melita Rd. *Bris* —4A **58**
Melksham Rd. *Holt* —1F **155**
Mellent Av. *Bris* —5E **87**
Mells Clo. *Key* —5A **92**
Mells La. *Rads* —2E **153**
Melrose Av. *Bris* —2D **69**
Melrose Av. *Yate* —4B **18**
Melrose Clo. *Yate* —4C **18**
Melrose Gro. *Bath* —1C **108**
Melrose Pl. *Bris* —2D **69**
Melrose Ter. *Bath* —4B **100**
Melton Cres. *Bris* —4C **42**
Melton Rd. *Trow* —5C **116**
Melville Rd. *Bris* —1D **69**
Melville Ter. *Bris* —2E **79**
Melvin Sq. *Bris* —4A **80**
Memorial Clo. *Bris* —1D **83**
Memorial Cotts. *Bath* —5D **99**
Memorial Rd. *Bris* —5D **73**
Memorial Rd. *Wrin* —1C **156**
Mendip Av. *W Mare* —3C **128**
Mendip Clo. *Key* —3F **91**
Mendip Clo. *Nail* —4D **123**
Mendip Clo. *Paul* —5B **146**
Mendip Clo. *Yat* —4B **142**
Mendip Cres. *Bris* —5C **46**
Mendip Edge. *W Mare* —3D **139**
Mendip Gdns. *Bath* —4E **109**
Mendip Gdns. *Yat* —4B **142**
Mendip Ri. *Lock* —4F **135**
Mendip Rd. *Bris* —2F **79**
Mendip Rd. *Lock* —4A **136**
Mendip Rd. *P'head* —3C **48**
Mendip Rd. *W Mare* —1E **133**
Mendip Rd. *Yat* —3A **142**
  (in two parts)
Mendip Ter. *Bath* —3F **107**
Mendip Vw. *Wick* —4B **154**
Mendip Vw. Av. *Bris* —4C **60**
Mendip Way. *Rads* —1C **152**
Mercer Ct. *Bris* —5D **81**
Merchants Ct. *Bris* —5C **68**
Merchants Quay. *Bris* —5F **69** (5B **4**)
Merchants Rd. *Clif* —3C **68**
Merchant's Rd. *Hot* —5C **68**
Merchant St. *Bris* —3A **70** (1D **5**)
Mercia Dri. *Bris* —5C **58**
Mercier Clo. *Yate* —4B **18**
Meredith Ct. *Bris* —5C **68**
Merfield Rd. *Bris* —3D **81**

Meridian Pl. *Bris* —3D **69**
Meridian Rd. *Bris* —1E **69**
Meridian Ter. *Bris* —3A **58**
Meridian Va. *Bris* —3D **69**
Meridian Wlk. *Trow* —2A **118**
Meriet Av. *Bris* —4D **87**
Merioneth St. *Bris* —2B **80**
Meriton St. *Bris* —5D **71**
Merlin Clo. *Bris* —4B **40**
Merlin Clo. *W Mare* —5C **128**
Merlin Ct. *Bris* —5D **41**
Merlin Pk. *P'head* —4B **48**
Merlin Ridge. *Puck* —3E **65**
Merlin Rd. *Pat* —2D **25**
Merlin Way. *Chip S* —1B **34**
Merrett Ct. *Bris* —1D **59**
Merrick Ct. *Bris* —5F **69** (5B **4**)
Merrimans Rd. *Bris* —4F **37**
Merryfield Rd. *Lock* —2F **135**
Merryweather Clo. *Brad S* —1F **27**
Merryweathers. *Bris* —3A **82**
Merrywood Clo. *Bris* —1E **79**
Merrywood Rd. *Bris* —1E **79**
Merstham Rd. *Bris* —5C **58**
Merton Av. *Bris* —2A **58**
Merton Rd. *W Mare* —5E **129**
Mervyn Rd. *Bris* —3A **58**
Metford Gro. *Bris* —4D **57**
Metford Pl. *Bris* —4E **57**
Metford Rd. *Bris* —4D **57**
Methuen Clo. *Brad A* —5F **115**
Methwyn Clo. *W Mare* —1A **134**
Mews, The. *Bath* —1B **104**
Mezellion Pl. Bath —5C **100**
  (off Camden Rd.)
Michaels Mead. *Bath* —4C **98**
Middle Av. *Bris* —4F **69** (4B **4**)
Middleford Ho. *Bris* —4E **87**
Middle La. *Bris* —5C **100**
Middle La. *Trow* —5F **117**
Middle Rank. *Brad A* —2D **115**
Middle Rd. *Bris* —4A **62**
Middle Stoke. *Lim S* —3B **112**
Middleton Rd. *Bris* —4B **38**
Middle Yeo Grn. *Nail* —2C **122**
Midford. W Mare —1D **139**
Midford La. *Mid & Lim S* —5D **111**
Midford Rd. *Bath* —3F **109**
Midhaven Ri. *W Mare* —1C **128**
Midland Bri. Rd. *Bath* —3F **105** (4A **96**)
Midland Rd. *Bath* —3E **105**
Midland Rd. *Stap H* —3F **61**
Midland Rd. *St Ph* —3B **70** (2F **5**)
Midlands, The. *Holt* —2E **155**
Midland St. *Bris* —4B **70**
Midland Ter. *Bris* —4B **60**
Midland Way. *T'bry* —4C **6**
Midsomer Enterprise Pk. *Mid N*
                                —2A **152**
Midsummer Bldgs. *Bath* —4B **100**
Milburn Rd. *W Mare* —1D **133**
Milbury Gdns. *Worl* —3F **127**
Mildred St. *Bris* —3E **71**
Miles Ct. *Bar C* —1B **84**
Miles Rd. *Bris* —1C **68**
Miles's Bldgs. *Bath* —2A **106** (2B **96**)
Miles St. *Bath* —4B **106** (5D **97**)
Mile Wlk. *Bris* —1B **88**
Milford Av. *Wick* —4A **154**
Milford St. *Bris* —1E **79**
Milk St. *Bath* —3A **106** (4B **96**)
Millard Clo. *Bris* —2E **41**
Millards Ct. *Mid N* —1E **151**
Millard's Hill. *Mid N* —1E **151**
Mill Av. *Bris* —4F **69** (4C **4**)
Millbank Clo. *Bris* —2A **82**
Millbourn Clo. *W'ley* —2E **113**
Millbrook Av. *Bris* —2B **82**
Millbrook Clo. *Bris* —4E **75**
Millbrook Pl. *Bath* —4B **106** (5D **97**)
Millbrook Rd. *Yate* —4D **17**
Mill Clo. *Fram C* —2E **31**

Mill Clo. *P'bry* —5F **51**
Mill Cres. *W'lgh* —5D **33**
Millcross. *Clev* —5C **120**
Millers Clo. *Pill* —3E **53**
Millers Dri. *Bris* —1E **79**
Miller's Ri. *W Mare* —1E **129**
Miller Wlk. *B'ptn* —5F **101**
Millfield. *Mid N* —4C **150**
Millfield. *T'bry* —2D **7**
Millfield Dri. *Bris* —4E **75**
Millground Rd. *Bris* —4A **86**
Millhand Vs. *Trow* —3E **119**
Mill Ho., The. *Brad A* —3F **115**
Milliman Clo. *Bris* —3F **87**
Millington Dri. *Trow* —3A **118**
Mill La. *B'ptn* —4A **102**
Mill La. *Bedm* —1F **79**
Mill La. *Bit* —5F **85**
Mill La. *Brad A* —3E **115**
Mill La. *Chip S* —5C **18**
Mill La. *Cong* —2D **145**
Mill La. *Fram C* —5D **15**
Mill La. *Mon C* —3F **111**
Mill La. *Old S* —3F **35**
Mill La. *P'bry* —4A **52**
Mill La. *Rads* —1E **153**
Mill La. *Tim* —2E **157**
Mill La. *Trow* —1C **118**
Mill La. *Twer A* —3C **104**
Mill La. *War* —5D **75**
Mill Leg. *Cong* —2D **145**
Millmead Ho. *Bris* —4E **87**
Millmead Rd. *Bath* —4D **105**
Millpond St. *Bris* —1C **70**
Mill Pool Ct. *Bris* —3D **41**
Mill Rd. *Rads* —2D **153**
Mill Rd. *Wint D* —5C **29**
Mill Rd. Ind. Est. *Rads* —1D **153**
Mill Steps. *Wint D* —1A **46**
Mill St. *Trow* —2D **119**
Millward Gro. *Bris* —3E **61**
Millward Ter. *Paul* —3B **146**
Milner Grn. *Bris* —5C **74**
Milner Rd. *Bris* —2B **58**
Milsom St. *Bath* —2A **106** (2B **96**)
Milsom St. *Bris* —2A **70**
Milton Av. *Bath* —5A **106**
Milton Av. *W Mare* —5E **127**
Milton Brow. *W Mare* —4F **127**
Milton Clo. *Nail* —2D **123**
Milton Clo. *Yate* —4F **17**
Milton Grn. *W Mare* —4A **128**
Milton Hill. *W Mare* —3F **127**
Milton Pk. *Bris* —3E **71**
Milton Pk. Rd. *W Mare* —4A **128**
Milton Ri. *W Mare* —4A **128**
Milton Rd. *Bris* —1A **58**
Milton Rd. *Rads* —3F **151**
Milton Rd. *W Mare* —5D **127**
Milton Rd. *Yate* —4F **17**
Miltons Clo. *Bris* —4F **87**
Milverton. *W Mare* —1D **139**
Milverton Gdns. *Bris* —5B **58**
Milward Rd. *Key* —2A **92**
Mina Rd. *Bris* —4B **58**
Minehead Rd. *Bris* —4B **80**
Minerva Gdns. *Bath* —4D **105**
Minor's La. *H'len* —1C **22**
Minsmere Rd. *Key* —5C **92**
Minster Way. *Bath* —1D **107**
Minton Clo. *Bris* —3D **89**
Minto Rd. *Bris* —5B **58**
Minto Rd. Ind. Cen. *Bris* —5B **58**
Mission Rd. *Iron A* —2C **16**
Mitchell Ct. *Bris* —4A **70** (4D **5**)
Mitchell La. *Bris* —4A **70** (4D **5**)
Mitchell Wlk. *B'yte* —3F **75**
Mivart St. *Bris* —5D **59**
Mizzymead Clo. *Nail* —4C **122**
Mizzymead Rd. *Nail* —4C **122**
Mizzymead Rd. *Nail* —4D **123**
Modecombe Gro. *Bris* —1B **40**

Mogg St. *Bris* —5C **58**
Molesworth Clo. *Bris* —4C **86**
Molesworth Dri. *Bris* —4C **86**
Monger Cotts. *Paul* —1D **151**
Monger La. *Paul & Mid N* —1C **150**
Monk Rd. *Bris* —3F **57**
Monks Av. *Bris* —2D **73**
Monksdale Rd. *Bath* —5E **105**
Monks Hill. *W Mare* —2F **127**
Monks Ho. *Yate* —2F **33**
Monk's Pk. Av. *Bris* —3A **42**
Monkton Av. *W Mare* —1E **139**
Monkton Rd. *Bris* —1D **83**
Monmouth Clo. *P'head* —4B **48**
Monmouth Ct. Bath —3F **105** *(3A* **96***)*
  (off Monmouth Pl.)
Monmouth Hill. *Alm* —2A **10**
Monmouth Pl. *Bath* —3A **106** (3A **96**)
Monmouth Rd. *Bris* —3F **57**
Monmouth Rd. *Key* —3F **91**
Monmouth Rd. *Pill* —2E **53**
Monmouth St. *Bath* —3A **106** (3A **96**)
Monmouth St. *Bris* —2B **80**
Monsdale Clo. *Bris* —1C **40**
Monsdale Dri. *Bris* —1C **40**
Montague Clo. *Stok G* —4A **28**
Montague Hill. *Bris* —2F **69**
Montague Hill S. *Bris* —2F **69**
Montague Pl. *Bris* —2F **69**
Montague Rd. *Salt* —5E **93**
Montague St. *Bris* —2F **69**
Montgomery St. *Bris* —1B **80**
Montpelier. *Bris* —2A **106** (1B **96**)
Montpelier. *W Mare* —4D **127**
Montpelier E. *W Mare* —4D **127**
Montpelier Path. *W Mare* —5C **126**
Montreal Av. *Bris* —4B **42**
Montrose Av. *Bris* —1E **69**
Montrose Cotts. *Bath* —5D **99**
Montrose Dri. *War* —4D **75**
Montrose Pk. *Bris* —3F **81**
Montroy Clo. *Bris* —1E **57**
Moon St. *Bris* —2A **70**
Moor Cft. Dri. *L Grn* —2B **84**
Moor Cft. Rd. *Hut* —5C **134**
Moordell Clo. *Yate* —5F **17**
Moor Drove. *Cong* —5C **144**
Moorend Gdns. *Bris* —5B **38**
Moorend Rd. *Ham* —1F **45**
Moor End Spout. *Nail* —2C **122**
Moorfield Rd. *Back* —2C **124**
Moorfields Clo. *Bris* —1E **109**
Moorfields Ct. *Nail* —3C **122**
Moorfields Ho. *Bris* —3E **71**
Moorfields Ho. *Nail* —3B **122**
Moorfields Rd. *Bath* —5E **105**
Moorfields Rd. *Nail* —3C **122**
Moor Gro. *Bris* —4B **38**
Moorgrove Ho. *Bris* —4E **39**
Moorham Rd. *Wins* —3B **156**
Moorhill St. *Bris* —1D **71**
Moorhouse Cvn. Pk. *Bris* —5D **23**
Moorhouse La. *H'len* —4B **22**
Moorings, The. *Pill* —3E **53**
Moorland Rd. *Bath* —4E **105**
Moorland Rd. *W Mare* —4B **132**
Moorland Rd. *Yate* —5F **17**
Moorlands Clo. *Nail* —3C **122**
Moorlands Rd. *Bris* —4B **60**
  (in two parts)
Moor La. *Back* —2B **124**
Moor La. *Clev* —4D **121**
  (Kenn Rd.)
Moor La. *Clev* —4F **121**
  (Manmoor La.)
Moor La. *Lock & W Mare* —1C **134**
Moor Pk. *Clev* —4E **121**
Moorpark Av. *Yate* —5E **17**
Moor Rd. *Ban* —1E **137**
Moor Rd. *Yat* —2B **142**
Moorside. *Yat* —2B **142**

Moravian Rd. *Bris* —2F **73**
Morden Wlk. *Bris* —1F **89**
Moreton Clo. *Bris* —4C **88**
Moreton St. *Bris* —2B **70**
Morford St. *Bath* —1A **106** (1B **96**)
Morgan Clo. *Salt* —5F **93**
Morgans Hill Clo. *Nail* —5C **122**
Morgan St. *Bris* —1B **70**
Morley Av. *Mang* —3C **62**
Morley Clo. *Bris* —3F **61**
Morley Clo. *Lit S* —2E **27**
Morley Rd. *S'vle* —1E **79**
Morley Rd. *Stap H* —3F **61**
Morley Sq. *Bris* —3A **58**
Morley St. *Bar H* —3D **71**
Morley St. *Bris* —1B **70**
Morley Ter. *Bath* —3E **105**
Morley Ter. *K'wd* —1F **73**
Morley Ter. *Rads* —1D **153**
Mornington Rd. *Bris* —5C **56**
Morpeth Rd. *Bris* —5F **79**
Morris La. *Bathf* —3C **102**
Morris Rd. *Bris* —2C **58**
Morse Rd. *Bris* —3E **71**
Mortimer Clo. *Bath* —4C **98**
Mortimer Rd. *Clif* —3C **68**
Mortimer Rd. *Fil* —3D **43**
Mortimer St. *Trow* —3C **118**
Morton St. *Bris* —3D **71**
Morton St. *T'bry* —1D **7**
Morton Way. *T'bry* —1E **7**
Moseley Gro. *Uph* —1C **138**
Moulton Dri. *Brad A* —5E **115**
Mountain Ash. *Bath* —5E **99**
Mountain Wood. *Bathf* —4D **103**
Mountbatten Clo. *Kew* —1C **128**
Mountbatten Clo. *Yate* —3F **17**
Mount Beacon. *Bath* —5B **100**
Mount Beacon Pl. *Bath* —5A **100**
Mt. Beacon Row. *Bath* —5B **100**
Mount Clo. *Fram C* —1B **30**
Mount Cres. *Wint* —4A **30**
Mount Gdns. *Bris* —4F **73**
Mount Gro. *Bath* —1C **108**
Mount Hill Rd. *Bris* —4E **73**
Mount Pleasant. *Brad A* —2E **115**
Mount Pleasant. *H'len* —5E **23**
Mount Pleasant. *Pill* —3F **53**
Mount Pleasant. *Rads* —2E **153**
Mt. Pleasant Ter. *Bris* —1E **79**
Mount Rd. *L'dwn* —1A **106**
Mount Rd. *S'dwn* —5B **104**
Mount, The. *Trow* —5E **117**
Mount Vw. L'dwn —5B **100**
(off Beacon Rd.)
Mount Vw. *S'dwn* —1C **108**
Mow Barton. *Bris* —2B **86**
Mow Barton. *Yate* —4F **17**
Mowbray Rd. *Bris* —1E **89**
Mowcroft Rd. *Bris* —4E **87**
Moxham Dri. *Bris* —4D **87**
Mud La. *Clav* —1D **143**
Muirfield. *War* —4C **74**
Muirfields. *Yate* —1A **34**
Mulberry Av. *P'head* —3A **50**
Mulberry Clo. *Back* —2C **124**
Mulberry Clo. *Bris* —2A **74**
Mulberry Clo. *W Mare* —4D **129**
Mulberry Dri. *Bris* —1B **74**
Mulberry La. *B'don* —5A **140**
Mulberry Rd. *Cong* —3E **145**
Mulberry Wlk. *Bris* —4E **39**
Muller Av. *Bris* —3B **58**
Muller Rd. *Hor & Eastv* —1B **58**
Mulready Clo. *Bris* —1E **59**
Murford Av. *Bris* —3D **87**
Murford Wlk. *Bris* —4D **87**
Murray St. *Trow* —5D **117**
Murray St. *Bris* —1E **79**
Murtlebury Mead. *W Mare* —1E **129**
Musgrove Clo. *Bris* —2E **39**
Myrtle Dri. *Bris* —2A **54**

Myrtle Gdns. *Yat* —3C **142**
Myrtle Rd. *Bris* —2E **69**
Myrtle St. *Bris* —1D **79**
Mythern Mdw. *Brad A* —4F **115**

Nags Head Hill. *Bris* —3C **72**
Nailsea Clo. *Bris* —1C **86**
Nailsea Pk. *Nail* —3E **123**
Nailsea Pk. Clo. *Nail* —3E **123**
Nailsworth Av. *Yate* —5A **18**
Naishcombe Hill. *Wick* —5B **154**
Naishes Av. *Pea J* —4D **157**
Naish Ho. *Bath* —3B **104**
Napier Ct. *Bris* —5D **69**
Napier Miles Rd. *Bris* —4C **38**
Napier Rd. *A'mth* —3D **37**
Napier Rd. *Bath* —3B **98**
Napier Rd. *Eastv* —5D **59**
Napier Rd. *Redl* —5D **57**
Napier Sq. *Bris* —3C **36**
Napier St. *Bris* —4D **71**
Narroways Rd. *Bris* —4C **58**
Narrow La. *Bris* —4A **62**
Narrow Lewins Mead. *Bris* —3F **69** (2B **4**)
Narrow Plain. *Bris* —4A **70** (3E **5**)
Narrow Quay. *Bris* —5F **69** (5B **4**)
Narrow Wine S. Trow —2D **119**
(off Fore St.)
Naseby Wlk. *Bris* —1B **72**
Nash Clo. *Key* —3C **92**
Nash Dri. *Bris* —5E **43**
Nasmilco. *Stav* —1D **117**
Naunton Way. *W Mare* —3F **127**
Navigator Clo. *Trow* —3E **117**
Neads Dri. *War* —5E **75**
Neate Ct. *Pat* —1E **27**
Neath Rd. *Bris* —2F **71**
Nelson Bldgs. *Bath* —1B **106** (1D **97**)
Nelson Ct. *W Mare* —1C **128**
Nelson Ho. *Bath* —2F **105**
Nelson Ho. *Bris* —2F **61**
Nelson Pde. *Bris* —1F **79**
Nelson Pl. *Bath* —1B **106**
Nelson Pl. E. Bath —1B 106
(off Nelson Ter.)
Nelson Pl. W. *Bath* —1F **105**
Nelson Rd. *Bris* —2F **61**
(in two parts)
Nelson St. *Bedm* —3C **78**
Nelson St. *Bris* —3F **69** (2C **4**)
Nelson Ter. *Bath* —1B **106**
Nelson Vs. *Bath* —3F **105**
Neston Wlk. *Bris* —5B **80**
Netham Pk. Ind. Est. *Bris* —4F **71**
Netham Rd. *Bris* —3F **71**
Netherways. *Clev* —5B **120**
Nettlestone Clo. *Bris* —5A **24**
Nevalan Dri. *Bris* —4C **72**
Neva Rd. *W Mare* —2C **132**
Neville Rd. *Bris* —5A **62**
Nevil Rd. *Bris* —3A **58**
Newark St. *Bath* —4B **106** (5C **96**)
Newbolt Clo. *W Mare* —4E **133**
New Bond St. *Bath* —3A **106** (3B **96**)
New Bond St. Pl. Bath
(off New Bond St.) —3B **106** (3C **96**)
Newbourne Rd. *W Mare* —1A **134**
Newbrick Rd. *Stok G* —4C **28**
Newbridge Clo. *Bris* —4F **71**
Newbridge Ct. *Bath* —2C **104**
Newbridge Gdns. *Bath* —1B **104**
Newbridge Hill. *Bath* —1B **104**
Newbridge Rd. *Bath* —1A **104**
Newbridge Rd. *Bris* —4F **71**
Newbridge Trad. Est. *Bath* —5F **71**
New Bristol Rd. *W Mare* —4C **128**
New Brunswick Av. *Bris* —3D **73**
New Buildings. *Bris* —3B **60**
Newbury Rd. *Bris* —5C **42**
New Charlotte St. *Bris* —1F **79**

New Cheltenham Rd. *Bris* —1F **73**
New Church Rd. *Uph* —1B **138**
Newcombe Dri. *Bris* —3E **55**
Newcombe Rd. *Bris* —5B **40**
New Ear La. *W Mare* —1C **130**
New Engine Rank. *Coal H* —1F **47**
Newent Av. *Bris* —3D **73**
New Fosseway Rd. *Bris* —2D **89**
Newfoundland Rd. *Bris* —2B **70**
Newfoundland St. *Bris* —2A **70** (1E **5**)
Newfoundland Way. *Bris* —2B **70**
Newgate. *Bris* —3A **70** (2D **5**)
Newhaven Pl. *P'head* —4A **48**
Newhaven Rd. *P'head* —5A **48**
New John St. *Bris* —2E **79**
New Kingsley Rd. *Bris* —4B **70** (3F **5**)
New King St. *Bath* —3A **106** (3A **96**)
Newland Dri. *Bris* —4C **86**
Newland Rd. *Bris* —4C **86**
Newland Rd. *W Mare* —2D **133**
Newlands Av. *Coal H* —2E **31**
Newlands Clo. *P'head* —3E **49**
Newlands Grn. *Clev* —5E **121**
Newlands Hill. *P'head* —4E **49**
Newlands Rd. *Key* —4F **91**
Newlands, The. *Bris* —5D **45**
Newland Wlk. *Bris* —5C **86**
New La. *Alv* —2D **9**
New Leaze. *Alm* —3E **11**
Newleaze. *Fil* —3F **117**
Newleaze Ho. *Brad S* —2D **43**
Newlyn Av. *Bris* —2F **55**
Newlyn Wlk. *Bris* —4D **81**
Newlyn Way. *Yate* —4B **18**
Newman Clo. *W'lgh* —5D **33**
Newmans La. *Tim* —1E **157**
Newmarket Av. *Bris* —3F **69** (2C **4**)
Newmarket Av. *Whit B* —3F **155**
Newmarket Row. Bath —3B 106 (3C 96)
(off Grand Pde.)
Newnham Clo. *Bris* —1F **89**
Newnham Pl. *Pat* —5B **10**
New Orchard St. *Bath* —3B **106** (4C **96**)
Newport Clo. *Clev* —4C **120**
Newport Clo. *P'head* —4B **48**
Newport Rd. *Pill* —2E **53**
Newport St. *Bris* —2A **80**
Newquay Rd. *Bris* —4B **80**
New Queen St. *Bris* —1D **73**
New Queen St. *K'wd* —1A **80**
New Rd. *Ban* —4C **136**
New Rd. *Bathf* —4E **103**
New Rd. *Brad A* —2E **115**
New Rd. *Brad S* —1B **42**
New Rd. *Bris* —2E **43**
New Rd. *F'frd* —4C **112**
New Rd. *Mid N* —3D **151**
New Rd. *Pill* —3E **53**
New Rd. *Trow* —3C **118**
Newry Wlk. *Bris* —4A **80**
Newsome Av. *Pill* —3E **53**
New Stadium Rd. *Bris* —5D **59**
New Station Rd. *Bris* —3C **60**
New Station Way. *Fish* —3C **60**
New St. *Bath* —3A **106** (4B **96**)
New St. *Bris* —3B **70** (1F **5**)
New St. Flats. *Bris* —3B **70** (1F **5**)
New Ter. *Stav* —1D **117**
New Thomas St. *Bris* —3B **70** (2F **5**)
Newton Clo. *Bris* —1C **74**
Newton Dri. *Bris* —5C **74**
Newton Grn. *Nail* —5B **122**
Newton Rd. *Bath* —4A **104**
Newton Rd. *Bris* —5C **74**
Newton Rd. *W Mare* —2C **132**
Newtons Rd. *Kew* —1C **128**
(in two parts)
Newton St. *Bris* —2C **70**
Newtown. *Brad A* —3D **115**
Newtown. *Trow* —2C **118**
New Tyning Ter. Bath —5C 100
(off Fairfield Rd.)

Oaks, The—Oxleaze

Oaks, The. *Wrax* —3F **123**
Oak St. *Bath* —4A **106** (5A **96**)
Oak Ter. *Rads* —3A **152**
Oak Tree Av. *Puck* —2D **65**
Oaktree Clo. *Bris* —2E **83**
Oak Tree Clo. *Trow* —1B **118**
Oaktree Ct. *Shire* —5A **38**
Oaktree Cres. *Brad S* —4D **11**
Oaktree Gdns. *Bris* —3A **86**
Oaktree Pk. (Cvn. Site). *Lock*
—4C **134**
Oak Tree Wlk. *Key* —5F **91**
Oakwood Av. *Bris* —1D **57**
Oakwood Rd. *Bris* —1D **57**
Oatlands Av. *Bris* —2C **88**
Oatvale Rd. *Bris* —3C **88**
Oberon Av. *Bris* —5A **60**
Odeon Bldgs. W Mare —1C **132**
(off Station Rd.)
Odins Rd. *Bath* —3E **109**
Okebourne Clo. *Bris* —5D **25**
Okebourne Rd. *Bris* —1D **41**
Oldacre Rd. *Bris* —1D **41**
Old Ashley Hill. *Bris* —5B **58**
Old Aust Rd. *Alm* —1E **11**
Old Banwell Rd. *Lock* —4F **135**
Old Barrow Hill. *Bris* —5F **37**
Old Batch, The. *Brad S* —1C **114**
Old Bond St. *Bath* —3A **106** (3B **96**)
Old Bread St. *Bris* —4B **70** (3F **5**)
Oldbridge Rd. *Bris* —5E **89**
Old Bristol Rd. *Key* —1E **91**
Old Bristol Rd. *W Mare* —3E **129**
Oldbury Chase. *Bris* —3C **84**
Oldbury Ct. Dri. *Bris* —1D **57**
Oldbury Ct. Rd. *Bris* —2C **60**
Oldbury La. *T'bry* —1D **7**
Oldbury Rd. *Wick* —5C **154**
Old Church Rd. *Clev* —4A **120**
Old Church Rd. *Nail* —5C **122**
Old Church Rd. *Rudg* —5A **8**
Old Church Rd. *Uph* —1B **138**
Old Cider Mills Est. *Wickw* —1B **154**
Old England Way. *Pea J* —4E **157**
Old Farm La. *Bris* —4D **73**
Old Ferry Rd. *Bath* —3D **105**
Oldfield. *Clev* —5E **121**
Oldfield La. *Bath* —5E **105**
Oldfield Pl. *Bath* —4F **105**
Oldfield Pl. *Bris* —5B **68**
Oldfield Rd. *Bath* —4F **105**
Oldfield Rd. *Bris* —5C **68**
Oldfields La. *Alm* —1D **13**
Old Fire Sta. Ct. *Nail* —3B **122**
Old Forge Way. *Bath* —4E **157**
Old Fosse Rd. *Bath* —2D **109**
Old Fosse Rd. *Mid N* —5B **148**
Old Frome Rd. *Bath* —4F **109**
Old Gloucester Rd. *Alv* —2C **8**
Old Gloucester Rd. *Fren & Ham*
(in two parts) —4D **29**
Old Gloucester Rd. *Wint* —5D **13**
Old Junction Rd. *W Mare* —3F **133**
Old King St. *Bath* —2A **106** (2B **96**)
Oldlands Av. *Coal H* —3E **31**
Old La. *E Grn* —1E **63**
Old La. *Tic* —1B **122**
Old Mkt. St. *Bris* —3A **70** (2E **5**)
Oldmead Wlk. *Bris* —1A **86**
Old Midford Rd. *S'ske* —5B **110**
Old Millard's Hill. *Mid N* —1E **151**
Old Mill Clo. *W'lgh* —5D **33**
Old Mill Rd. *P'head* —2F **49**
Old Mills Ind. Est. *Mid N* —2B **150**
Old Mills La. *Paul* —1A **150**
Old Mill Way. *W Mare* —5E **129**
Oldmixon Cres. *W Mare* —5E **133**
Oldmixon Rd. *W Mare* —2E **139**
Old Newbridge Hill. *Bath* —1B **104**
Old Orchard. *Bath* —2B **106** (1C **96**)
Old Orchard St. *Bath* —3B **106** (4C **96**)

Old Park. *Bris* —3E **69** (1A **4**)
Old Pk. Hill. *Bris* —3E **69** (2A **4**)
Old Park Rd. *Bris* —5F **37**
Old Park Rd. *Clev* —1D **121**
Old Pit Rd. *Mid N* —4E **151**
Old Pit Ter. *Clan* —5B **148**
Old Post Office La. *W Mare* —5B **126**
Old Priory Rd. *E'ton G* —3D **53**
Old Quarry. *Bath* —2E **109**
Old Quarry Ri. *Bris* —5A **38**
Old Quarry Rd. *Bris* —5F **37**
Old Rd. *Writ* —3D **153**
Old School La. *B'don* —5A **140**
Old Sneed Av. *Bris* —3F **55**
Old Sneed Cotts. *Bris* —3F **55**
Old Sneed Pk. *Bris* —3F **55**
Old Sneed Rd. *Bris* —3F **55**
Old Sta. Clo. *Wrin* —2B **156**
Old St. *Clev* —3D **121**
Old Track. *Lim S* —2A **112**
Old Vicarage Ct. *Bris* —4E **89**
Old Vicarage Grn. *Key* —2A **92**
Old Vicarage Pl. *Bris* —5C **56**
Old Vicarage, The. *Bris* —1A **70**
Oldville Av. *Clev* —4D **121**
Old Wells Rd. *Bath* —1A **110**
Old Weston Rd. *Cong* —1A **144**
Olive Gdns. *Alv* —3A **8**
Olveston Rd. *Bris* —2A **58**
Olympus Clo. *Lit S* —3F **27**
Olympus Rd. *Pat* —1F **25**
Onega Ter. *Bath* —2F **105**
Oolite Gro. *Bath* —3E **109**
Oolite Rd. *Bath* —3E **109**
Oram Ct. *Bar C* —1B **84**
Orange Gro. *Bath* —3B **106** (3C **96**)
Orange St. *Bris* —2B **70**
Orchard Av. *Bris* —4E **69** (3A **4**)
Orchard Av. *Mid N* —3C **150**
Orchard Av. *T'bry* —3D **7**
Orchard Boulevd. *Old C* —1D **85**
Orchard Cvn. Site, The. *Bris* —4F **89**
Orchard Clo. *Ban* —5F **137**
Orchard Clo. *Cong* —2D **145**
Orchard Clo. *Key* —2E **91**
Orchard Clo. *K'wd* —2A **74**
Orchard Clo. *P'head* —3F **49**
Orchard Clo. *W Trym* —2B **56**
Orchard Clo. *Wor* —3D **129**
Orchard Clo. *Wrin* —1C **156**
Orchard Clo. *Yate* —4B **18**
Orchard Clo., The. *Lock* —4D **135**
Orchard Ct. *Bris* —4F **69** (3B **4**)
Orchard Ct. Fil —2C **42**
(off Gloucester Rd. N.)
Orchard Ct. *Redf* —3F **71**
Orchard Ct. *S Park* —4E **55**
Orchard Ct. Trow —3D **119**
(off Orchard Rd.)
Orchard Cres. *Bris* —5F **37**
Orchard Dri. *Bris* —3C **86**
Orchard Gdns. *Bris* —2B **74**
Orchard Gdns. *Paul* —3B **146**
Orchard Grange. *T'bry* —2C **6**
Orchard La. *Bris* —4E **69** (3A **4**)
Orchard La. *S Park* —3F **55**
Orchard Lea. *Alv* —2C **8**
Orchard Lea. *Pill* —3F **53**
Orchard Pl. *W Mare* —1C **132**
Orchard Rd. *Back* —2C **124**
Orchard Rd. *Bishop* —3A **58**
Orchard Rd. *Clev* —4D **121**
Orchard Rd. *Coal H* —2F **31**
Orchard Rd. *Hut* —1B **140**
Orchard Rd. *K'wd* —2A **74**
Orchard Rd. *L Ash* —4B **76**
Orchard Rd. *Nail* —4B **122**
Orchard Rd. *Paul* —3B **146**
Orchard Rd. *Puck* —2D **65**
Orchard Rd. *St G* —2B **72**
Orchard Rd. *Trow* —3D **119**
Orchard Sq. *Bris* —3F **71**

Orchards, The. *Bris* —3B **74**
Orchards, The. *Pill* —3E **53**
Orchard St. *Bris* —4E **69** (3A **4**)
Orchard St. *W Mare* —1C **132**
Orchard Ter. *Bath* —3C **104**
Orchard, The. *Ban* —5E **137**
Orchard, The. *Fram C* —1E **31**
Orchard, The. *F'frd* —4D **113**
Orchard, The. *Lock* —3D **135**
Orchard, The. *Stok G* —4B **28**
Orchard, The. *W Trym* —5C **40**
Orchard Va. *Bris* —2B **74**
Orchard Va. *Mid N* —3B **150**
Orchard Way. *Bath* —5D **157**
Orchard Way. *N Brad* —4D **155**
Oriel Clo. *Hil* —4F **117**
Oriel Gdns. *Bath* —4D **101**
Oriel Gro. *Bath* —5C **104**
Orion Dri. *Lit S* —3F **27**
Orland Way. *L Grn* —2C **84**
Orlebar Gdns. *Bris* —2D **39**
Orme Dri. *Clev* —1D **121**
Ormerod Rd. *Bris* —3A **56**
Ormonds Clo. *Brad S* —4A **12**
Ormsley Clo. *Lit S* —1E **27**
Ormstone Ho. *Bris* —4C **86**
Orpen Gdns. *Bris* —2D **59**
Orpen Pk. *Alm* —3D **11**
Orpheus Av. *Lit S* —3F **27**
Orwell Dri. *Key* —4B **92**
Orwell St. *Bris* —2A **80**
Osborne Av. *Bris* —4B **58**
Osborne Av. *W Mare* —1D **133**
Osborne Clo. *Stok G* —4F **27**
Osborne Rd. *Bath* —3C **104**
Osborne Rd. *Clif* —1C **68**
Osborne Rd. *Sev B* —3A **20**
Osborne Rd. *S'vle* —1E **79**
Osborne Rd. *Trow* —4E **117**
Osborne Ter. *Bris* —3D **79**
Osborne Vs. *Bris* —2E **69** (1A **4**)
Osprey Ct. *Bris* —3F **87**
Osprey Gdns. *W Mare* —4D **129**
Osprey Pk. *T'bry* —1E **7**
Osprey Rd. *Bris* —3E **71**
Ostlings La. *Bathf* —4C **102**
Otago Ter. *Bath* —4D **101**
Ottawa Rd. *W Mare* —5D **133**
Otterford Clo. *Bris* —3D **89**
Otter Rd. *Clev* —5D **121**
Ottery Clo. *Bris* —3C **38**
Ottrells Mead. *Brad S* —3E **11**
Oval, The. *Bath* —5D **105**
Overdale. *Clan* —4B **148**
Overhill. *Pill* —3F **53**
Over La. *E Comp* —1D **25** & 4A **10**
Overndale Rd. *Bris* —2E **61**
Overnhill Ct. *Bris* —2F **61**
Overnhill Rd. *Bris* —2E **61**
Overnhurst Ct. *Bris* —2F **61**
Overton Rd. *Bris* —5A **58**
Owen Gro. *Bris* —2D **57**
Owen Sq. *Bris* —2E **71**
Owen St. *Bris* —2E **71**
Owls Head Rd. *Bris* —4A **74**
Ox Barton. *Stok G* —3B **28**
Oxen Leaze. *Brad S* —4A **12**
Oxford Pl. *Bris* —4B **68**
Oxford Pl. *C Down* —2D **111**
Oxford Pl. *E'tn* —1D **71**
Oxford Pl. *W Mare* —1B **132**
Oxford Row. *Bath* —2A **106** (1B **96**)
Oxford Sq. *Lock* —4D **135**
Oxford St. *Bar H* —3E **71**
Oxford St. *Bris* —1B **70**
Oxford St. *K'dwn* —2E **69**
Oxford St. *St Ph* —4B **70**
Oxford St. *Tot* —1B **80**
Oxford St. *W Mare* —1B **132**
Oxford Ter. *C Down* —2D **111**
Oxleaze. *Bris* —4F **87**

Pembroke Va. *Bris* —2C **68**
Penard Way. *Bris* —3B **74**
Penarth Dri. *W Mare* —2E **139**
Pendennis Av. *Bris* —2F **61**
Pendennis Ho. *Bris* —2F **61**
Pendennis Pk. *Bris* —3F **81**
Pendennis Rd. *Bris* —2F **61**
Pendlesham Gdns. *W Mare* —4E **127**
Pendock Clo. *Bit* —4E **85**
Pendock Ct. *E Grn* —5D **47**
Pendock Rd. *Bris* —1D **61**
Pendock Rd. *Wint* —4A **30**
Penfield Rd. *Bris* —5C **58**
Penlea Ct. *Bris* —5F **37**
Pennard. *W Mare* —1E **139**
Pennard Ct. *Bris* —3D **89**
Pennard Grn. *Bath* —3B **104**
Penn Dri. *Bris* —3E **45**
Penn Gdns. *Bath* —1B **104**
Penngrove. *L Grn* —2C **84**
Penn Hill Rd. *Bath* —1B **104**
Pennine Gdns. *W Mare* —4E **127**
Pennine Rd. *Old C* —1E **85**
Pennlea. *Bris* —1E **87**
Penn Lea Ct. *Bath* —1C **104**
Penn Lea Rd. *Bath* —5B **98**
Penns, The. *Clev* —4E **121**
Penn St. *Bris* —3A **70** (1E 5)
Pennycress. *W Mare* —1B **134**
Pennyquick. *Bath* —5E **95**
Pennyquick Vw. *Bath* —3A **104**
Pennyroyal Gro. *Bris* —2A **60**
Pennywell Rd. *Bris* —2B **70**
Pen Pk. Rd. *Bris* —1E **41**
Penpole Av. *Bris* —1A **54**
Penpole Clo. *Bris* —5F **37**
Penpole La. *Bris* —5F **37**
Penpole Pk. *Shire* —5A **38**
Penpole Pl. *Bris* —1A **54**
Penrice Clo. *W Mare* —3A **128**
Penrith Gdns. *Bris* —3F **41**
Penrose. *Bris* —1B **88**
Penrose Dri. *Brad S* —2F **27**
Pensfield Pk. *Bris* —5F **25**
Pensford Ct. *Bris* —3F **89**
Pentagon, The. *Bris* —1D **55**
Penthouse Hill. *Bathe* —3A **102**
Pentire Av. *Bris* —2C **86**
Pentland Av. *T'bry* —4F **7**
Pepperacre La. *Trow* —1F **119**
Pepys Clo. *Salt* —5F **93**
Pera Pl. *Bath* —1B **106**
Pera Rd. *Bath* —1B **106**
Percival Rd. *Bris* —2B **68**
Percy Pl. *Bath* —5C **100**
Percy Walker Ct. *Bris* —1E **61**
Peregrine Clo. *W Mare* —4D **129**
Perfect Vw. *Bath* —5B **100**
Perrings, The. *Nail* —4D **123**
Perrinpit Rd. *Fram C* —2F **13**
Perrott Rd. *Bris* —1C **74**
Perry Clo. *Wint* —4F **29**
Perrycroft Av. *Bris* —2C **86**
Perrycroft Rd. *Bris* —2C **86**
Perrymans Clo. *Bris* —1C **60**
Perrymead. *Bath* —5C **106**
Perrymead. *W Mare* —1F **129**
Perry Rd. *Bris* —3E **69** (2A 4)
Perrys Lea. *Brad S* —4F **11**
Perry St. *Bris* —2C **70**
Pesley Clo. *Bris* —4C **86**
Petercole Dri. *Bris* —2C **86**
Peterson Sq. *Bris* —5E **87**
Peter's Ter. *Bris* —3D **71**
Petersway Gdns. *Bris* —4C **72**
Petherton Clo. *Bris* —3A **74**
Petherton Gdns. *Bris* —1D **89**
Petherton Rd. *Bris* —5D **81**
Petticoat La. *Bris* —4A **70** (3E 5)
Pettigrove Gdns. *Bris* —3A **74**
Pettigrove Rd. *Bris* —4A **74**
Pevensey Wlk. *Bris* —1F **87**

Peverell Clo. *Bris* —1B **40**
Peverell Dri. *Bris* —1B **40**
Philadelphia Ct. *Bris* —3A **70** (1E 5)
Philippa Clo. *Bris* —1C **88**
Philip St. *Bath* —3B **106** (4C 96)
Philip St. *Bedm* —1F **79**
Philip St. *St Pm* —5D **71**
Phillips Rd. *W Mare* —2E **133**
Phillis St. *Trow* —2E **155**
Phillis Hill. *Paul & Mid N* —5C **146**
Phippen St. *Bris* —5A **70** (5D 5)
Phipps St. *Bris* —1D **79**
Phipp St. *Clev* —3C **120**
Phoenix Bus. Pk. *Bris* —3C **78**
Phoenix Gro. *Bris* —2E **57**
Phoenix Ho. *Bris* —4D **71**
Phoenix St. *Bris* —4D **71**
Piccadilly Pl. *Bath* —5C **100**
Pickwick Rd. *Bath* —4B **100**
Picton La. *Bris* —1A **70**
Picton St. *Bris* —1A **70**
Pierrepont Pl. *Bath* —3B **106** (4C 96)
Pierrepont St. *Bath* —3B **106** (4C 96)
Pier Rd. *P'head* —1F **49**
Pigeon Ho. Dri. *Bris* —4F **87**
Pigott Av. *Bris* —4C **86**
Pile Marsh. *Bris* —3F **71**
Pilgrims Way. *Down* —4F **45**
Pilgrims Way. *Shire* —5E **37**
Pilgrims Way. *W Mare* —3C **128**
Pilgrims Wharf. *St Ap* —3A **72**
Pilkington Clo. *Bris* —2E **43**
Pillingers Rd. *Bris* —3E **73**
Pill Rd. *Pill & Abb L* —4F **53**
Pill St. *Pill* —3E **53**
Pill Way. *Clev* —4B **120**
Pimm's La. *W Mare* —3F **127**
Pimpernel Mead. *Brad S* —2A **28**
Pine Clo. *T'bry* —3D **7**
Pine Clo. *W Mare* —3B **128**
Pine Ct. *Key* —4E **91**
Pine Ct. *Rads* —2D **153**
Pinecroft. *Bris* —1B **88**
Pinecroft. *P'head* —2B **48**
Pine Gro. *Bris* —3C **42**
Pine Gro. Pl. *Bris* —4F **57**
Pine Hill. *W Mare* —3B **128**
Pine Lea. *B'don* —4F **139**
Pine Ridge Clo. *Bris* —3E **55**
Pine Rd. *Bren* —1D **41**
Pines Rd. *Bit* —4E **85**
Pines, The. *Bris* —4F **55**
Pines Way. *Bath* —3F **105**
Pines Way. *Rads* —2D **153**
Pines Way Ind. Est. *Bath* —3F **105**
Pinetree Rd. *Lock* —4B **136**
Pine Wlk. *N Brad* —4D **155**
Pine Wlk. *Rads* —3B **152**
Pinewood. *Bris* —1B **74**
Pinewood Av. *Mid N* —3C **150**
Pinewood Clo. *Bris* —5D **41**
Pinewood Gro. *Mid N* —3C **150**
Pinewood Rd. *Mid N* —3C **150**
Pinhay Rd. *Bris* —2F **79**
Pinkers Mead. *E Grn* —1E **63**
Pinkhams Twist. *Bris* —3C **88**
Pinknash Ct. *Yate* —2F **33**
Pinnell Gro. *E Grn* —5E **47**
Pioneer Av. *Bath* —3A **110**
Pipe Ct. *Bris* —4E **69** (3A 4)
Pipehouse La. *F'frd* —5A **112**
Pipe La. *Bris* —4E **69** (3A 4)
Pipe La. *St Aug* —5A **70** (5F 5)
Piper Rd. *Yate* —3A **18**
Piplar Ground. *Brad A* —5E **115**
Pippin Clo. *Pea J* —5D **157**
Pippin Ct. *Bar C* —1B **84**
Pitch & Pay La. *Bris* —4A **56**
Pitch & Pay Pk. *Bris* —4A **56**
Pitchcombe. *Yate* —2E **33**
Pitchcombe Gdns. *Bris* —5F **39**
Pitch La. *Bris* —1F **69**

Pithay Ct. *Bris* —3F **69** (2C 4)
Pithay, The. *Bris* —3F **69** (2C 4)
Pithay, The. *Paul* —3B **146**
Pit La. *Back* —4C **124**
Pitman Av. *Trow* —3B **118**
Pitman Ct. *Bath* —4D **101**
Pitman Ct. *Trow* —3B **118**
Pitman Ho. *Bath* —5E **105**
Pitman Rd. *W Mare* —2C **132**
Pit Rd. *Mid N* —3E **151**
Pitt Rd. *Bris* —2A **58**
Pittville Clo. *T'bry* —1D **7**
Pitville Pl. *Bris* —1D **69**
Pixash Bus. Cen. *Key* —3D **93**
Pixash La. *Key* —3D **93**
Pizey Av. *Clev* —4B **120**
Pizey Clo. *Clev* —4B **120**
Plain, The. *T'bry* —3C **6**
Players Clo. *Ham* —5D **29**
Playford Gdns. *Bris* —4A **38**
Pleasant Ho. *Bris* —2F **61**
Pleasant Rd. *Bris* —2F **61**
Pleshey Clo. *W Mare* —3B **128**
Plimsoll Ho. *Bris* —5A **70**
 (off Burton Clo.)
Ploughed Paddock. *Nail* —4C **122**
Plover Clo. *W Mare* —4D **129**
Plover Clo. *Yate* —4E **17**
Plovers Ri. *Rads* —1D **153**
Plowright Ho. *Bris* —5D **73**
Plumers Clo. *Clev* —5E **121**
Plumley Cres. *Lock* —4E **135**
Plummer's Hill. *Bris* —2A **72**
Plumpton Ct. *Bris* —3B **46**
Plumptre Clo. *Paul* —4B **146**
Plumptre Rd. *Paul* —4A **146**
Plum Tree Clo. *Wins* —3B **156**
Plum Tree Rd. *W Mare* —1C **134**
Podgers Dri. *Bath* —4C **98**
Podium, The. *Bath* —2B **106** (2C 96)
 (off Northgate St.)
Poet's Ct. *Bris* —2F **71**
Poets Corner. *Rads* —4F **151**
Poet's Wlk. *Clev* —4A **120**
Polden Clo. *Nail* —4D **123**
Polden Ho. *Bris* —2F **79**
Polden Rd. *P'head* —3D **49**
Polden Rd. *W Mare* —5D **127**
Polebarn Cir. *Trow* —2D **119**
Polebarn Gdns. *Trow* —1D **119**
Polebarn Rd. *Trow* —2D **119**
Pollard Rd. *W Mare* —5D **129**
Polly Barnes Clo. *Han* —5D **73**
Polly Barnes Hill. *Han* —5D **73**
Polygon Rd. *Bris* —4B **68**
Polygon, The. *Bris* —4B **68**
Pomfrett Gdns. *Bris* —3A **90**
Pomphrey Hill. *Mang* —2D **63**
Ponsford Rd. *Bris* —5D **81**
Ponting Clo. *Bris* —1C **72**
Poolbarton. *Key* —2A **92**
Poole Ct. *Yate* —4A **18**
Poole Ct. Dri. *Yate* —4A **18**
Poole Ho. *Bath* —4A **104**
Poolemead Rd. *Bath* —4A **104**
Poole St. *Bris* —4D **37**
Pool Ho. *Pat* —1C **26**
Pool Rd. *Bris* —4A **62**
Popes Wlk. *Bath* —2C **110**
Poplar Av. *Bris* —1F **55**
Poplar Clo. *Bath* —5E **105**
Poplar Clo. *Bris* —4E **75**
Poplar Dri. *Puck* —2D **65**
Poplar La. *Wickw* —3C **154**
Poplar Pl. *Bris* —4C **60**
Poplar Rd. *Bath* —4E **109**
Poplar Rd. *Bed D* —1B **86**
Poplar Rd. *Han* —5C **72**
Poplar Rd. *S'will* —1B **72**
Poplar Rd. *War* —5E **75**
Poplars, The. *E'ton G* —3D **53**

Quarry Rd.—Rhyne Vw.

Quarry Rd. *Fren* —5D **45**
Quarry Rd. *K'wd* —4F **73**
Quarry Rd. *P'head* —4E **49**
Quarry Rock Gdns. Cvn. Pk. *Bath*
　　　　　—5E **107**
Quarry Steps. *Bris* —5C **56**
Quarry Way. *E Grn* —3C **46**
Quarry Way. *Nail* —3C **122**
Quarry Way. *Stap* —2A **60**
Quaterway La. *Trow* —1E **119**
Quays Av. *P'head* —3A **50**
Quayside. *Bris* —4A **70** (3E **5**)
Quayside. *St G* —4B **72**
Quayside Ho. *Bris* —4D **69**
Quay St. *Bris* —3F **69** (2B **4**)
Quebec. *Bath* —3B **104**
Quedgeley. *Yate* —1E **33**
Queen Ann Rd. *Bris* —4D **71**
Queen Charlotte St. *Bris* —4F **69** (3C **4**)
Queen Charlton La. *Bris* —5F **89**
Queen Quay. *Bris* —4F **69** (4C **4**)
Queen's Av. *Bris* —3D **69**
Queens Av. *P'head* —3E **49**
Queens Club Gdns. *Trow* —2A **118**
Queenscote. *P'head* —3B **50**
Queen's Ct. Bris —3D ***69***
　(off Queen's Rd.)
Queensdale Cres. *Bris* —4C **80**
Queensdown Gdns. *Bris* —2E **81**
Queen's Dri. *Bath* —2B **110**
Queen's Dri. *Bishop* —3E **57**
Queens Dri. *Han* —1F **83**
Queenshill Rd. *Bris* —3C **80**
Queensholm Av. *Bris* —3A **46**
Queensholm Cres. *Bris* —3F **45**
Queensholm Dri. *Bris* —3A **46**
Queensholme Clo. *Bris* —3A **46**
Queens Pde. *Bath* —2A **106** (2B **96**)
Queen's Pde. *Bris* —4D **69**
Queens Pde. Pl. *Bath* —2A **106** (2B **96**)
Queens Pl. *Bath* —4C **106** (5E **97**)
Queen Sq. *Bris* —4F **69** (4B **4**)
Queen Sq. *Salt* —1B **94**
Queen Sq. Av. *Bris* —4F **69** (4C **4**)
Queen Sq. Pl. *Bath* —2A **106** (2A **96**)
Queens Rd. *Ash D* —3B **58**
Queen's Rd. *Ban* —5E **137**
Queen's Rd. *B'wth* —5B **86**
Queen's Rd. *Clev* —3D **121**
Queen's Rd. *Clif* —3C **68**
Queen's Rd. *Key* —4F **91**
Queen's Rd. *Know* —3E **81**
Queen's Rd. *Nail* —4B **123**
Queen's Rd. *P'head* —4A **48**
Queen's Rd. *Puck* —2D **65**
Queen's Rd. *Rads* —2E **153**
Queen's Rd. *St G* —2B **72**
Queen's Rd. *Trow* —5C **116**
Queen's Rd. *War* —1C **84**
Queen's Rd. *W Mare* —4B **126**
Queen St. *A'mth* —3C **36**
Queen St. *Bath* —3A **106** (3B **96**)
Queen St. *Eastv* —4F **59**
Queen St. *K'wd* —3D **73**
Queen St. *St Ph* —3A **70** (2E **5**)
Queens Wlk. *T'bry* —1C **6**
Queensway. *Lit S* —3E **27**
Queen's Way. *P'head* —4A **48**
Queen's Way. *W Mare* —1C **128**
Queen Victoria Rd. *Bris* —3C **56**
Queen Victoria St. *Bris* —4C **70**
Queenwood Av. *Bath* —5B **100**
Quickthorn Clo. *Bris* —2C **88**
Quiet St. *Bath* —3A **106** (3B **96**)
Quilling Clo. *Trow* —3E **119**
Quilter Gro. *Bris* —1F **87**

Raby M. *Bathw* —2C **106** (2E **97**)
Raby Pl. *Bathw* —2C **106** (2E **97**)

Raby Vs. *Bath* —2C **106** (2F **97**)
Rackfield Pl. *Bath* —3C **104**
Rackham Clo. *Bris* —1D **59**
Rackhay. *Bris* —4F **69** (3C **4**)
Rackvernal Rd. *Mid N* —3E **151**
Radford Hill. *Tim* —1E **157**
Radley Rd. *Bris* —3D **61**
Radnor Rd. *Hor* —2F **57**
Radnor Rd. *W Trym* —2D **57**
Radstock Rd. *Mid N* —2E **151**
Raeburn Rd. *Bris* —3D **73**
Raglan Clo. Bath —4B ***100***
　(off Raglan La.)
Rag La. *Wickw* —2A **154**
Raglan La. *Bath* —4B **100**
Raglan La. *Bris* —3C **72**
Raglan Pl. *Bath* —4B **100**
Raglan Pl. *T'bry* —4C **6**
Raglan Rd. *W Mare* —5A **126**
Raglan Rd. *Bris* —4F **57**
Raglan St. *Bath* —4B **100**
Raglan Ter. *Bath* —4B **100**
Raglan Vs. *Bath* —4B **100**
Raglan Wlk. *Key* —4F **91**
Ragleth Gro. *Trow* —5E **117**
Railton Jones Clo. *Stok G* —1A **44**
Railway Bldgs. *Bath* —3D **105**
Railway Pl. *Bath* —4B **106** (5D **97**)
Railway Rd. *Bath* —4B **106** (5C **96**)
Railway St. *Bath* —4B **106** (5C **96**)
Railway Ter. *Bris* —3E **61**
Railway Vw. *Han* —1F **45**
Railway Vw. Pl. *Mid N* —2E **151**
Railway Wlk. *Wins* —3A **156**
Raleigh Clo. *Salt* —5F **93**
Raleigh Ct. *Trow* —2D **119**
Raleigh Ri. *P'head* —2D **49**
Raleigh Rd. *Bedm* —2C **78**
Ralph Allen Dri. *Bath* —5C **106**
Ralph Rd. *Bris* —3B **58**
Rambler Clo. *Trow* —1A **118**
Ram Hill. *Coal H* —4E **31**
Ramsbury Wlk. *Trow* —4D **119**
Ramsey Clo. *W Mare* —1C **128**
Ramsey Rd. *Bris* —5B **42**
Ranchway. *P'head* —4B **48**
Randall Clo. *Bris* —5B **62**
Randall Rd. *Bris* —4C **68**
Randolph Av. *Bris* —3D **87**
Randolph Av. *Yate* —1F **17**
Randolph Clo. *Bris* —3D **87**
Rangers Wlk. *Bris* —1E **83**
Rank, The. *N Brad* —4D **155**
Rannoch Rd. *Bris* —2B **42**
Ranscombe Av. *W Mare* —3B **128**
Ransford. *Clev* —5B **120**
Raphael Ct. *Redc* —5A **70** (5E **5**)
Ratcliffe Dri. *Stok G* —4A **28**
Rathbone Clo. *Coal H* —4E **31**
Raven Clo. *W Mare* —4C **128**
Ravendale Dri. *L Grn* —3C **84**
Ravenglass Cres. *Bris* —2E **41**
Ravenhead Dri. *Bris* —5D **81**
Ravenhill Av. *Bris* —3B **80**
Ravenhill Rd. *Bris* —2B **80**
Ravenscourt Rd. *Pat* —2D **27**
Ravenscroft Gdns. *Trow* —1F **119**
Ravenswood. *L Grn* —2C **84**
Ravenswood Rd. *Bris* —1C **80**
Rawlins Av. *W Mare* —1E **129**
Rayens Clo. *L Ash* —4B **76**
Rayens Cross Rd. *L Ash* —4B **76**
Rayleigh Rd. *Bris* —5F **39**
Raymend Rd. *Bris* —2A **80**
Raymend Wlk. *Bris* —3A **80**
Raymill. *Bris* —3C **82**
Raynes Rd. *Bris* —2C **78**
Rectors Way. *W Mare* —2D **133**
Rectory Clo. *Wrax* —2F **123**
Rectory Clo. *Yate* —3B **18**
Rectory Dri. *Yat* —4C **142**

Rectory Gdns. *Bris* —2A **40**
Rectory La. *B'don* —5A **140**
Rectory La. *Brad S* —1C **42**
Rectory La. *Tim* —1E **157**
Rectory Rd. *E'ton G* —4D **53**
Rectory Rd. *Fram C* —1C **30**
Rectory Way. *Yat* —4C **142**
Redcar Ct. *Down* —3C **46**
Redcatch Rd. *Bris & Know* —2B **80**
Redcliff Backs. *Bris* —4A **70** (4D **5**)
Redcliffe Clo. *P'head* —5A **48**
Redcliffe Pde. E. *Bris* —5F **69** (5C **4**)
Redcliffe Pde. W. *Bris* —5F **69** (5C **4**)
Redcliffe Way. *Bris* —4F **69** (4B **4**)
　(in two parts)
Redcliff Hill. *Bris* —5A **70** (5D **5**)
Redcliff Mead La. *Bris* —5A **70** (5E **5**)
Redcliff Pde. *Bris* —5F **69** (5C **4**)
Redcliff St. *Bris* —4A **70** (3D **5**)
Redcross La. *Bris* —3B **70** (1F **5**)
Redcross St. *Bris* —3B **70** (2F **5**)
Redding Rd. *Bris* —5D **59**
Reddings, The. *Bris* —5B **62**
Redfield Gro. *Mid N* —3D **151**
Redfield Hill. *Old C* —1F **85**
Redfield Rd. *Mid N* —4C **150**
Redfield Rd. *Pat* —2D **27**
Redford Cres. *Bris* —5A **86**
Redford La. *Yate* —3E **65**
Redford Wlk. *Bris* —5B **86**
Red Hill. *C'ton* —1B **148**
Redhill Clo. *Bris* —4A **60**
Redhill Dri. *Bris* —4A **60**
Red Ho. La. *Alm* —2D **11**
Red Ho. La. *Bris* —1A **56**
Redland Ct. Rd. *Bris* —4E **57**
Redland Grn. Rd. *Bris* —4D **57**
Redland Gro. *Bris* —5E **57**
Redland Hill. *Redl* —5C **56**
Redland Pk. *Bris* —3A **104**
　(in two parts)
Redland Pk. *Bris* —5D **57**
Redland Rd. *Bris* —4C **56**
Redland Rd. *P'bry* —1B **52**
Redlands Ter. *Mid N* —4C **150**
Redland Ter. *Bris* —5D **57**
Red Post Ct. *Bath* —2E **149**
Redshelf Wlk. *Bris* —1E **41**
Redwick Clo. *Bris* —2E **39**
Redwick Rd. *Piln* —1B **20**
Redwing Dri. *W Mare* —4D **129**
Redwing Gdns. *Bris* —1A **60**
Redwood Clo. *L Grn* —2C **84**
Redwood Clo. *Nail* —3F **123**
Redwood Clo. *Rads* —4B **152**
Redwood Ho. *Bris* —5F **87**
Redwoods, The. *Key* —2F **91**
Reed Ct. *L Grn* —1B **84**
Reedley Rd. *Bris* —2A **56**
Reedling Clo. *Bris* —1A **60**
Regency Dri. *Bris* —3C **82**
Regent Rd. *Bris* —1F **79**
Regent Clo. *T'bry* —1C **6**
Regents Fld. *Bath* —1E **107**
Regent's Pl. *Brad A* —3E **115**
Regent St. *Clif* —4C **68**
Regent St. *K'wd* —2F **73**
Regent St. *W Mare* —1B **132**
Regina, The. *Bath* —1B **96**
Remenham Dri. *Bris* —2D **57**
Rendcomb Clo. *W Mare* —3F **127**
Rene Rd. *Bris* —1D **71**
Repton Rd. *Bris* —2E **81**
Retreat, The. *W Mare* —4A **126**
Reynold's Clo. *Key* —3C **92**
Reynolds Wlk. *Bris* —5C **42**
Rhode Clo. *Key* —5C **92**
Rhododendron Wlk. *Bris* —3A **40**
Rhodyate Hill. *Clav* —5E **143**
Rhodyate La. *C've* —4F **143**
Rhyne Ter. *Uph* —1B **138**
Rhyne Vw. *Nail* —4A **122**

Ribblesdale. *T'bry* —4D **7**
Richards Clo. *W Mare* —1F **129**
Richardson Pl. *C Down* —3D **111**
Richeson Clo. *Bris* —2B **40**
Richeson Wlk. *Bris* —2B **40**
Richmond Av. *Bris* —5B **58**
Richmond Av. *Stok G* —4A **28**
Richmond Clo. *Bath* —5A **100**
Richmond Clo. *Key* —4F **91**
Richmond Clo. *P'head* —3A **50**
Richmond Clo. *Trow* —3A **118**
Richmond Ct. *Pat* —5B **10**
Richmond Dale. *Bris* —5C **56**
Richmond Grn. *Nail* —4E **123**
Richmond Heights. *Bath* —4A **100**
Richmond Hill. *Bath* —5A **100**
Richmond Hill. *Bris* —3D **69**
Richmond Hill Av. *Bris* —3D **69**
Richmond La. *Bath* —5A **100**
Richmond La. *Bris* —3C **68**
Richmond M. *Bris* —3C **68**
Richmond Pk. Rd. *Bris* —3C **68**
Richmond Pl. *Bath* —5A **100**
Richmond Rd. *Bath* —4A **100**
Richmond Rd. *Bris* —1A **70**
Richmond Rd. *Mang* —2C **62**
Richmond Rd. *Mont* —5B **58**
Richmond Rd. *St G* —2A **72**
Richmond St. *Bris* —1B **80**
Richmond St. *W Mare* —1B **132**
Richmond Ter. *A'mth* —3C **36**
Richmond Ter. Bris —5B 100
(off Rivers Rd.)
Richmond Ter. *Clif* —3C **68**
Richmond Vs. *Bris* —3C **36**
Ricketts La. *W Mare* —3E **129**
Rickfield. *Brad A* —3C **114**
Rickford Rd. *Nail* —4E **123**
Rickyard Rd. *Wrin* —1C **156**
Ride, The. *Bris* —1C **74**
Ridge Clo. *P'head* —4C **48**
Ridge Green Clo. *Bath* —4E **109**
Ridgehill. *Bris* —1E **57**
Ridgemeade. *Bris* —4D **89**
Ridge, The. *Bris* —5A **38**
Ridge, The. *Coal H* —2E **31**
Ridge, The. *Yat* —3B **142**
Ridge Vw. *L Ash* —3D **77**
Ridgeway. *Fram C* —2F **31**
Ridgeway. *Nail* —4B **122**
Ridgeway. *Yate* —4B **18**
Ridgeway Av. *W Mare* —2C **132**
Ridgeway Ct. *Bris* —3C **40**
Ridgeway Gdns. *Bris* —3E **89**
Ridgeway La. *Bris* —3E **89**
Ridgeway Pde. *Bris* —4A **60**
Ridgeway Rd. *Bris* —4A **60**
Ridgeway Rd. *L Ash* —4C **76**
Ridgeway, The. *W Trym* —3C **40**
Ridge Way, The. *W Mare* —3F **127**
Ridgewood. *Bris* —4F **55**
Ridgewood. *Chip S* —5B **18**
Riding Barn Hill. *Wick* —5A **154**
Riding Cotts. *Chip S* —4D **19**
Ridingleaze. *Bris* —3C **38**
Ridings Clo. *Chip S* —5E **19**
Ridings Rd. *Coal H* —3E **31**
Ridings, The. *Bris* —4A **86**
Ridings, The. *Coal H* —3E **31**
Ringswell Gdns. *Bath* —5C **100**
Ringwood Cres. *Bris* —3E **41**
Ringwood Gro. *W Mare* —4E **127**
Ringwood Rd. *Bath* —3D **105**
Ripley Rd. *Bris* —1C **72**
Ripon Ct. *Down* —2B **46**
Ripon Rd. *Bris* —2A **72**
Rippleside. *P'head* —3E **49**
Rippleside Rd. *Clev* —2E **121**
Ripple, The. *Tic* —1C **122**
Risdale Rd. *Bris* —4A **78**
Risedale Rd. *Wins* —4B **156**
Rivendell. *W Mare* —1E **129**

Riverland Dri. *Bris* —4B **86**
Riverleaze. *Bris* —2D **55**
Riverleaze. *P'head* —2B **48**
River Mead. *Clev* —5D **121**
River Path. *Clev* —5B **120**
River Pl. *Bath* —3C **104**
River Rd. *Chip S* —5C **18**
River Rd. *P'bry* —3A **36**
Riverside. *Ban* —2F **137**
Riverside Bus. Pk. *St Ap* —4F **71**
Riverside Clo. *Bris* —2B **54**
Riverside Clo. *Clev* —4B **120**
Riverside Clo. *Mid N* —5C **150**
Riverside Cotts. *Rads* —2D **153**
Riverside Ct. *Bath* —3A **106** (4A **96**)
Riverside Ct. *St Ap* —4B **72**
Riverside Dri. *Bris* —5E **45**
Riverside Gdns. Bath
          —3A 106 (4A 96)
(off Kingsmead E.)
Riverside Gdns. *Mid N* —5B **150**
Riverside M. *St Ap* —4B **72**
Riverside Pk. *Sev B* —4A **28**
Riverside Rd. *Bris* —3F **105** (4A **96**)
Riverside Rd. *Mid N* —5C **150**
Riverside Steps. *St Ap* —3A **72**
Riverside Wlk. *Mid N* —5C **150**
Riverside Wlk. *St G* —4B **72**
Riverside Way. *Bris* —2E **83**
Rivers Rd. *Bath* —1B **106**
Rivers St. *Bath* —2A **106** (1A **96**)
Rivers St. M. *Bath* —2A **106** (1A **96**)
Rivers St. Pl. Bath —2A 106 (1B 96)
(off Rivers St.)
River St. *Bris* —3B **70** (1F **5**)
River Ter. *Key* —3B **92**
River Vw. *Bris* —2A **60**
Riverway. *Nail* —2E **123**
River Way. *Trow* —1C **118**
Riverway Ind. Pk. *Trow* —1C **118**
Riverwood Rd. *Bris* —1B **46**
Riviera Cres. *Bris* —3A **62**
Roath Rd. *P'head* —3F **49**
Robbins Clo. *Brad S* —3B **28**
Robbins Ct. *E Grn* —1D **63**
Robel Av. *Fram C* —1B **30**
Robert Ct. *Bris* —4A **68**
Robert Ct. *E Grn* —5D **47**
Robertson Dri. *St Ap* —4B **72**
Robertson Rd. *Bris* —5D **59**
Robert St. *Bar H* —3D **71**
Robert St. *Eastv* —5D **59**
Robin Clo. *Bris* —2F **89**
Robin Clo. *Mid N* —4E **151**
Robin Clo. *W Trym* —2D **41**
Robin Clo. *W Mare* —5C **128**
Robin Dri. *Hut* —1C **140**
Robin Hood La. *Bris* —3E **69** (1A **4**)
Robinia Wlk. *Bris* —1B **88**
Robin La. *Clev* —1D **121**
Robinson Clo. *Back* —3C **124**
Robinson Dri. *Bris* —1C **70**
Robinson Way. *Back* —3C **124**
Robin Way. *Chip S* —2B **34**
Roblyn Ct. *Wins* —4A **156**
Rochester Clo. *W Mare* —2E **139**
Rochester Rd. *Bris* —5A **72**
Rochfort Ct. *Bath* —1B **106**
Rochfort Pl. *Bath* —1B **106** (1D **97**)
Rock Av. *Nail* —3B **122**
Rock Clo. *Bris* —3A **82**
Rock Cotts. *Bath* —3C **110**
Rockfield. *W Mare* —4F **127**
Rock Hall Cotts. *Bath* —3C **110**
Rock Hall La. *Bath* —3C **110**
Rock Ho. *Bris* —1E **41**
Rockingham Gro. *W Mare* —4E **127**
Rockingham Ho. *Bris* —4C **38**
Rockland Gro. *Bris* —1F **59**
Rockland Rd. *Bris* —5E **45**
Rock La. *C Down* —3C **110**
Rock La. *Stok G* —4B **28**

Rockleaze. *Bris* —5A **56**
Rockleaze Av. *Bris* —4A **56**
Rockleaze Ct. *Bris* —4A **56**
Rockleaze Rd. *Bris* —4A **56**
Rockliffe Rd. *Bath* —1C **106**
Rockliffe Rd. *Bath* —1C **106**
Rock Rd. *Key* —3A **92**
Rock Rd. *Mid N* —2E **151**
Rock Rd. *Trow* —3B **118**
Rock Rd. *Yat* —4C **142**
Rockside Av. *Bris* —4B **46**
Rockside Dri. *Bris* —1D **57**
Rockside Gdns. *Bris* —4B **46**
Rockside Gdns. *Fram C* —1E **31**
Rockstowes Way. *Bris* —1F **41**
Rock St. *T'bry* —4C **6**
Rock, The. *Bris* —2A **82**
Rockwell Av. *Bris* —3D **39**
Rockwood Ho. *Yate* —2C **18**
Rocky La. *Ban* —5F **137**
Rodborough. *Yate* —2E **33**
Rodborough Way. *Bris* —3C **74**
Rodbourne Rd. *Bris* —5F **41**
Rodfords Mead. *Bris* —1C **88**
Rodford Way. *Yate* —2E **33**
Rodmead Wlk. *Bris* —4C **86**
Rodmoor Rd. *P'head* —2F **49**
Rodney. *W Mare* —1E **139**
Rodney Av. *Bris* —2C **72**
Rodney Cres. *Bris* —5D **27**
Rodney Ho. *Bath* —3B **104**
Rodney Pl. *Bris* —3C **68**
Rodney Rd. *Back* —2C **124**
Rodney Rd. *Bris* —1C **72**
Rodney Rd. *Salt* —2A **94**
Rodney Wlk. *Bris* —1C **72**
Rodsleigh. *Trow* —4A **118**
Rodway Hill. *Mang* —3C **62**
Rodway Hill Rd. *Mang* —2C **62**
Rodway Rd. *Mang* —2C **62**
Rodway Rd. *Pat* —1B **26**
Rodway Vw. *Bris* —4B **62**
Rodwell Pk. *Trow* —5E **117**
Roebuck Clo. *W Mare* —1E **129**
Roegate Dri. *St Ap* —4A **72**
Rogers Clo. *Bris* —5D **75**
Rokeby Av. *Bris* —1E **69**
Roman Farm Ct. *Bris* —2E **39**
Roman Rd. *B'don* —3E **139**
Roman Rd. *Bris* —1D **71**
Roman Rd. *Eng* —4D **109**
Roman Wlk. *Brisl* —2E **81**
Roman Wlk. *Stok G* —4A **28**
Roman Way. *Bris* —3E **55**
Roman Way. *Paul* —3A **146**
Romney Av. *Bris* —2C **58**
Ronald Rd. *Bris* —1B **60**
Ronayne Wlk. *Bris* —1E **61**
Rookery Clo. *W Mare* —2C **128**
Rookery Rd. *Bris* —2B **80**
Rookery Way. *Bris* —4B **88**
Rooksbridge Wlk. *Bath* —3D **105**
Roper's La. *Wrin* —1B **156**
Rope Wlk., The. *Brad A* —3D **115**
Rose Acre. *Bris* —1C **40**
Rosebay Mead. *Bris* —2A **60**
Roseberry Pk. *Bris* —2F **71**
Roseberry Pl. *Bath* —3E **105**
Roseberry Rd. *Bath* —3D **105**
Roseberry Rd. *Bris* —3E **71**
Rosebery Av. *Bris* —1C **70**
Rosebery Ter. *Bris* —4D **69**
Rose Clo. *Wint D* —5A **8**
Rose Cotts. *C Hay* —4D **109**
Rose Cotts. *S'ske* —5A **110**
Rosedale Av. *W Mare* —1E **133**
Rosedale Gdns. *Trow* —1A **118**
Rosedale Rd. *Bris* —4D **61**
Rose Gdns. *W Mare* —1F **129**
Rose Grn. Clo. *Bris* —5A **60**
Rose Grn. Rd. *Bris* —5F **59**

St Clement's Ct. *Key* —4A **92**
St Clements Ct. *W Mare* —3E **129**
St Clement's Rd. *Key* —4A **92**
(in two parts)
St David's Av. *Bris* —5D **75**
St David's Clo. *W Mare* —3F **127**
St David's Cres. *Bris* —4B **72**
St David's Rd. *T'bry* —3D **7**
St Dunstan's Rd. *Bris* —3E **79**
St Edward's Rd. *Bris* —4D **69**
St Edyths Rd. *Bris* —1D **55**
St Fagans Ct. *Will* —3B **85**
St Francis Dri. *Wick* —4A **154**
St Francis Dri. *Wint* —3E **29**
St Francis Rd. *Bris* —1C **78**
St Francis Rd. *Key* —2E **91**
St Gabriel's Rd. *Bris* —2D **71**
St Georges Av. *St G* —4B **72**
St Georges Bldgs. Bath —2F **105**
(off Up. Bristol Rd.)
St George's Hill. *E'ton* —1E **107**
St George's Hill. *E'ton G* —4C **52**
St George's Ho. Bris —4D **69**
(off St George's Rd.)
St Georges Pl. Bath —2F **105**
(off Up. Bristol Rd.)
St George's Rd. *Bris* —4D **69** (4A **4**)
St Georges Rd. *Key* —2E **91**
St George's Rd. *P'bry* —5A **36**
St Georges Ter. *Trow* —2C **118**
St Gregory's Rd. *Bris* —4B **42**
St Gregory's Wlk. *Bris* —4B **42**
St Helena Rd. *Bris* —3D **57**
St Helens Dri. *Old C* —3E **85**
St Helens Dri. *Wick* —4B **154**
St Helen's Wlk. *Bris* —1C **72**
St Helier Av. *Bris* —2F **55**
St Hilary Clo. *Bris* —2F **55**
St Ivel Way. *Bris* —4E **75**
St Ives Clo. *Nail* —4F **123**
St Ives Rd. *W Mare* —4E **133**
St James Barton. *Bris* —2A **70** (1D **5**)
St James Clo. *T'bry* —1D **7**
St James Pde. *Bris* —3F **69** (1C **4**)
St James Pl. *Mang* —2C **62**
St James's Pde. *Bath*
—3A **106** (4B **96**)
St James's Pk. *Bath* —1A **106**
St James's Pl. *Bath* —1A **106** (1A **96**)
St James's Sq. *Bath* —1F **105** (1A **96**)
St James's St. *Bath* —1A **106** (1A **96**)
St James St. *Mang* —2C **62**
St James St. *W Mare* —1B **132**
St John's Av. *Clev* —3D **121**
St John's Bldgs. *Bedm* —1F **79**
St John's Clo. *Pea J* —2E **149**
St John's Clo. *W Mare* —4B **126**
St John's Ct. *Key* —2A **92**
St John's Cres. *Bris* —3A **80**
St John's Cres. *Mid N* —2D **151**
St John's Cres. *Trow* —4A **118**
St John's La. *Bris* —2E **79**
St John's Rd. *Back* —3D **125**
St John's Rd. *Bathw* —2B **106** (2C **96**)
St John's Rd. *Bedm* —2E **79**
St John's Rd. *Clev* —3D **121**
St John's Rd. *Clif* —1C **68**
St John's Rd. *Lwr W* —2D **105**
St John's Rd. *S'vle* —1F **79**
St Johns Rd. *Tim* —2E **157**
St John's Rd. *Bris* —2E **79**
St John St. *T'bry* —3C **6**
St John's Way. *Chip S* —4D **19**
St Joseph's Rd. *Bris* —1D **41**
St Joseph's Rd. *W Mare* —4C **126**
St Judes Ter. *W Mare* —4A **128**
St Katherine's Quay. *Brad A* —4E **115**
St Kenya Ct. *Key* —3B **92**
St Keyna Rd. *Key* —3A **92**
St Kilda's Rd. *Bath* —4E **105**
St Ladoc Rd. *Key* —2F **91**

St Laud Clo. *Bris* —2F **55**
St Laurence Rd. *Brad A* —4F **115**
St Leonard's Rd. *G'bnk* —5E **59**
St Leonard's Rd. *Hor* —1A **58**
St Loe Clo. *Bris* —5B **88**
St Lucia Clo. *Bris* —4A **42**
St Lucia Cres. *Bris* —5A **42**
St Lukes Ct. *Bris* —1A **80**
St Luke's Cres. *Bris* —1B **80**
St Luke's Gdns. *Bris* —3A **82**
St Luke's Rd. *Bath* —1A **110**
St Luke's Rd. *Bris* —1A **80**
St Lukes Rd. *Mid N* —2C **150**
St Luke's Steps. *Bris* —1B **80**
St Luke St. *Bris* —3D **71**
St Margaret's Clo. *Back* —3C **124**
St Margaret's Clo. *Key* —2F **91**
St Margarets Clo. *Trow* —4A **118**
St Margaret's Ct. *Brad A* —3E **115**
St Margaret's Dri. *Bris* —2E **57**
St Margaret's Hill. *Brad A* —3E **115**
St Margarets La. *Back* —3C **124**
St Margaret's Pl. *Brad A* —3E **115**
St Margaret's Ter. *W Mare* —5B **126**
St Margaret's Vs. *Brad A* —3E **115**
St Mark's Av. *Bris* —5E **59**
St Marks Clo. *Key* —2A **92**
St Marks Gdns. *Bath* —4B **106** (5C **96**)
St Mark's Grn. *Tim* —1E **157**
St Mark's Gro. *Bris* —1D **71**
St Mark's Rd. *Bath* —4B **106** (5C **96**)
St Mark's Rd. *Bris* —1D **71**
St Mark's Rd. *Mid N* —2D **151**
St Mark's Rd. *W Mare* —1D **129**
St Mark's Ter. *Bris* —1D **71**
St Martins. *L Ash* —4C **76**
St Martin's Clo. *Bris* —3D **81**
St Martin's Ct. *Bath* —3F **109**
St Martins Ct. *W Mare* —2C **128**
St Martin's Gdns. *Bris* —3D **81**
St Martin's Rd. *Bris* —3D **81**
St Martin's Wlk. *Bris* —4D **81**
St Mary's Bldgs. *Bath* —4A **106** (5A **96**)
St Mary's Clo. *Bath* —3C **106** (3F **97**)
St Mary's Clo. *Hil M* —3F **117**
St Mary's Clo. *Hut* —1B **140**
St Mary's Clo. *Tim* —1E **157**
St Mary's Ct. *W Mare* —1E **139**
St Mary's Gdns. *Hil M* —3E **117**
St Mary's Gro. *Nail* —5B **122**
St Mary's Pk. *Nail* —5B **122**
St Mary's Pk. Rd. *P'head* —4E **49**
St Marys Ri. *Writ* —2F **153**
St Mary's Rd. *Hut* —1B **140**
St Mary's Rd. *L Wds* —4F **67**
St Mary's Rd. *P'head* —4E **49**
St Mary's Rd. *Shire* —5E **37**
St Mary St. *T'bry* —4C **6**
St Mary's Wlk. *Bris* —1F **53**
St Marys Way. *T'bry* —3C **6**
St Mary's Way. *Yate* —4B **18**
St Matthew's Av. *Bris* —1F **69**
St Matthew's Clo. *W Mare* —4B **126**
St Matthew's Pl. *Bath* —4C **106** (5E **97**)
St Matthew's Rd. *Bris* —1F **69**
St Matthias Pk. *Bris* —3B **70** (1F **5**)
St Michael's Av. *Clev* —5D **121**
St Michael's Av. *W Mare* —2E **129**
St Michaels Clo. *Bris* —3A **58**
St Michael's Clo. *Hil* —4F **117**
St Michael's Clo. *Wint* —2A **30**
St Michael's Ct. *Bris* —2D **73**
St Michaels Ct. *Mon* —3F **111**
St Michael's Hill. *Bris* —2E **69** (1A **4**)
St Michael's Pk. *Bris* —2E **69** (1A **4**)
St Michael's Pl. *Bath* —3A **106** (4B **96**)
St Michael's Rd. *Lwr W* —2E **105**
St Michael's Rd. *W'way* —4B **104**
St Nicholas Clo. *N Brad* —4E **155**
St Nicholas Clo. *W'ley* —2E **113**
St Nicholas Ct. *B'ptn* —5A **102**

St Nicholas Mkt. *Bris* —4F **69** (3C **4**)
St Nicholas Pk. *Bris* —1D **71**
St Nicholas Rd. *St Pa* —1B **70**
St Nicholas Rd. *Uph* —1B **138**
St Nicholas Rd. *W'chu* —4E **89**
St Nicholas St. *Bris* —4F **69** (3C **4**)
St Oswald's Ct. *Bris* —4D **57**
St Oswald's Rd. *Bris* —4D **57**
St Patrick's Ct. *Bath* —3C **106** (3F **97**)
St Patrick's Ct. *Key* —3A **92**
St Pauls Pl. *Bath* —3A **106** (3A **96**)
St Paul's Pl. *Mid N* —2D **151**
St Paul's Rd. *Bris* —1F **79**
St Paul's Rd. *Clif* —3D **69**
St Paul's Rd. *W Mare* —3C **132**
St Paul St. *Bris* —2A **70**
St Peter's Av. *W Mare* —4B **126**
St Peter's Cres. *Fram C* —1D **31**
St Peter's Ri. *Bris* —1C **86**
St Peter's Rd. *Mid N* —4F **151**
St Peter's Rd. *P'head* —4E **49**
St Peter's Ter. *Bath* —3E **105**
St Peter's Wlk. *Bris* —1D **57**
St Philips Causeway. *Bris* —4D **71**
St Philips Central Ind. Est. *Bris* —5C **70**
St Philips Rd. *St Ph* —3B **70**
St Pierre Dri. *War* —4D **75**
St Ronan's Av. *Bris* —1E **69**
St Saviours Ri. *Fram C* —3D **31**
St Saviours Rd. *Lark* —5D **101**
St Saviour's Ter. *Bath* —5C **100**
St Saviours Way. *Bath* —5D **101**
St Silas St. *Bris* —5C **70**
St Stephen's Av. *Bris* —4F **69** (3B **4**)
St Stephens Bus. Cen. War —5E **75**
(off Poplar Rd.)
St Stephen's Clo. *Bath* —5A **100**
St Stephen's Clo. *Bris* —2E **41**
St Stephen's Clo. *Soun* —4A **62**
St Stephen's Ct. *Bath* —1A **106**
St Stephen's Pl. Bath —1A **106**
(off St Stephen's Rd.)
St Stephen's Pl. *Trow* —2D **119**
St Stephen's Rd. *Bath* —1A **106**
St Stephen's Rd. *Bris* —5F **61**
St Stephen's St. *Bris* —4F **69** (2B **4**)
St Swithin's Pl. *Bath* —1B **106**
St Thomas' Pas. *Trow* —1D **119**
St Thomas Rd. *Mid N* —2E **151**
St Thomas Rd. *Trow* —1E **119**
St Thomas St. *Bris* —4A **70** (3D **5**)
St Thomas St. E. *Bris* —4A **70** (4D **5**)
St Vincents Hill. *Bris* —5C **56**
St Vincents Rd. *Bris* —4C **68**
St Vincents Trad. Est. *Bris* —4F **71**
St Werburgh's Pk. *Bris* —5C **58**
St Werburgh's Rd. *Bris* —5B **58**
St Whytes Rd. *Bris* —5F **79**
St Winifred's Dri. *C Down* —2E **111**
Salcombe Gdns. *W Mare* —2E **129**
Salcombe Rd. *Bris* —4B **80**
Salem Rd. *Wint* —2B **30**
Salisbury Av. *Bris* —2D **73**
Salisbury Gdns. *Bris* —2A **62**
Salisbury Pk. *Bris* —1A **62**
Salisbury Rd. *Bath* —4C **100**
Salisbury Rd. *Down* —1A **62**
Salisbury Rd. *Paul* —5C **146**
Salisbury Rd. *Redl* —5F **57**
Salisbury Rd. *St Ap* —5F **71**
Salisbury Rd. *W Mare* —4B **126**
Salisbury St. *Bar H* —4D **71**
Salisbury St. *St G* —3A **72**
Salisbury Ter. *W Mare* —5B **126**
Salisbury Vw. *B'ptn* —5A **102**
Sally Barn Clo. *L Grn* —3A **84**
Sallysmead Clo. *Bris* —4D **87**
Sallys Way. *Wint* —2B **30**
Salmons Way. *E Grn* —4C **46**
Saltford Ct. *Salt* —1A **94**
Salthouse Farm Cvn. Pk. *Sev B* —2B **20**
Salthouse Rd. *Clev* —4B **120**

Salthrop Rd. *Bris* —3A **58**
Saltings Clo. *Clev* —4B **120**
Saltmarsh Dri. *Bris* —3C **38**
Saltwell Av. *Bris* —3E **89**
Sambourne La. *Pill* —2E **53**
Samian Way. *Stok G* —4A **28**
Sampson Ho. Bus. Pk. *H'len* —2F **23**
Sampsons Rd. *Bris* —4F **87**
Samuel St. *Bris* —2E **71**
Samuel White Rd. *Bris* —2D **83**
Samuel Wright Clo. *Bris* —5F **75**
Sanctuary Gdns. *Bris* —4F **55**
Sandbach Rd. *Bris* —1F **81**
Sandbed Rd. *Bris* —5C **58**
Sandburrows Rd. *Bris* —2A **86**
Sandburrows Wlk. *Bris* —2B **86**
Sandcroft. *Bris* —2B **88**
Sandcroft Av. *Uph* —1B **138**
Sanders Rd. *Trow* —5C **116**
Sandford Clo. *Clev* —5B **120**
Sandford Rd. *Bris* —5C **68**
Sandford Rd. *W Mare* —1D **133**
Sandford Rd. *Wins* —3A **156**
Sandgate Rd. *Bris* —1F **81**
Sand Hill. *Bris* —1E **81**
Sandholme Clo. *Bris* —4A **46**
Sandholme Rd. *Bris* —1E **81**
Sandhurst. *Yate* —1F **33**
Sandhurst Clo. *Pat* —5D **11**
Sandhurst Rd. *Bris* —1F **81**
Sandling Av. *Bris* —5B **42**
Sandown Cen. *Whit B* —3F **155**
Sandown Clo. *Down* —3B **46**
Sandown Rd. *Brisl* —1F **81**
Sandown Rd. *Fil* —1E **43**
Sandpiper Dri. *W Mare* —4D **129**
Sandringham Av. *Bris* —4A **46**
Sandringham Pk. *Bris* —5A **46**
Sandringham Rd. *Bris* —2F **81**
Sandringham Rd. *L Grn* —3B **84**
Sandringham Rd. *Stok G* —4F **27**
Sandringham Rd. *Trow* —5B **118**
Sandringham Rd. *W Mare* —3D **133**
Sand Rd. *Kew* —1D **127**
Sands La. *Fram C* —5B **14**
Sandstone Ri. *Wint* —5A **30**
Sandwich Rd. *Bris* —1F **81**
Sandy Clo. *Brad S* —3A **28**
Sandy La. *Abb L* —3A **66**
Sandy La. *Bris* —4E **59**
Sandy Leaze. *Brad A* —3D **115**
Sandyleaze. *Bris* —5A **40**
Sandy Lodge. *Yate* —1A **34**
Sandy Pk. Rd. *Bris* —1E **81**
Saracen St. *Bath* —2B **106** (2C **96**)
Sarah St. *Law H* —3D **71**
Sargent St. *Bris* —1A **80**
Sarum Cres. *Bris* —3E **41**
Sassoon Ct. *Bar C* —5B **74**
Satchfield Clo. *Bris* —2B **40**
Satchfield Cres. *Bris* —2B **40**
Satellite Bus. Pk. *Bris* —3F **71**
Sates Way. *Bris* —1E **57**
Saunders Rd. *Bris* —3A **62**
Saunton Wlk. *Bris* —5A **80**
Savages Wood Rd. *Brad S* —1F **27**
Savernake Rd. *W Mare* —2D **129**
Saville Cres. *W Mare* —5A **128**
Saville Ga. Clo. *Bris* —3B **56**
Saville Pl. *Bris* —4C **68**
Saville Rd. *Bris* —4B **56**
Saville Rd. *W Mare* —5A **128**
Saville Row. *Bath* —2A **106** (1B **96**)
Savoy Rd. *Bris* —1F **81**
Saw Clo. *Bath* —3A **106** (3B **96**)
Saw Mill La. *T'bry* —3C **6**
Sawyers Clo. *Wrax* —3F **123**
Sawyers Ct. *Clev* —3E **121**
Saxby Clo. *Clev* —5B **120**
Saxby Clo. *W Mare* —1F **129**
Saxon Dri. *Trow* —3E **117**
Saxon Rd. *Bris* —5C **58**

Saxon Rd. *W Mare* —5A **128**
Saxon Way. *Bris* —5E **11**
Saxon Way. *Pea J* —4E **157**
Saxon Way. *W'ley* —2F **113**
Say Wlk. *B'yte* —3F **75**
Scafell Clo. *W Mare* —4E **127**
Scandrett Clo. *Bris* —2A **40**
Scantleberry Clo. *Down* —4F **45**
Scaurs, The. *W Mare* —3D **129**
School Clo. *Bris* —4B **88**
School Clo. *Pat* —1E **27**
School La. *Ban* —5F **137**
School La. *Fren* —2A **60**
School La. *Nthnd* —2A **102**
School La. *Stav* —2D **117**
School La. Clo. *Stav* —2D **117**
School Rd. *Brisl* —3A **82**
School Rd. *Bris* —1C **84**
School Rd. *Fram* —1B **30**
School Rd. *K'wd* —2E **73**
School Rd. *Old C* —2D **85**
School Rd. *Tot* —2C **80**
School Rd. *Wrin* —1C **156**
School Vw. *Wrax* —3F **123**
School Wlk. *W'hall* —1F **71**
School Wlk. *Yate* —4A **18**
School Way. *Sev B* —4B **20**
Scop, The. *Alm* —1D **11**
Scotch Horn Clo. *Nail* —3E **123**
Scotch Horn Way. *Nail* —3E **123**
Scots Pine Av. *Nail* —3E **123**
Scott Ct. *Bar C* —5B **74**
Scott Lawrence Clo. *Bris* —5C **44**
Scott Rd. *W Mare* —4E **133**
Scott Wlk. *B'yte* —3F **75**
Scott Way. *Chip S* —2B **34**
Sea Bank Rd. *P'bry* —4A **36**
Seabrook Rd. *W Mare* —4B **128**
Seagry Clo. *Bris* —3A **42**
Sea Mills La. *Bris* —3E **55**
Searle Ct. *Clev* —3E **121**
Searle Ct. Av. *Bris* —1A **82**
Searle Cres. *W Mare* —2E **133**
Seaton Rd. *Bris* —1E **71**
Seavale Rd. *Clev* —2C **120**
Seaview Rd. *P'head* —2B **48** (Portishead)
Seaview Rd. *P'head* —4B **48** (Redcliff Bay)
Seawalls. *Bris* —5F **55**
Seawalls Rd. *Bris* —5F **55**
Second Av. *Bath* —5E **105**
Second Av. *W'fld I* —5F **151**
Second Av. *Bris* —3F **37**
Seddon Rd. *Bris* —5C **58**
Sedgefield Gdns. *Bris* —3B **46**
Sedgemoor Clo. *Nail* —5D **123**
Sedgemoor Rd. *Bath* —3A **110**
Sedgemoor Rd. *W Mare* —4D **127**
Sedgewick. *Bris* —5A **38**
Sefton Pk. Rd. *Bris* —4A **58**
Sefton Sq. *W Mare* —5E **129**
Selborne Rd. *Bris* —2B **58**
Selbourne Clo. *Bath* —1B **104**
Selbourne Rd. *W Mare* —4C **132**
Selbrooke Cres. *Bris* —1D **61**
Selby Rd. *Bris* —1B **72**
Selden Rd. *Bris* —3A **90**
Selkirk Rd. *Bris* —5E **61**
Selley Wlk. *Bris* —3C **86**
Selwood Clo. *W Mare* —1A **134**
Selworthy. *Bris* —3A **74**
Selworthy Clo. *Key* —3B **91**
Selworthy Gdns. *Nail* —4D **123** (off Mizzymead Rd.)
Selworthy Ho. *Bath* —2A **110**
Selworthy Rd. *Bris* —3D **81**
Selworthy Rd. *W Mare* —4D **133**
Seneca Pl. *Bris* —3F **71**
Seneca St. *Bris* —2F **71**
Serbert Rd. *P'head* —3A **50**
Serbert Way. *P'head* —3A **50**

Sercombe Pk. *Clev* —5E **121**
Serlo Ct. *W Mare* —1E **129**
Serridge La. *Coal H* —5E **31**
Servier St. *Bris* —5B **58**
Seven Acres La. *Bathe* —1A **102**
Seven Dials. *Bath* —3A **106** (3B **96**)
Seventh Av. *Bris* —3D **43**
Severn Av. *W Mare* —3C **132**
Severn Dri. *T'bry* —2C **6**
Severn Grange. *Bris* —1F **39**
Severn Ho. *Bris* —1F **39**
Severnmead. *P'head* —3B **48**
Severn Rd. *Chit & H'len* —1A **22** & 5A **20**
Severn Rd. *Pill* —2E **53**
Severn Rd. *P'head* —3E **49**
Severn Rd. *Shire* —1F **53**
Severn Rd. *W Mare* —3B **132**
Severnside Trad. Est. *Bris* —4E **21**
Severn Vw. Rd. *T'bry* —2D **7**
Severn Way. *Key* —4B **92**
Severn Way. *Pat* —5B **10** (in two parts)
Severnvood Gdns. *Sev B* —5B **20**
Sevier St. *Bris* —5B **58**
Seville Rd. *P'head* —1A **50**
Seward Ter. *Rads* —2F **153**
Sewell Ho. *Wins* —4B **156**
Seymour Av. *Bris* —3A **58**
Seymour Clo. *Clev* —3E **121**
Seymour Clo. *W Mare* —1D **129**
Seymour Ct. *Trow* —1C **118**
Seymour Rd. *Bath* —1B **106**
Seymour Rd. *Bishop* —3A **58**
Seymour Rd. *E'tn* —1C **70**
Seymour Rd. *K'wd* —1F **73**
Seymour Rd. *Stap H* —3F **61**
Seymour Rd. *Trow* —1C **118**
Seyton Wlk. *Stok G* —4A **28**
Shackel Hendy M. *E Grn* —2D **63**
Shackleton Av. *Yate* —1B **34**
Shadwell Rd. *Bris* —4F **57**
Shaftesbury Av. *Bath* —2D **105**
Shaftesbury Av. *Bris* —1A **70**
Shaftesbury Clo. *Nail* —5C **122**
Shaftesbury Ct. *Trow* —4A **118**
Shaftesbury Rd. *Bath* —4E **105**
Shaftesbury Rd. *W Mare* —5F **127**
Shaftesbury Ter. *Bris* —3F **71**
Shaftesbury Ter. *Rads* —1D **153**
Shaft Rd. *C Down & Mon C* —2E **111**
Shaft Rd. *Sev B* —2B **20**
Shails La. *Trow* —1C **118**
Shails La. Ind. Est. *Trow* —1C **118**
Shakespeare Av. *Bath* —5A **106**
Shakespeare Av. *Bris* —4C **42**
Shakespeare Rd. *Rads* —3F **151**
Shaldon Rd. *Bris* —3C **58**
Shallows, The. *Salt* —1B **94**
Shambles, The. *Brad A* —2E **115**
Sham Castle La. *Bath* —2C **106** (2F **97**)
Shamrock Rd. *Bris* —4F **59**
Shanklin Dri. *Bris* —1D **43**
Shannon Ct. *T'bry* —4E **7**
Shapcott Clo. *Bris* —4D **81**
Shaplands. *Stok B* —3B **56**
Sharland Clo. *Bris* —4A **56**
Shaw Clo. *Bris* —2D **71**
Shaws Way. *Bath* —3A **104**
Shearman St. *Trow* —3D **119**
Shearwater Ct. *Bris* —1B **60**
Sheene Rd. *Bedm* —2E **79**
Sheepcote Barton. *Trow* —3E **119**
Sheephouse Cvn. Pk. *E'ton G* —5A **36**
Sheepscroft. *Bris* —4C **86**
Sheepway. *P'bry* —3D **51**
Sheepway La. *P'bry* —2E **51**
Sheepwood Clo. *Bris* —2C **40**
Sheepwood Rd. *Bris* —2C **40**
Sheldare Barton. *Bris* —3D **73**
Sheldon Clo. *Clev* —4F **121**
Sheldrake Dri. *Bris* —1A **60**

Shellard Rd. *Bris* —1D **43**
Shellards La. *Alv* —3D **9**
Shellards Rd. *L Grn* —2B **84**
Shelley Av. *Clev* —4D **121**
Shelley Clo. *Bris* —2B **72**
Shelley Rd. *Bath* —4A **106**
Shelley Rd. *Rads* —3F **151**
Shelley Rd. *W Mare* —4E **133**
Shelley Way. *Bris* —4C **42**
Shellmor Av. *Pat* —5D **11**
Shellmor Clo. *Pat* —5E **11**
Shepherds Clo. *Bris* —2A **62**
Shepherds Wlk. *Bath* —3A **110**
Shepherd's Way. *W Mare* —3A **130**
Sheppard Rd. *Bris* —1E **61**
Sheppards Gdns. *Bath* —5C **98**
Sheppy's Mill. *Cong* —1D **145**
Shepton. *W Mare* —1E **139**
Shepton Wlk. *Bris* —3E **79**
Sherborne Rd. *Trow* —1A **118**
Sherbourne Av. *Brad S* —3A **28**
Sherbourne Clo. *Bris* —5B **62**
Sherbourne St. *Bris* —2A **72**
Sheridan Rd. *Bath* —4A **104**
Sheridan Rd. *Bris* —3C **42**
Sheridan Way. *L Grn* —3C **84**
Sherrings, The. *Pat* —1D **27**
Sherrin Way. *Bris* —4A **86**
Sherston Clo. *Bris* —2D **61**
Sherston Clo. *Nail* —4F **123**
Sherston Rd. *Bris* —4A **42**
Sherwell Rd. *Bris* —2A **82**
Sherwood Clo. *Key* —3A **92**
Sherwood Cres. *W Mare* —2D **129**
Sherwood Rd. *Bris* —1D **73**
Sherwood Rd. *Key* —3A **92**
Shetland Rd. *Bris* —3F **41**
Shetland Way. *Nail* —4F **123**
Shickle Gro. *Bath* —3D **109**
Shields Av. *Bris* —2C **42**
Shiels Dri. *Lit S* —2F **27**
Shilton Clo. *Bris* —3B **74**
Shimsey Clo. *Bris* —1E **61**
Shiners Elms. *Yat* —3B **142**
Shipham Clo. *Bris* —3D **89**
Shipham Clo. *Nail* —5B **123**
Shipham La. *Wins* —3B **156**
Ship Hill. *Bris* —5D **73**
Ship La. *Bris* —5A **70** (5D **5**)
Shiplate Rd. *B'don* —5A **140**
Shipley Mow. *E Grn* —1D **63**
Shipley Rd. *Bris* —4C **40**
Shire Gdns. *Bris* —4F **37**
Shirehampton Rd. *Bris* —1B **54**
Shires Yd. *Bath* —2A **106** (2B **96**)
Shire Way. *Yate* —2E **33**
Shockerwick La. *Bann* —2C **102**
Shophouse Rd. *Bath* —3C **104**
Shore Pl. *Trow* —1A **118**
Shorthill Rd. *W'lgh* —5E **33**
Shortlands Rd. *Bris* —3C **38**
Short La. *L Ash* —3C **76**
Short St. *Bris* —5C **70**
Short Way. *T'bry* —5C **6**
Shortwood Hill. *Mang* —2F **63**
Shortwood Rd. *Bris* —5A **88**
Shortwood Rd. *Puck* —3B **64**
Shortwood Vw. *Bris* —2B **74**
Shortwood Wlk. *Bris* —5A **88**
Showering Clo. *Bris* —3F **89**
Showering Rd. *Bris* —3F **89**
Shrewsbury Bow. *W Mare* —5E **129**
Shrewton Clo. *Trow* —4D **119**
Shrophouse Rd. *Bath* —3C **104**
Shrubbery Av. *W Mare* —4A **126**
Shrubbery Cotts. *Bris* —5D **57**
Shrubbery Ct. *Stap H* —2F **61**
Shrubbery Rd. *Bris* —2F **61**
Shrubbery Rd. *W Mare* —4B **126**
Shrubbery Ter. *W Mare* —4A **126**
Shrubbery, The. *Bath* —1A **106**
Shrubbery Wlk. *W Mare* —4B **126**

Shrubbery Wlk. W. *W Mare* —4B **126**
Shuter Rd. *Bris* —3B **86**
Sibland. *T'bry* —4E **7**
Sibland Clo. *T'bry* —4E **7**
Sibland Rd. *T'bry* —3E **7**
Sibland Way. *T'bry* —4D **7**
Sidcot. *Bris* —3C **82**
Sidcot La. *Wins* —5B **156**
Sideland Clo. *Bris* —2A **90**
Sidelands Rd. *Bris* —1E **61**
Sidmouth Gdns. *Bris* —3F **79**
Sidmouth Rd. *Bris* —3F **79**
Signal Rd. *Bris* —3A **62**
Silbury Ri. *Key* —5A **92**
Silbury Rd. *Bris* —3A **78**
Silcox Rd. *Bris* —4E **87**
Silklands Gro. *Bris* —1E **55**
Silverberry Rd. *W Mare* —4D **129**
Silverbirch Clo. *Lit S* —2F **27**
Silver Birch Gro. *Trow* —5B **118**
Silver Ct. *Nail* —3C **122**
Silverhill Rd. *Bris* —1A **40**
Silverlow Rd. *Nail* —3C **122**
Silver Mead. *Cong* —4D **145**
Silver Meadows. *Trow* —5A **118**
Silver Moor La. *Ban* —2C **136**
Silverstone Way. *Cong* —3D **145**
Silver St. *Brad A* —3E **115**
Silver St. *Bris* —3F **69** (1C **4**)
Silver St. *Cong* —4D **145**
Silver St. *Mid N* —5D **151**
Silver St. *Nail* —3B **122**
Silver St. *T'bry* —3C **6**
Silver St. *Trow* —2D **119**
Silver St. *Wrin* —1C **156**
Silver St. La. *Trow* —5A **118**
Silverthorne La. *Bris* —4C **70**
Silverton Ct. *Bris* —4B **80**
Simons Clo. *Paul* —4C **146**
Simons Clo. *W Mare* —3E **129**
Simplex Ind. Est. *Bris* —1E **85**
Sinclair Ho. *Bris* —3D **69**
Singapore Rd. *W Mare* —5C **132**
Sion Hill. *Bath* —5F **99**
Sion Hill. *Bris* —3B **68**
Sion Hill Pl. *Bath* —5F **99**
Sion La. *Bris* —3B **68**
Sion Pl. *Bath* —5F **99**
Sion Pl. *Bris* —3C **106** (3F **97**)
Sion Pl. *Clif* —3B **68**
Sion Rd. *Bath* —5F **99**
Sion Rd. *Bris* —2E **79**
Sir John's La. *Bris* —3D **59**
Sir Johns Wood. *Nail* —2C **122**
Siskin Wlk. *W Mare* —5D **129**
Siston Clo. *Bris* —5C **62**
Siston Comn. *Bris* —5C **62**
Siston Hill. *Bris* —1C **74**
Siston La. *Bris* —2F **75**
Siston La. *Yate & B'yte* —3B **64**
Siston Pk. *Bris* —5C **62**
Sixth Av. *Bris* —3D **43**
Six Ways. *Clev* —2C **120**
Skinner's Hill. *C'ton* —2C **148**
Skippon Ct. *Bris* —4F **75**
Sladebrook Av. *Bath* —1D **109**
Sladebrook Ct. *Bath* —1D **109**
Sladebrook Rd. *Bath* —5C **104**
Slade Cotts. *Bath* —3F **111**
Slade Rd. *P'head* —3F **49**
Sladebrook. *Brad A* —2E **115**
Sladesbrook Clo. *Brad A* —1E **115**
Sleep La. *Bris* —5F **89**
Slimbridge Clo. *Yate* —2B **34**
Slipway, The. *Stav* —3D **117**
Sloan St. *Bris* —2F **71**
Slowgrove Clo. *Trow* —2F **119**
Slymbridge Av. *Bris* —5C **24**
Smallbrook Gdns. *Stav* —2D **117**
Smallcombe Clo. *Clan* —4B **148**
Smallcombe Rd. *Clan* —4B **148**
Small La. *Bris* —2A **60**
(in two parts)

Small St. *Bris* —3F **69** (2B **4**)
Small St. *St Ph* —5C **70**
Smallway. *Cong* —5D **143**
Smarts Grn. *Chip S* —1E **35**
Smeaton Rd. *Bris* —5B **68**
Smithcourt Dri. *Lit S* —3E **27**
Smithmead. *Bris* —3D **87**
Smithwell Clo. *Trow* —2F **119**
Smoke La. *Bris* —4E **21**
Smythe Cft. *Bris* —5C **88**
Smyth Rd. *Bris* —2C **78**
Smyth's Clo. *Bris* —3D **37**
Snarland Gro. *Bris* —4E **87**
Snowberry Clo. *W Mare* —4E **129**
Snowberry Wlk. *Bris* —2A **72**
Snowdon Clo. *Bris* —3B **60**
Snowdon Rd. *Bris* —2B **60**
Snowdon Va. *W Mare* —4E **127**
Snow Hill. *Bath* —1B **106**
Snow Hill Ho. *Bath* —1B **106**
Soapers La. *T'bry* —4C **6**
Sodbury La. *W'lgh* —4A **34**
Sodbury Rd. *Wickw* —2B **154**
Solent Way. *T'bry* —5E **7**
Solsbury Ct. *Bath* —2A **102**
Solsbury Vw. Bath —4B **100**
(off Fairfield Pk.)
Solsbury Way. *Bath* —4B **100**
(in three parts)
Somer Av. *Mid N* —2B **150**
Somerby Clo. *Brad S* —2F **27**
Somerdale Av. *Bath* —2D **109**
Somerdale Av. *Bris* —5B **80**
Somerdale Av. *W Mare* —5A **128**
Somerdale Clo. *W Mare* —5A **128**
Somerdale Rd. *Key* —2B **92**
Somerdale Rd. N. *Key* —5B **84**
Somerdale Vw. *Bath* —2D **109**
Somermead. *Bris* —4E **79**
Somer Rd. *Mid N* —2C **150**
Somerset Av. *Lock* —1C **134**
Somerset Av. *Yate* —3B **18**
Somerset Cres. *Stok G* —4B **28**
Somerset Folly. *Tim* —1E **157**
Somerset Ho. *Bath* —1E **109**
Somerset La. *Bath* —5F **99**
Somerset M. *W Mare* —2D **133**
Somerset Pl. *Bath* —5F **99**
Somerset Rd. *Bris* —2C **80**
Somerset Rd. *Clev* —3E **121**
Somerset Rd. *P'head* —3B **48**
Somerset Sq. *Bris* —5A **70** (5D **5**)
Somerset Sq. *Nail* —3D **123**
Somerset St. *Bath* —4B **106** (5C **96**)
Somerset St. *K'dwn* —2F **69**
Somerset St. *Redc* —5A **70** (5E **5**)
Somerset Ter. *Bris* —2F **79**
Somerset Way. *Paul* —3B **146**
Somerton Clo. *Bris* —3A **74**
Somerton Rd. *Bris* —1A **58**
Somerton Rd. *Clev* —5E **121**
Somervale Rd. *Rads* —2A **152**
Somerville Clo. *Salt* —2A **94**
Somerville Rd. *Bris* —4A **58**
Somerville Rd. S. *Bris* —5B **58**
Sophia Gdns. *W Mare* —1F **129**
Sorrel Clo. *T'bry* —2E **7**
Sorrel Clo. *Trow* —5D **119**
Soundwell Rd. *Bris* —1E **73**
South Av. *Bath* —4E **105**
South Av. *P'head* —2F **49**
South Av. *Yate* —5D **17**
Southblow Ho. *Bris* —2C **78**
Southbourne Gdns. *Bath* —5C **100**
South Combe. *B'don* —5F **139**
Southcot Pl. *Bath* —4B **106** (5D **97**)
South Cft. *Bris* —5E **41**
South Dene. *Bris* —1A **56**
Southdown. *W Mare* —1D **129**
Southdown Av. *Bath* —1C **108**
Southdown Rd. *Bath* —5C **104**
Southdown Rd. *Bris* —4B **40**

Stanley Rd. W. *Bath* —4E **105**
Stanley St. *Bris* —2E **79**
Stanley St. N. *Bris* —2E **79**
Stanley St. S. *Bris* —2E **79**
Stanley Ter. *Bris* —3E **79**
Stanley Ter. *Rads* —1D **153**
Stanley Vs. Bath —5B **100**
(off Camden Rd.)
Stanshaw Clo. *Bris* —5C **44**
Stanshawe Cres. *Yate* —5A **18**
Stanshawes Ct. *Yate* —1A **34**
Stanshawes Ct. Dri. *Yate* —1A **34**
Stanshawes Dri. *Yate* —5F **17**
Stanshaw Rd. *Bris* —5C **44**
Stanshaws Clo. *Brad S* —4E **11**
Stanton Clo. *Bris* —1B **74**
Stanton Clo. *Trow* —5D **119**
Stanton Rd. *Bris* —3F **41**
Stanway. *Bit* —4E **85**
Stanway Clo. *Bath* —3E **109**
Staple Gro. *Key* —3F **91**
Staplegrove Cres. *Bris* —3C **72**
Staplehill Rd. *Bris* —2D **61**
Staples Clo. *Clev* —5E **121**
Staples Grn. *W Mare* —2F **129**
Staples Hill. *F'frd* —5D **113**
Staples Rd. *Yate* —4F **17**
Stapleton Clo. *Bris* —2F **59**
Stapleton Rd. *Bris* —2C **70**
Star Barn Rd. *Wint* —2A **30**
Starcross Rd. *W Mare* —2E **129**
Star La. *Bris* —4B **60**
Star La. *Pill* —3E **53**
Starling Clo. *W Mare* —5C **128**
Star, The. *Holt* —2E **155**
States Way. *Bris* —1E **57**
Station App. *Brad A* —3D **115**
Station App. *W Mare* —1D **133**
Station App. Rd. *Bris* —5B **70** (5F **5**)
Station Av. *Bris* —3C **60**
Station Clo. *Back* —1B **124**
Station Clo. *Chip S* —1F **35**
Station Clo. *Cong* —2C **144**
Station Clo. *War* —2E **75**
Station Ct. *Bath* —2D **105**
Station La. *Bris* —3C **58**
Station Rd. *Ash D* —3B **58**
Station Rd. *B'ptn* —4A **102**
Station Rd. *Bris* —3F **81**
Station Rd. *Clev* —3D **121**
Station Rd. *Coal H* —4E **31**
Station Rd. *Cong* —2C **144**
Station Rd. *Fil* —1D **43**
Station Rd. *Fish* —3C **60**
Station Rd. *F'frd* —4D **113**
Station Rd. *Hen* —2A **40**
Station Rd. *Holt* —2E **155**
Station Rd. *Iron A* —3F **15**
Station Rd. *Key* —2A **92**
Station Rd. *K'wd* —3A **62**
Station Rd. *Lit S* —1D **27**
Station Rd. *Lwr W* —2D **105**
Station Rd. *Mid N* —2E **151**
Station Rd. *Mont* —5F **57**
Station Rd. *Nail* —3D **123**
(in two parts)
Station Rd. *Pill* —3E **53**
Station Rd. *P'bry* —5F **51**
Station Rd. *P'head* —2F **49**
Station Rd. *Sev B* —4A **20**
Station Rd. *Shire* —2F **53**
Station Rd. *St Ap* —5A **72**
Station Rd. *St Geo* —3A **130**
Station Rd. *War* —3E **75**
Station Rd. *W Mare* —1C **132**
Station Rd. *Wickw* —1B **154**
Station Rd. *Wint* —5A **30**
Station Rd. *Wor* —3D **129**
Station Rd. *Wrin* —1B **156**
Station Rd. *Yate* —4E **17**
Station Rd. *Yat* —2A **142**
Station Way. *Trow* —2C **118**

Statnton Clo. *Bris* —1B **74**
Staunton Fields. *Bris* —5E **89**
Staunton La. *Bris* —4E **89**
Staunton Way. *Bris* —5F **89**
Staveley Cres. *Bris* —2E **41**
Staverton Clo. *Pat* —5D **11**
Staverton Way. *Bris* —3C **74**
Stavordale Gro. *Bris* —2D **89**
Staynes Cres. *K'wd* —2A **74**
Steam Mills. *Mid N* —4C **150**
Stean Bri. Rd. *Lit S* —3F **27**
Steel Ct. *L Grn* —2B **84**
Steel Mills. *Key* —4B **92**
Stella Gro. *Bris* —3C **78**
Stephen's Dri. *Bar C* —5B **74**
Stephen St. *Redf* —2E **71**
Stepney Rd. *Bris* —1E **71**
Stepney Wlk. *Bris* —1E **71**
Stepping Stones, The. *St Ap* —4A **72**
Sterncourt Rd. *Bris* —5C **44**
Steven's Cres. *Bris* —1B **80**
Steway La. *Bathe* —1B **102**
Stibbs Ct. *L Grn* —1B **84**
Stibbs Hill. *Bris* —3C **72**
Stickland. *Clev* —5C **120**
Stidham La. *Key* —2D **93**
Stile Acres. *Bris* —3C **38**
Stillhouse La. *Bris* —1F **79**
Stillingfleet Rd. *Bris* —3E **87**
Stillman Clo. *Bris* —4A **86**
Stillman Clo. *Holt* —2E **155**
Stinchcombe. *War* —5A **18**
Stirling Clo. *Yate* —2F **17**
Stirling Rd. *Bris* —1E **81**
Stirling Way. *Key* —4A **92**
Stirtingale Av. *Bath* —1D **109**
Stirtingale Rd. *Bath* —1D **109**
Stock La. *Cong* —5E **145**
Stockton Clo. *Bris* —4B **88**
Stockton Clo. *L Grn* —2D **85**
Stock Way N. *Nail* —3D **123**
Stock Way S. *Nail* —3D **123**
Stockwell Av. *Mang* —1C **62**
Stockwell Clo. *Bris* —5B **46**
Stockwell Dri. *Mang* —1C **62**
Stockwell Glen. *Bris* —5B **46**
Stockwood Cres. *Bris* —3B **80**
Stockwood Hill. *Key* —1E **91**
Stockwood La. *Bris & Key* —4F **89**
Stockwood M. *St Ap* —5B **72**
Stockwood Rd. *Brisl* —5B **82**
Stockwood Rd. *Bris* —3F **89**
Stockwood Va. *Key* —3C **90**
Stodelegh Clo. *W Mare* —2F **129**
Stoke Bri. Av. *Lit S* —3F **27**
Stoke Cotts. *Bris* —3A **56**
Stokefield Clo. *T'bry* —3C **6**
Stoke Gro. *Bris* —1A **56**
Stoke Hamlet. *Bris* —5B **40**
Stoke Hill. *Bris* —3A **56**
Stoke La. *Pat* —1D **27**
Stoke La. *Stap* —5A **44**
Stoke La. *W Trym* —2A **56**
Stokeleigh Wlk. *Bris* —2E **55**
Stoke Mead. *Lim S* —2A **112**
Stokemead. *Pat* —1E **27**
Stoke Meadows. *Brad S* —1F **27**
Stoke Paddock Rd. *Bris* —1F **55**
Stoke Pk. Rd. *Bris* —3A **56**
Stoke Pk. Rd. S. *Bris* —4A **56**
Stoke Rd. *Bris* —4B **56**
Stoke Rd. *P'head* —3F **49**
Stokes Ct. *Bar C* —1C **84**
Stokes Cft. *Bris* —2A **70**
Stoke Vw. *Bris* —1C **42**
Stoke Vw. Rd. *Bris* —4B **60**
Stoneable Rd. *Rads* —1D **153**
Stoneberry Rd. *Bris* —5D **89**
Stonebridge. *Clev* —5D **121**
Stonebridge Pk. *Bris* —5F **59**
Stonebridge Rd. *W Mare* —4D **133**
Stonechat Gdns. *Bris* —1A **60**

Stonefield Clo. *Brad A* —4F **115**
Stonehenge La. *Tic* —1D **123**
Stonehill. *L Grn* —1F **83**
Stonehouse Clo. *Bath* —2C **110**
Stonehouse La. *Bath* —2C **110**
Stone La. *Wint D* —5A **30**
Stoneleigh Ct. *Bath* —3F **99**
Stoneleigh Cres. *Bris* —3C **80**
Stoneleigh Dri. *Bris* —5B **74**
Stoneleigh Rd. *Bris* —3C **80**
Stoneleigh Wlk. *Bris* —3C **80**
Stones Cotts. *Bris* —5E **23**
Stonewell Dri. *Cong* —3D **145**
Stonewell Gro. *Cong* —3D **145**
Stonewell La. *Cong* —3D **145**
Stonewell Pk. Rd. *Cong* —3D **145**
Stoneyfields. *E'ton G* —3D **53**
Stoneyfields Clo. *E'ton G* —2D **53**
Stoney Hill. *Bris* —3E **69** (2A **4**)
Stoney La. *Bris* —4B **58**
Stoney Steep. *Nail* —1F **123**
Stoney Steep. *P'head* —2E **49**
Stoney Stile Rd. *Alv* —2B **8**
Stony La. *Bath* —5F **95**
Stormont Clo. *W Mare* —5D **133**
Stothard Rd. *Bris* —5D **43**
Stottbury Rd. *Bris* —4C **58**
Stoulton Gro. *Bris* —1C **40**
Stourden Clo. *Bris* —5C **44**
Stourton Dri. *Bar C* —1B **84**
Stover Rd. *Yate* —3C **16**
Stover Trad. Est. *Yate* —4D **17**
Stowey Clo. *Yat* —4D **143**
Stowey Pk. *Yat* —3D **143**
Stowey Rd. *Yat* —2B **142**
Stow Ho. *Bris* —2A **54**
Stowick Cres. *Bris* —3E **39**
Stradbrook Av. *Bris* —3D **73**
Stradling Av. *W Mare* —3D **133**
Stradling Rd. *Bris* —2E **39**
Straits Pde. *Bris* —2D **61**
Stratford Clo. *Bris* —5B **88**
Strathmore Rd. *Bris* —1A **58**
Stratton Clo. *Lit S* —2E **27**
Stratton Rd. *Salt* —5F **93**
Stratton St. *Bris* —2A **70** (1E **5**)
Strawberry Clo. *Nail* —4C **122**
Strawberry Cres. *St G* —3A **72**
Strawberry Gdns. *Nail* —4C **122**
Strawberry Hill. *Clev* —2E **121**
Strawberry La. *B'wth* —5A **86**
Strawberry La. *Bris* —3A **72**
Strawbridge Rd. *Bris* —3D **71**
Stream Clo. *Bris* —5F **25**
Streamcross. *Clav* —2D **143**
Streamleaze. *T'bry* —4C **6**
Streamside. *Clev* —3F **121**
Streamside. *Mang* —1B **62**
Streamside Rd. *Chip S* —5C **18**
Streamside Wlk. *Bris* —3A **82**
Streamside Wlk. *T'bry* —1D **7**
Stream, The. *Ham* —2D **45**
Street, The. *Alv* —2D **9**
Street, The. *Holt* —2D **155**
Street, The. *Rads* —2C **152**
Stretford Av. *Bris* —2F **71**
Stretford Rd. *Bris* —1F **71**
Stride Clo. *Sev B* —4B **20**
Strode Comn. *Alv* —2A **8**
Strode Gdns. *Alv* —2A **8**
Strode Rd. *Clev* —5B **120**
Strode Way. *Clev* —5B **120**
Stroud Rd. *Bris* —2A **54**
Stroud Rd. *Pat* —1A **26**
Stuart Clo. *Trow* —3E **117**
Stuart Pl. *Bath* —3E **105**
Stuart Rd. *W Mare* —3E **133**
Stuart St. *Redf* —3E **71**
Studland Ct. *Bris* —1D **57**
Studley Ri. *Trow* —4D **119**
Sturden La. *Ham* —1E **45**
Sturdon Rd. *Bris* —2C **78**

Trymwood Clo. *Bris* —2B **40**
Trymwood Pde. *Bris* —1F **55**
Tucker St. *Bris* —3B **70** (1F **5**)
Tuckett Ho. *Bris* —5E **45**
Tuckett La. *Bris* —5E **45**
Tuckmill. *Clev* —5B **120**
Tudor Clo. *Old C* —2E **85**
Tudor Dri. *Trow* —3E **117**
Tudor Rd. *E'tn* —1E **71**
Tudor Rd. *Han* —5E **73**
Tudor Rd. *P'head* —4A **50**
Tudor Rd. *St Pa* —1E **70**
Tudor Rd. *W Mare* —1E **129**
Tuffley Rd. *Bris* —4E **41**
Tugela Rd. *Bris* —1B **86**
Tunbridge Way. *E Grn* —4C **46**
Tunstall Clo. *Bris* —3A **56**
Turley Rd. *Bris* —5F **59**
Turnberry. *War* —4D **75**
Turnberry. *Yate* —1A **34**
Turnberry Wlk. *Bris* —4F **81**
Turnbridge Rd. *Bris* —5E **25**
Turnbury Av. *Nail* —4F **123**
Turnbury Clo. *W Mare* —2D **129**
Turner Clo. *Key* —3C **92**
Turner Ct. *W Mare* —2D **129**
Turner Gdns. *Bris* —1D **59**
Turners Ct. *L Grn* —1B **84**
Turner Way. *Clev* —5B **120**
Turnpike Clo. *Yate* —4A **18**
Turnpike Ga. *Wickw* —1B **154**
Turtlegate Av. *Bris* —4A **86**
Turtlegate Wlk. *Bris* —4A **86**
Turville Dri. *Bris* —1C **58**
Tuscany Ho. *Bris* —4C **56**
Tutton Way. *Clev* —5D **121**
Tweed Clo. *T'bry* —4D **7**
Tweed Rd. *Clev* —5C **120**
Tweed Rd. Ind. Est. *Clev* —5C **120**
Tweeny La. *Bris* —4F **75**
Twenty Acres Rd. *Bris* —2D **41**
Twerton Farm Clo. *Bath* —3C **104**
Twickenham Rd. *Bris* —2E **57**
Twickenham Rd. *Clev* —3F **121**
Two Acres Rd. *Bris* —5C **80**
Two Mile Hill Rd. *Bris* —2C **72**
Two Stones La. *Chip S* —1E **35**
Twynings, The. *Bris* —5A **62**
Tybalt Way. *Stok G* —4A **28**
Tydeman Rd. *P'head* —3B **50**
Tyler Clo. *Bris* —5A **74**
Tyler Grn. *W Mare* —1F **129**
Tylers La. *Bris* —2F **45**
Tyler St. *Bris* —4C **70**
Tylers Way. *Yate* —1B **18**
Tyndale Av. *Bris* —3D **61**
Tyndale Av. *Yate* —3F **17**
Tyndale Rd. *Bris* —5A **62**
Tyndale Vw. *T'bry* —4C **6**
Tyndall Av. *Bris* —2E **69** (1A **4**)
Tyndall Rd. *Bris* —2D **71**
Tyndalls Pk. M. *Bris* —2E **69**
Tyndalls Pk. Rd. *Bris* —2D **69**
Tyne Path. *Bris* —5F **57**
Tyne Rd. *Bris* —4F **57**
Tyne St. *Bris* —5C **58**
Tyning Clo. *Bris* —1C **88**
Tyning Clo. *Trow* —3A **118**
Tyning Clo. *Yate* —4A **18**
Tyning End. *Bath* —4C **106** (5F **97**)
Tyning Hill. *Rads* —1D **153**
Tyning La. *Bath* —5C **100**
Tyning Pl. *C Down* —2D **111**
Tyning Rd. *B'ptn* —4A **102**
Tyning Rd. *Bris* —2B **80**
Tyning Rd. *C Down* —2D **111**
Tyning Rd. *Pea J* —2F **149**
Tyning Rd. *Salt* —2A **94**
Tyning Rd. *W'ley* —2F **113**
Tyning's La. *Yate* —4E **13**
Tynings, The. *Clev* —5A **120**
Tynings Way. *L W'wd* —5A **114**

Tyning Ter. *Bath* —5C **100**
  (off Fairfield Rd.)
Tyning, The. *Bath* —4C **106** (5F **97**)
Tyning, The. *Mid N* —5C **112**
Tynte Av. *Bris* —5A **88**
Tyntesfield Rd. *Bris* —1C **86**
Tyrone Wlk. *Bris* —5A **80**
Tyrrel Way. *Stok G* —4A **28**
Tytherington Rd. *Grov* —5F **7**

Ullswater Clo. *Bris* —4F **75**
Ullswater Clo. *W Mare* —4E **133**
Ullswater Clo. *Yate* —3A **18**
Ullswater Dri. *Bath* —4B **100**
Ullswater Rd. *Bris* —3D **41**
Uncombe Clo. *Back* —1F **125**
Underbanks. *Pill* —3F **53**
Underhill Av. *Mid N* —2C **150**
Underhill Dri. *Uph* —1B **138**
Underhill La. *Mid N* —3A **150**
Underleaf Way. *Pea J* —5D **157**
Underwood Av. *W Mare* —4F **127**
Underwood Clo. *Alv* —3B **8**
Underwood Rd. *P'head* —5E **49**
Unicorn Bus. Pk. *Brisl* —4F **71**
Unicorn Pk. Av. *Brisl* —5F **71**
Union Pas. *Bath* —3B **106** (3C **96**)
Union Pl. *W Mare* —1B **132**
Union Rd. *Bedm* —1F **79**
Union Rd. *Bris* —4C **70**
  (in two parts)
Union St. *Bath* —3B **106** (3C **96**)
Union St. *Bris* —3F **69** (1C **4**)
Union St. *Nail* —3B **122**
Union St. *Trow* —1D **119**
Union St. *W Mare* —1B **132**
Unity Ct. *Key* —2C **92**
Unity Rd. *Key* —3C **92**
  (in two parts)
Unity St. *Bris* —4E **69** (3A **4**)
Unity St. *K'wd* —2E **73**
Unity St. *St Ph* —3B **70** (2F **5**)
University Clo. *Bris* —3B **56**
University Rd. *Bris* —3E **69**
University Wlk. *Bris* —3E **69** (1A **4**)
Uphill Cvn. Pk. *Uph* —2B **138**
Uphill Dri. *Bath* —4C **100**
Uphill Rd. *Bris* —2B **58**
Uphill Rd. N. *W Mare* —4B **132**
Uphill Rd. S. *W Mare* —5B **132**
Uphill Way. *Uph* —1A **138**
Upjohn Cres. *Bris* —5F **87**
Uplands Clo. *Lim S* —3A **112**
Uplands Dri. *Salt* —2B **94**
Uplands Rd. *Bris* —4E **61**
Uplands Rd. *Salt* —2A **94**
Uplands, The. *Nail* —5B **122**
Up. Bath Rd. *T'bry* —4C **6**
Up. Belgrave Rd. *Bris* —5C **56**
Up. Belmont Rd. *Bris* —4A **58**
Up. Berkeley Pl. *Bris* —3D **69**
Up. Bloomfield Rd. *Bath* —4D **109**
Up. Borough Walls. *Bath*
  —3A **106** (3B **96**)
Up. Bristol Rd. *Bath* —2D **105** (2A **96**)
Up. Bristol Rd. *W Mare* —4E **127**
Up. Broad St. *Trow* —1C **118**
Up. Broad St. Ct. *Trow* —1C **118**
Upper Buildings. *Bath* —5A **110**
Up. Byron Pl. *Bris* —3D **69**
Up. Camden Pl. *Bath* —1B **106**
Up. Chapel La. *Fram C* —2E **31**
Up. Cheltenham Pl. *Bris* —1A **70**
Up. Church La. *Bris* —3E **69** (2A **4**)
Up. Church La. *Hut* —2B **140**
Up. Church Rd. *W Mare* —4A **126**
Up. Church St. *Bath* —2A **106** (1A **96**)
Up. Cranbrook Rd. *Bris* —3D **57**
Up. E. Hayes. *Bath* —5C **100**
Up. Hedgemead Rd. *Bath*
  —1A **106** (1B **96**)

Up. Kingsdown Rd. *Kngdn* —4F **103**
Up. Lambridge St. *Bath* —4D **101**
Up. Lansdown M. *Bath* —5A **100**
Up. Maudlin St. *Bris* —3F **69** (1B **4**)
Upper Mill. *Brad A* —3F **115**
Up. Mt. Pleasant. *F'frd* —5B **112**
Up. Myrtle Hill. *Pill* —3E **53**
Up. Oldfield Pk. *Bath* —4F **105** (5A **96**)
Up. Perry Hill. *Bris* —1E **79**
Up. Regents St. *Brad A* —3E **115**
Up. Sandhurst Rd. *Bris* —1F **81**
Up. Station Rd. *Bris* —3E **61**
Up. Stone Clo. *Fram C* —2E **31**
Upper St. *Bris* —1C **80**
Up. Sydney St. *Bris* —2D **79**
Up. Wells St. *Bris* —3E **69** (2A **4**)
Up. Westwood. *Brad A* —5E **113**
Up. York St. *Bris* —2A **70**
Upton. *W Mare* —1E **139**
Upton Rd. *Bris* —1D **79**
  (in two parts)
Urchinwood La. *Cong* —3F **145**
Urfords Dri. *Bris* —1E **61**
Usk Ct. *T'bry* —4D **7**

Valda Rd. *W Mare* —3A **128**
Vale Cres. *St Geo* —3A **130**
Vale End. *Nail* —4C **122**
Vale La. *Bris* —5E **79**
Vale Mill Way. *W Mare* —5D **129**
Valentine Clo. *Bris* —3D **89**
Valerian Clo. *Bris* —1B **54**
Vale St. *Bris* —1C **80**
Valetta Clo. *W Mare* —5D **133**
Vale Vw. *Rads* —2D **153**
Vale Vw. Pl. *Bath* —5C **100**
Vale Vw. Ter. *Bathe* —3A **102**
Valley Clo. *Nail* —3D **123**
Valley Gdns. *Bris* —4B **46**
Valley Gdns. *Nail* —3D **123**
Valley Rd. *Bris* —5C **78**
Valley Rd. *Clev* —1F **121**
Valley Rd. *L Wds* —3E **67**
Valley Rd. *Mang* —2C **62**
Valley Rd. *P'head* —5A **48**
Valley Rd. *War* —4F **75**
Valley Vw. Clo. *Bath* —3C **100**
Valley Vw. Rd. *Bath* —3C **100**
Valley Vw. Rd. *Paul* —3B **146**
Valley Wlk. *Mid N* —2E **151**
Valley Way Rd. *Nail* —2D **123**
Valls, The. *Brad S* —3B **28**
Valma Rocks. *Bris* —4C **72**
Van Diemen's La. *Bath* —4F **99**
Vandyck Av. *Key* —2B **92**
Vane St. *Bath* —2C **106** (2E **97**)
Varsity Way. *Lock* —2F **135**
Vassall Ct. *Bris* —2D **61**
Vassall Rd. *Bris* —2D **61**
Vattingstone La. *Alv* —2A **8**
Vaughan Clo. *Bris* —1B **40**
Vauxhall Av. *Bris* —1C **78**
Vauxhall Ter. *Bris* —1C **78**
Vayre Clo. *Chip S* —5E **19**
Veale, The. *B'don* —5A **140**
Veitch Clo. *Salt* —5E **93**
Vellore La. *Bath* —2C **106** (2F **97**)
Ventnor Av. *Bris* —2B **72**
Ventnor Rd. *Fil* —1E **43**
Ventnor Rd. *S'wll & St G* —1B **72**
Venton Ct. *Bris* —5D **73**
  (off Henbury Rd.)
Venue, The. *Bris* —3E **25**
Venus St. *Cong* —4E **145**
Vera Rd. *Bris* —5B **60**
Verbena Way. *W Mare* —4E **129**
Vereland Rd. *Hut* —5C **134**
Verlands. *Cong* —1E **145**
Vernham Gro. *Bath* —3D **109**
Vernon Clo. *Salt* —5F **93**
Vernon Pk. *Bath* —3D **105**

William Daw Clo. *Ban* —5D **137**
William Mason Clo. *Bris* —3D **71**
Williams Clo. *L Grn* —2B **84**
Williamson Rd. *Bris* —4B **58**
Williamstowe. *Bath* —3D **111**
William St. *Bath* —2B **106** (2D **97**)
William St. *Bedm* —1A **80**
William St. *Fish* —4D **61**
William St. *Redf* —2E **71**
William St. *St Pa* —1B **70**
William St. *St Ph* —4D **70**
William St. *Tot* —1B **80**
Willinton Rd. *Bris* —1B **88**
Willis Rd. *Bris* —5B **62**
Williton Cres. *W Mare* —1D **139**
Willment Way. *Bris* —3F **37**
Willmott Clo. *Bris* —5B **88**
Willoughby Clo. *Alv* —3B **8**
Willoughby Clo. *Bris* —1D **87**
Willoughby Rd. *Bris* —2A **58**
Willowbank. *Bris* —5E **41**
Willow Bed Clo. *Bris* —1D **61**
Willow Clo. *Bath* —4F **109**
Willow Clo. *Bris* —4F **75**
Willow Clo. *Clev* —3E **121**
Willow Clo. *L Ash* —4B **76**
Willow Clo. *Pat* —2A **26**
Willow Clo. *P'head* —4E **49**
Willow Clo. *Rads* —3B **152**
Willow Clo. *St Geo* —3A **130**
Willow Clo. *Uph* —1C **138**
Willow Clo. *Wick* —5A **154**
Willowdown. *W Mare* —1C **128**
Willow Dri. *B'don* —5A **140**
Willow Dri. *Hut* —1C **140**
Willow Dri. *Lock* —3C **134**
Willow Falls, The. *Bath* —3F **101**
Willow Gdns. *St Geo* —3B **130**
Willow Grn. *Bath* —5F **105**
Willow Gro. *Bris* —5E **61**
Willow Gro. *Trow* —5B **118**
Willow Ho. *Bris* —4F **87**
Willow Rd. *Bris* —2E **83**
Willow Shop. Cen., The. *Bris* —1F **61**
Willows, The. *Brad S* —1F **27**
Willows, The. *Bris* —3D **45**
Willows, The. *Nail* —2E **123**
Willows, The. *Yate* —4F **17**
Willow Vw. *N Brad* —4D **155**
Willow Wlk. *Bris* —1D **41**
Willow Wlk. *Key* —4F **91**
Willow Way. *Coal H* —3E **31**
Willsbridge Hill. *Will* —3C **84**
Wills Dri. *Bris* —2C **70**
Willway St. *Bedm* —1F **79**
Willway St. *Bris* —3B **70** (2F **5**)
Wilmot Ct. *Bris* —4C **74**
Wilmots Way. *Pill* —3F **53**
Wilshire Av. *Bris* —5F **73**
Wilson Av. *Bris* —2B **70**
Wilson Pl. *Bris* —2B **70**
Wilson St. *Bris* —2B **70**
Wilton Clo. *Bris* —4E **41**
Wilton Dri. *Trow* —4D **119**
Wilton Gdns. *W Mare* —2B **132**
Wiltons. *Wrin* —1B **156**
Wiltshire Av. *Yate* —3C **18**
Wiltshire Dri. *Trow* —5C **118**
Wiltshire Pl. *Bris* —4A **62**
Wiltshire Way. *Bath* —4B **100**
Wilverley Ind. Est. *Bris* —4A **82**
Wimbledon Rd. *Bris* —2E **57**
Wimborne Rd. *Bris* —4E **79**
Winash Clo. *Bris* —1F **89**
Wincanton Clo. *Down* —3B **46**
Wincanton Clo. *Nail* —4F **123**
Winchcombe Clo. *Nail* —5F **123**
Winchcombe Gro. *Bris* —2B **54**
Winchcombe Rd. *Fram C* —1D **31**
Winchcombe Trad. Est. *Bris* —1C **80**
Winchester Av. *Bris* —2F **81**
Winchester Rd. *Bath* —4E **105**

Winchester Rd. *Bris* —2F **81**
Wincroft. *Old C* —1E **85**
(in two parts)
Windcliff Cres. *Bris* —4A **38**
Windermere. *W Trym* —2F **41**
Windermere Av. *W Mare* —4D **133**
Windermere Rd. *Pat* —1C **26**
Windermere Rd. *Trow* —5E **117**
Windermere Way. *Bris* —4F **75**
Windmill Clo. *Bris* —1A **80**
Windmill Farm Bus. Cen. *Bris* —1F **79**
Windmill Hill. *Bris* —2F **79**
Windmill Hill. *Hut* —1D **141**
Windmill La. *Bris* —1F **39**
Windrush Clo. *Bath* —5A **104**
Windrush Ct. *T'bry* —4D **7**
Windrush Grn. *Key* —4C **92**
Windrush Rd. *Key* —4C **92**
Windsor Av. *Bris* —4D **73**
Windsor Av. *Key* —4A **92**
Windsor Bri. Rd. *Bath* —3E **105**
Windsor Clo. *Clev* —4C **120**
Windsor Clo. *Stok G* —4A **28**
Windsor Ct. *Bath* —2D **105**
Windsor Ct. *Bris* —4B **68**
Windsor Ct. *Down* —5A **46**
Windsor Ct. *Wick* —4B **154**
Windsor Cres. *H'len* —5E **23**
Windsor Dri. *Nail* —4D **123**
Windsor Dri. *Trow* —5B **118**
Windsor Dri. *Yate* —4F **17**
Windsor Gro. *Bris* —2D **71**
Windsor Pl. *Bris* —4B **68**
Windsor Pl. *Mang* —2C **62**
Windsor Rd. *Bris* —5A **58**
Windsor Rd. *L Grn* —3B **84**
Windsor Rd. *W Mare* —3A **128**
Windsor Rd. *Whit B* —3F **155**
Windsor Ter. *Clif* —4B **68**
Windsor Ter. *Paul* —4B **146**
Windsor Ter. *Tot* —1B **80**
Windsor Vs. *Bath* —2D **105**
Windwhistle Circ. *W Mare* —5D **133**
Windwhistle La. *W Mare* —5C **132**
(in three parts)
Windwhistle Rd. *W Mare* —5B **132**
Wineberry Clo. *Bris* —1F **71**
Wine St. *Bath* —3B **106** (4C **96**)
Wine St. *Brad A* —2D **115**
Wine St. *Bris* —3F **69** (2C **4**)
Wine St. Ter. *Brad A* —3D **115**
Winfield Rd. *Bris* —3E **75**
Winford Clo. *P'head* —4A **50**
Winford Gro. *Bris* —5C **78**
Wingard Clo. *Uph* —1B **138**
Wingfield Rd. *Bris* —3A **80**
Wingfield Rd. *Trow* —3A **118**
Winifred's La. *Bath* —5F **99**
Winkworth Pl. *Bris* —1B **70**
Winsbury Way. *Pat* —1E **27**
Winscombe Clo. *Key* —2F **91**
Winscombe Rd. *W Mare* —1E **133**
Winsford St. *Bris* —2C **70**
Winsham Clo. *Bris* —3D **89**
Winsley By-Pass. *Brad A* —2E **113**
Winsley Hill. *Lim S* —2B **112**
Winsley Rd. *Brad A* —2B **114**
Winsley Rd. *Bris* —1F **69**
Winterbourne Hill. *Wint* —4F **29**
Winterbourne Rd. *Stok G* —3A **28**
Winterfield Pk. *Paul* —4B **146**
Winterfield Rd. *Paul* —4B **146**
Winterslow Rd. *Trow* —5B **118**
Winterstoke Clo. *Bris* —3D **79**
Winterstoke Ho. *Bris* —1C **78**
Winterstoke Rd. *Bris* —2B **78**
Winterstoke Rd. *W Mare* —2D **133**
Winterstoke Underpass. *Bris* —1B **78**
Winton St. *Bris* —1B **80**
Wintour Ho. *Bris* —4C **38**
Wisteria Av. *Chip S* —5C **18**
Wisteria Av. *Hut* —1B **140**

Witchell Rd. *Bris* —3E **71**
Witch Hazel Rd. *Bris* —5A **88**
Witcombe. *Yate* —2E **33**
Witcombe Clo. *Bris* —1B **74**
Witham Rd. *Key* —5C **92**
Withey Clo. E. *Bris* —1B **56**
Withey Clo. W. *Bris* —2B **56**
Witheys, The. *Bris* —4E **89**
Withies La. *Mid N* —5C **150**
Withies Pk. *Mid N* —4C **150**
Withington Clo. *Bit* —3E **85**
Withleigh Rd. *Bris* —3D **81**
Withy Clo. *Trow* —4E **117**
Withypool Gdns. *Bris* —3D **89**
Withys, The. *Pill* —4F **53**
Withywood Gdns. *Bris* —3B **86**
Withywood Rd. *Bris* —4B **86**
Witney Clo. *Salt* —5F **93**
Woburn Clo. *Bar C* —5B **74**
Woburn Clo. *Trow* —2A **118**
Woburn Rd. *Bris* —4D **59**
Wolferton Rd. *Bris* —5B **58**
Wolfridge Gdns. *Bris* —5C **24**
Wolfridge La. *Alv* —3A **8**
Wolfridge Ride. *Alv* —3A **8**
Wolseley Rd. *Bris* —4F **57**
Woltson Ter. *Bath* —3F **107**
Wolvershill Pk. *Ban* —5E **137**
Wolvershill Rd. *Ban* —5A **130**
(in two parts)
Woodbine Rd. *Bris* —2F **71**
Woodborough Clo. *Trow* —5D **119**
Woodborough Cres. *Wins* —5B **156**
Woodborough Dri. *Wins* —4B **156**
Woodborough La. *Rads* —5D **149**
Woodborough Rd. *Rads* —1D **153**
Woodborough Rd. *Wins* —4A **156**
Woodborough St. *Bris* —1D **71**
Woodbridge Rd. *Bris* —3C **80**
Woodbury La. *Bris* —5C **56**
Woodchester. *Bris* —4A **62**
Woodchester. *Yate* —3A **34**
Woodchester Rd. *Bris* —5E **41**
Woodcliff Av. *W Mare* —4A **128**
Woodcliff Rd. *W Mare* —4A **128**
Woodcote. *Bris* —4F **73**
Woodcote Rd. *Bris* —4D **61**
Woodcote Wlk. *Bris* —5D **61**
Woodcroft Av. *Bris* —1F **71**
Woodcroft Clo. *Bris* —1A **82**
Woodcroft Rd. *Bris* —1A **82**
Woodend. *Bris* —4F **73**
Woodend Rd. *Fram C* —2D **31**
Wood End Wlk. *Bris* —1E **55**
Woodfield Rd. *Bris* —5D **57**
Woodford Clo. *Nail* —4F **123**
Woodgrove Rd. *Bris* —2F **39**
Woodhall Clo. *Bris* —1B **62**
Wood Hill. *Cong* —5D **143**
Woodhill Av. *P'head* —1F **49**
Wood Hill Pk. *P'head* —1F **49**
Wood Hill Pl. *Bath* —4E **107**
Woodhill Rd. *P'head* —2F **49**
Woodhill Views. *Nail* —2E **123**
Woodhouse Gro. *Bris* —1A **56**
Woodhouse Rd. *Bath* —3B **104**
Woodhurst Rd. *W Mare* —1E **133**
Woodington Ct. *Bar C* —1B **84**
Woodington Rd. *Clev* —5C **120**
Wood Kilns, The. *Yat* —2A **142**
Woodland Av. *Bris* —5F **61**
Woodland Clo. *Bris* —5E **61**
Woodland Ct. *Bris* —4E **55**
Woodland Glade. *Clev* —1E **121**
Woodland Gro. *Bath* —4F **107**
Woodland Gro. *Bris* —1F **55**
Woodland La. *Bris* —5F **89**
Woodland Pl. *Bath* —4E **107**
Woodland Ri. *Bris* —3E **69** (2A **4**)
Woodland Rd. *Clif & Bris*
(in two parts) —2E **69** (1A **4**)
Woodland Rd. *Nail* —2D **123**

INDEX TO PLACES OF INTEREST

with their map square reference

HOSPITALS and HEALTH CENTRES
covered by this atlas.

N.B. Where Hospitals and Health Centres are not named on the map, the reference given is for the road in which they are situated.

BLACKBERRY HILL HOSPITAL —2B **60**
Manor Rd., Fishponds,
Bristol, BS16 2EW
Tel: (0117) 9656061

BRADFORD-ON-AVON COMMUNITY
HOSPITAL —1E **115**
Berryfields, Berryfield Rd.,
Bradford on Avon, BA15 1TA
Tel: (01225) 862975

Bradford-on-Avon Family Health Centre
—3D **115**
Station App.,
Bradford on Avon,
BA15 1DQ
Tel: (01225) 865660

BRENTRY HOSPITAL —2D **41**
Charlton Rd., Brentry,
Bristol, BS10 6JA
Tel: (0117) 9500500

BRISTOL BUPA HOSPITAL —5C **56**
The Glen, Redland Hill,
Durdham Down,
Bristol, BS6 6UT
Tel: (0117) 9732562

BRISTOL DENTAL HOSPITAL
—3F **69** (1B **4**)
Lower Maudlin St.,
Bristol, BS1 2LY
Tel: (0117) 9230050

BRISTOL EYE HOSPITAL —3F **69** (1B **4**)
Lower Mauldin St.,
Bristol, BS1 2LX
Tel: (0117) 9230060

BRISTOL GENERAL HOSPITAL —5F **69**
Guinea St.,
Bristol, BS1 6SY
Tel: (0117) 9265001

BRISTOL ONCOLOGY CENTRE
—3F **69** (1B **4**)
Horfield Rd.,
Bristol, BS2 8ED
Tel: (0117) 9230000

BRISTOL ROYAL HOSPITAL FOR
SICK CHILDREN —3E **69**
St Michael's Hill,
Bristol, BS2 8BJ
Tel: (0117) 9215411

BRISTOL ROYAL INFIRMARY —3F **69**
Marlborough St.,
Bristol, BS2 8H
Tel: (0117) 9230000

Brooklea Health Centre —5A **72**
Wick Rd., Brislington,
Bristol, BS4 4HU
Tel: (0117) 9711211

BURDEN HOSPITAL —4A **44**
Stoke La., Stapleton,
Bristol, BS16 1QT
Tel: (0117) 9701212

Cadbury Heath Health Centre —5C **74**
Parkwall Rd., Cadbury Heath,
Bristol, BS30 8HS
Tel: (0117) 9600129

Charlotte Keel Health Centre —1C **70**
Seymour Rd., Easton,
Bristol, BS5 0UA
Tel: (0117) 9512244

CHESTERFIELD HOSPITAL, THE —4C **68**
3 Clifton Hill,
Bristol, BS8 1BP
Tel: (0117) 9467424

Clevedon Health Centre —3E **121**
Old St.,
Clevedon,
BS21 6DG
Tel: (01275) 871454

CLEVEDON HOSPITAL —3E **121**
Old Street, Clevedon,
BS21 6BS
Tel: (01275) 872212

COSSHAM HOSPITAL —5E **61**
Lodge Rd., Kingswood,
Bristol, BS15 1LF
Tel: (0117) 9671661

DROVE ROAD HOSPITAL —3D **133**
Drove Rd.,
Weston-Super-Mare,
BS23 3NT
Tel: (01934) 636363

Eastville Health Centre —5E **59**
East Pk., Eastville,
Bristol, BS5 6YA
Tel: (0117) 9511261

Fairfield Park Health Centre —5C **100**
Tyning La., Camden Rd.,
Bath, BA1 6EA
Tel: (01225) 331616

Fishponds Health Centre —3D **61**
Beechwood Rd., Fishponds,
Bristol, BS16 3TD
Tel: (0117) 9656281

FRENCHAY HOSPITAL —4D **45**
Frenchay Park Rd., Frenchay,
Bristol, BS16 1LE
Tel: (0117) 9701212

GROVE ROAD DAY HOSPITAL —5C **56**
Grove Rd., Redland,
Bristol, BS6 6UJ
Tel: (0117) 9730225

HANHAM HALL HOSPITAL —1F **83**
Whittucks Rd., Hanham,
Bristol, BS15 3PU
Tel: (0117) 9085000

Hartcliffe Health Centre —4E **87**
Hareclive Rd., Hartcliffe,
Bristol, BS13 0JP
Tel: (0117) 941020

HEATH HOUSE PRIORY HOSPITAL
—3D **59**
Heath House La., off Bell Hill,
Stapleton, Bristol,
BS16 1EQ
Tel: (0117) 9525255

Horfield Health Centre —1C **58**
Lockleaze Rd., Horfield,
Bristol, BS7 9RR
Tel: (0117) 9695391

KEYNSHAM HOSPITAL —4B **92**
St Clement's Rd., Keynsham,
Bristol, BS31 1AG
Tel: (0117) 9862356

Kingswood Health Centre —2A **74**
Alma Rd.,
Kingswood,
Bristol, BS15 4EJ
Tel: (0117) 9677191

Lawrence Hill Health Centre —3C **70**
Hassell Dri.,
Lawrence Hill,
Bristol, Avon, BS2 0AN
Tel: (0117) 9555241

Montpelier Health Centre —1A **70**
Bath Buildings, Montpelier,
Bristol, BS6 5PT
Tel: (0117) 9426811

Nailsea Health Centre —3D **123**
Somerset Sq.,
Nailsea, BS19 2EY
Tel: (01275) 856611

PAULTON HOSPITAL —5C **146**
Salisbury Rd.,
Paulton, BS39 7SB
Tel: (01761) 412315

Portishead Health Centre —3F **49**
Victoria Sq., Portishead,
Bristol, BS20 9AQ
Tel: (01275) 847474

ROBERT SMITH UNIT DAY HOSPITAL
—3C **68**
Mortimer Rd.,
Bristol, BS8 4EX
Tel: (0117) 9735004

ROYAL NATIONAL HOSPITAL FOR
RHEUMATIC DISEASES
—3A **106** (3B **96**)
Upper Borough Walls,
Bath, BA1 1RL
Tel: (01225) 465941

ROYAL UNITED HOSPITAL —1C **104**
Combe Pk., Bath,
Avon, BA1 3NG
Tel: (01225) 428331

St George Health Centre —2C **72**
Bellevue Rd., St George,
Bristol, BS5 7PH
Tel: (0117) 9612161

Hospitals and Health Centres

St Johns Lane Health Centre —3A **80**
St Johns La., Bedminster,
Bristol, BS14 8PT
Tel: (0117) 667681

ST MARTIN'S HOSPITAL —3F **109**
Midford Rd., Bath,
BA2 5RP
Tel: (01225) 832383

ST MARY'S HOSPITAL —3D **69**
Upper Byron Pl., Clifton,
Bristol, BS8 1JU
Tel: (0117) 9872727

ST MICHAEL'S HOSPITAL —2E **69**
Southwell St., St Michael's Hill,
Bristol, BS2 8EG
Tel: (0117) 9215411

St Peter's Hospice —3B **80**
St Agnes Av., Knowle,
Bristol, BS4 2DU
Tel: (0117) 9774605

Shirehampton Health Centre —1A **54**
Pembroke Rd., Shirehampton,
Bristol, BS11 0QE
Tel: (0117) 9828181

Southmead Health Centre —2E **41**
Ullswater Rd., Southmead,
Bristol, BS10 6DF
Tel: (0117) 9507000

SOUTHMEAD HOSPITAL —4A **42**
Westbury-on-Trym,
Bristol, BS10 5NB
Tel: (0117) 9505050

Stockwood Health Centre —3A **90**
Hollway Rd.,
Stockwood,
Bristol, BS14 8PT
Tel: (01275) 833103

Thornbury Health Centre —3D **7**
Eastland Rd.,
Thornbury,
BS35 1DP
Tel: (01454) 414477

THORNBURY HOSPITAL —3D **7**
Eastland Rd.,
Thornbury,
BS35 1DN
Tel: (01454) 412636

TROWBRIDGE COMMUNITY HOSPITAL
—1C **118**
Adcroft St., Trowbridge,
BA14 8PH
Tel: (01225) 752558

Trowbridge Family Health Centre
—1D **119**
The Halve, Trowbridge,
BA14 8SA
Tel: (01225) 766161

WESTON GENERAL HOSPITAL —2C **138**
Grange Rd., Uphill,
Weston-Super-Mare,
BS23 4TQ
Tel: (01934) 636363

Whitchurch Health Centre —3C **88**
Armada Rd.,
Whitchurch,
Bristol BS8 2PU
Tel: (01275) 839421

Whiteladies Health Centre —1D **69**
Whatley Rd., Clifton,
Bristol, BS8 1NL
Tel: (0117) 9731201

William Bud Health Centre —5F **79**
Leinster Av., Knowle,
Bristol, BS4 1NL
Tel: (0117) 9633152

Worle Health Centre —3C **128**
125 High St., Worle,
Weston-Super-Mare,
BS22 0HB
Tel: (01934) 510510

Yate Health Centre —5A **18**
21 West Wlk., Yate,
Bristol, BS37 4AX
Tel: (01454) 313374